DE ONZICHTBARE

STELLA RIMINGTON

DE ONZICHTBARE

Van Holkema & Warendorf

Oorspronkelijke titel: *At Risk*
Oorspronkelijke uitgave: Hutchinson
© Stella Rimington 2004

© 2004 Nederlandstalige uitgave:
Uitgeverij Unieboek bv,
Postbus 97, 3990 DB Houten

www.unieboek.nl

Vertaling: Mariëtte van Gelder
Omslagontwerp en Artwork: Hesseling Design, Ede
Auteursfoto: Jamie Hughes
Opmaak: ZetSpiegel, Best

ISBN 90 269 8382 4 / NUR 338

Voor mijn kleindochter Charlotte

1

De metrotrein kwam met een zachte beslistheid tot stilstand. Een lange, hydraulische zucht en het was stil.

Een paar seconden lang bewoog niemand zich in de volle coupé en toen, terwijl de bewegingloosheid en de stilte zich verdiepten, werden er waakzame blikken geworpen. Staande reizigers tuurden bezorgd door de ramen in het zwart, alsof ze hoopten op een verklarend visioen of een openbaring.

Ze zaten ergens tussen Mornington Crescent en Euston, berekende Liz Carlyle. Het was vijf over acht, het was maandag en ze zou vrijwel zeker te laat op haar werk komen. De geur van de natte kleren van andere mensen drong zich aan haar op. Een natte attachékoffer, niet de hare, lag op haar schoot.

Liz nestelde haar kin in haar velours sjaal, leunde achterover in haar zitplaats en stak behoedzaam haar voeten naar voren. Ze had die paarse schoenen met de puntige neuzen niet moeten aantrekken. Ze had ze een paar weken geleden gekocht, tijdens een luchthartige, extravagante winkelmiddag, maar nu begonnen de neuzen op te krullen, zo doorweekt waren ze op weg naar het station geworden. Ze wist uit ervaring dat de regen lelijke, onuitwisbare sporen op het leer zou achterlaten. Dat de kittige hakjes precies het juiste formaat hadden om in de gleuven tussen stoeptegels te blijven steken, was minstens zo ergerlijk.

Liz werkte nu tien jaar in Thames House, maar ze had nog steeds geen bevredigende oplossing voor het kledingprobleem gevonden. De algemeen aanvaarde stijl, waarin de meeste mensen op den duur leken te vervallen, lag ergens tussen somber en onzichtbaar. Donkere broekpakken, keurige rokken en jasjes, degelijke schoenen; de kleding die je bij John Lewis of Marks & Spencer kon vinden.

Sommige collega's voerden die stijl zover door dat ze een haast communistische saaiheid bereikten, maar Liz verzette zich er instinctief tegen. Op zaterdagmiddag zocht ze vaak de kramen met antieke kleding op Camden Market af naar bizarre, stijlvolle koopjes die weliswaar niet tegen de regels van de Dienst indruisten, maar zeker tot opgetrokken wenkbrauwen leidden. Het deed Liz een beetje aan haar schooltijd denken, en ze glimlachte bij de herinnering aan de grijze plooirokken die je in de klas op de voorgeschreven lengte kon dragen, maar wel vijftien centimeter boven de knie kon opstropen voor de busrit naar huis, al bevroor je kont dan bijna. Misschien was het overdreven om op je vierendertigste nog altijd dezelfde strijd te voeren, maar iets in haar verzette zich nog steeds tegen de ernst en geheimzinnigheid van het werk in Thames House.

Een aan een lus hangende passagier ving haar glimlach op en bekeek haar van top tot teen. Liz ontweek zijn goedkeurende blik en maakte haar eigen inschatting, een proces dat voor haar een tweede natuur was geworden. Hij was goedgekleed, maar met een subtiele conservatieve pietluttigheid die niet echt bij de zakenwereld hoorde. De bovenlaag van de academische wereld dan? Nee, het was een maatpak. Een medicus? De goedverzorgde handen onderschreven dat, evenals de welwillende maar onmiskenbare arrogantie van zijn taxatie. Een specialist met een paar jaar eigen praktijk en een stuk of tien plooibare verpleegkundigen achter zich, besloot Liz, op weg naar een van de grotere academische ziekenhuizen. En naast hem een goth-meisje. Paars ingevlochten haar. Een T-shirt van de Sisters of Mercy onder een leren SM-jack en overal piercings. Het was wel een beetje vroeg voor de leden van haar stam om nu al op de been te zijn. Ze werkt zeker in een kledingzaak, een muziekwinkel of... nee, hebbes. De net zichtbare glimmende ribbel op haar duim, de indruk van een schaar. Ze was een kapster die keurige meisjes uit de buitenwijken omtoverde in bloeddorstige vampiers.

Liz boog haar hoofd, vlijde haar wang weer tegen de zijdezachte, dieprode vleug van haar sjaal en liet zich omhullen door de zwakke geur die Marks fysieke aanwezigheid, zijn ogen, mond en haar, voor haar geestesoog opriep. Hij had het parfum voor haar gekocht bij Guerlain aan de Champs Elysées (hoogst ongepast, uiteraard) en de sjaal bij Dior aan de Avenue Montaigne. Hij had contant betaald, had hij haar later verteld, om geen sporen achter te laten. Hij had altijd al een onfeilbaar instinct voor het ambacht van het overspel gehad.

Ze herinnerde zich die avond tot in de kleinste details. Na zijn bezoek aan Parijs, waar hij een actrice had geïnterviewd, was hij onaangekondigd bij Liz' souterrain in Kentish Town komen aanzetten. Ze had in bad naar *La Bohème* liggen luisteren en intussen een halfslachtige

8

poging gedaan een artikel in *The Economist* te begrijpen toen hij er opeens was geweest. De vloer lag bezaaid met duur wit vloeipapier en het hele huis was doortrokken – heerlijk en prikkelend – van Vol de Nuit.

Later hadden ze een fles belastingvrije Moët opengemaakt en waren samen weer in bad geklommen. 'Moet je niet naar Shauna?' had Liz schuldbewust gevraagd.

'Die slaapt vast al,' had Mark vrolijk geantwoord. 'Ze heeft de kinderen van haar zus het hele weekend gehad.'

'Terwijl jij...'

'Ik weet het. Het leven is wreed, hè?'

Waar Liz aanvankelijk niet bij had gekund, was dát hij met Shauna getrouwd was. Als ze zijn verhalen moest geloven, hadden ze absoluut niets gemeen. Mark Callendar was een zorgeloze genotzoeker met een welhaast katachtige opmerkingsgave – een eigenschap die hem tot een van de meest gewilde diepte-interviewers van de pers maakte – terwijl zijn vrouw een onbuigzaam ernstige feministische academicus was. Zij maakte hem eeuwig verwijten omdat hij zo onbetrouwbaar was, en hij deed niet anders dan haar humorloze toorn ontlopen. Het leek allemaal geen enkel doel te dienen.

Maar Shauna was Liz' probleem niet; dat was Mark zelf. Hun verhouding was een grote dwaasheid die haar heel goed haar baan zou kunnen kosten als ze niet snel ingreep. Ze hield niet van Mark en moest er niet aan denken wat er zou gebeuren als het hele geval in de openbaarheid kwam. Het had er lang naar uitgezien dat Mark bij Shauna zou weggaan, maar hij was bij haar gebleven en Liz betwijfelde inmiddels of hij haar ooit zou verlaten. Shauna, was ze langzamerhand gaan begrijpen, was de negatieve lading tegenover zijn positieve, de wisselstroom tegenover zijn gelijkstroom; zij was de aangever en hij de komiek; alleen samen vormden ze een functioneel geheel.

En terwijl ze in de stilstaande trein zat, viel het haar in dat transformatie datgene was wat Mark echt opwindend vond. Hij stortte zich op haar, streek haar tegen de haren in, lachte om haar ernst en toverde haar om in een paradijsvogel. Als ze in een ruime, moderne flat met uitzicht over een Londens park had gewoond, met kasten vol exquise couturekleding, had ze hem nooit kunnen boeien.

Ze moest er echt een eind aan maken. Ze had haar moeder niet over hem verteld, uiteraard, en dus moest ze telkens wanneer ze een week-

9

end bij haar in Wiltshire logeerde een goedbedoelde preek over 'een leuke man ontmoeten' aanhoren.

'Ik weet dat het moeilijk voor je is dat je niet over je werk kunt praten,' was haar moeder de vorige avond begonnen, en ze keek op van het fotoalbum dat ze aan het ordenen was, 'maar ik heb pas in de krant gelezen dat er meer dan negentienhonderd mensen op dat kantoor van jou werken en er allerlei activiteiten voor het personeel worden georganiseerd. Waarom ga je niet op een toneelclub, of op salsadansen of zoiets?'

'Mam, alsjeblieft!' Ze stelde zich voor dat ze werd belaagd door een groep mannen van de afdeling Noord-Ierland en A4-surveillanten met gekleurde ruches op hun overhemd, vurige ogen en rammelende castagnetten.

'Het was maar een idee,' zei haar moeder welwillend, en ze richtte haar aandacht weer op het album. Een paar minuten later hield ze een oude klassenfoto van Liz op.

'Herinner je je Robert Dewey nog?'

'Ja,' zei Liz waakzaam. 'Hij woonde in Tisbury en pieste in zijn broek tijdens het schoolreisje naar Stonehenge.'

'Hij heeft pas een nieuw restaurant in Salisbury geopend. Bij het Playhouse om de hoek.'

'O, ja?' prevelde Liz. 'Hoe is het mogelijk.' Dit was een aanval vanuit de flank, en de eigenlijke bedoeling was dat ze terug naar huis moest komen. Ze was opgegroeid in de kleine, achthoekige portierswoning waarin haar moeder tegenwoordig in haar eentje woonde. De onuitgesproken hoop was dat Liz zou terugkeren naar de provincie en zich zou 'settelen' voordat de Stad van de Gruwelijke Nacht haar voorgoed in zijn klauwen kreeg en ze eeuwig een oude vrijster zou moeten blijven. Het hoefde niet per se met Rob Dewey te zijn, degene van de doorweekte broek, maar wel zo'n soort man. Iemand met wie ze op gepaste tijden kon genieten van 'de Franse keuken', 'de schouwburg' en al die andere stadse geneugten waaraan ze ongetwijfeld gewend was geraakt.

Liz had zoveel moeite gehad zich uit het moederlijke web te bevrijden dat ze pas om tien uur op de snelweg had gezeten en haar appartement in Kentish Town pas tegen middernacht had bereikt. Bij thuiskomst had ze ontdekt dat de was die ze zaterdagochtend in de machine had gestopt in vijftien centimeter troebel water in de trommel lag; de machine had er halverwege de wascyclus de brui aan gegeven. Ze kon geen was meer

10

draaien, want dan maakte ze de buren wakker, dus wroette ze in de berg was voor de stomerij, zocht het minst gekreukte kantoorpak eruit, hing het over de rand van het bad en nam een douche, in de hoop dat de stoom het pak iets van zijn zwier zou teruggeven. Het was al bijna één uur toen ze eindelijk in haar bed stapte. Ze had maar een uur of vijfeneenhalf geslapen, had opgezette ogen en dobberde op een golf van vermoeidheid.

De metrotrein kwam met een zucht en een lange, winderige siddering weer op gang. Ze kon niet meer op tijd op haar werk komen.

2

Thames House, het hoofdkwartier van MI5, staat aan Millbank. Het immense, ontzagwekkende gebouw van portlandsteen met zeven verdiepingen staat, ineengedoken als een grote, bleke geest, een paar honderd meter ten zuiden van Westminster Palace.

Die ochtend rook Millbank zoals altijd naar diesel en de rivier. Liz trok haar jas dicht om zich heen tegen de vlagen regen op de wind en rende het bordes op, met haar ogen op de treden om niet uit te glijden over de drassige plataanbladeren. Met zwaaiende tas duwde ze een van de deuren naar de hal open, stak haar hand op naar de bewakers achter de balie en stak haar pasje in de gleuf. De voorkant van een van de beveiligingscabines schoof open. Ze stapte naar binnen en zat even opgesloten. Toen, alsof ze in een fractie van een seconde lichtjaren had gereisd, schoof de achterdeur open en stapte ze een andere wereld in. Thames House was een bijenkorf, een stad van staal en matglas, en Liz voelde een subtiele verandering in zichzelf toen ze over de drempel stapte en geluidloos naar de vijfde verdieping zoefde.

De liftdeuren schoven open en ze sloeg linksaf en haastte zich naar 5/AX, de afdeling van de agentenbegeleiders. Het was een grote, open ruimte met tl-verlichting die iets sjofels kreeg door de kledingrekken bij elk bureau. Hieraan hing de werkkleding van de agentenbegeleiders; in Liz' geval een versleten spijkerbroek, een zwarte Karrimor-fleecetrui en een leren jack met een ritssluiting. Op haar bureau stond niet meer dan een grijze terminal, een telefoon en een FBI-koffiebeker. Ernaast stond een kast met een combinatieslot waaruit ze een donkerblauwe map pakte.

'En daar, recht op het doel af...' mompelde Dave Armstrong die aan het bureau ernaast strak naar zijn computerscherm zat te turen.

'Dat komt door die ellendige Northern Line,' zei Liz, nog nahijgend terwijl ze aan het slot draaide. 'De trein bleef gewoon...'staan. Minstens tien minuten. Geen mededeling, niets.'

'Tja, de machinist kon moeilijk zijn joint op het station roken, toch?' luidde Armstrongs redelijke verklaring.

Maar Liz, met de map in haar hand en minus haar jas en sjaal, was al halverwege de uitgang. Onderweg naar zaal 6/40, een verdieping hoger, haastte ze zich een toiletruimte in om te zien hoe ze eruitzag. De spiegel toonde een onverwacht beheerst beeld. Haar fijne, middelbruine haar viel min of meer gelijkmatig om haar bleke, ovale gezicht. De saliegroene ogen waren misschien een beetje aangetast door de vermoeidheid, maar het geheel kon ermee door. Ze liep met nieuwe moed naar boven.

De Gezamenlijke Contraterrorismegroep, waarvan ze nu bijna een jaar deel uitmaakte, kwam elke maandagochtend om halfnegen bijeen. De besprekingen hadden tot doel de operaties tegen terrorismenetwerken te coördineren en wekelijks nieuwe doelstellingen voor de informatievergaring te formuleren. De groep, die werd geleid door Charles Wetherby, Liz' vijfenveertigjarige sectiehoofd, bestond uit onderzoekers en agentenbegeleiders van MI5 en verbindingsofficieren van MI6, GCHQ en de Special Branch van de Londense politie. Zo nodig kwamen er ook vertegenwoordigers van Binnenlandse en Buitenlandse Zaken. De groep was direct na de aanslag op het World Trade Center opgericht, op instigatie van de premier, die vond dat de terrorismebestrijding niet in het gedrang mocht komen door concurrentie of een gebrek aan communicatie tussen de verschillende diensten. Niemand had zich ertegen verzet. Liz kon zich niet heugen dat er tijdens haar tien jaar bij de Dienst ooit zo'n onwrikbare eensgezindheid had geheerst.

Tot haar opluchting zag ze dat de deuren van de vergaderkamer wel openstonden, maar dat er nog niemand was gaan zitten. Dank u, God! Ze zou geen geduldige mannenblikken hoeven te verduren wanneer ze op haar stoel aan de lange, ovale, hardhouten tafel ging zitten. Vlak achter de deuren stond een onbehouwen duo van de Special Branch een van Liz' collega's te vergasten op het ware verhaal achter het voorpagina-artikel van de *Daily Mirror*, een sensationele geschiedenis over een presentator van een kinderprogramma, gigolo's en door crack opgestookte orgieën in een vijfsterrenhotel in Manchester. De vertegenwoordiger van GCHQ had zich wel zo dichtbij opgesteld dat hij kon meeluisteren, maar ook ver genoeg om elke suggestie van perverse nieuwsgierigheid te voorkomen, terwijl de man van Binnenlandse Zaken zijn krantenknipsels zat te lezen.

Charles Wetherby had zich in een verwachtingsvolle houding bij het raam geposteerd. Zijn geperste pak en glimmende schoenen leken een stil verwijt aan Liz' kledij, waarmee de badkamerstoom geen wonderen had weten te verrichten, maar zijn onregelmatige trekken vertoonden een zweem van een glimlach.

'We wachten nog op Six,' zei hij zacht, met een blik in de richting van Vauxhall Cross, een kilometer stroomopwaarts aan de rivier. 'Ik adviseer je op adem te komen en een engelengeduld uit te stralen.'

Liz deed haar best. Ze keek naar Lambeth Bridge, glanzend van de regen. Het was vloed, en het water in de rivier was gestegen en donker.

'Nog iets gebeurd in het weekend?' vroeg ze terwijl ze de donkerblauwe map op tafel legde.

'Niets wat ons hier lang zal ophouden. Hoe was het met je moeder?'

'Ze baalde omdat het niet kouder is,' zei Liz. 'Ze wacht op vorst, om de kevers uit de wingerd te krijgen.'

'Er gaat niets boven een stevige vorst. Ik haat die door elkaar heen lopende seizoenen.' Hij haalde zijn knokige vingers door zijn grijzende haar. 'Six schijnt een nieuwe mee te brengen, een van hun mensen uit Pakistan.'

'Kennen we hem?'

'Mackay. Bruno Mackay.'

'En wat wordt er in de wandelgangen over meneer Mackay gefluisterd?'

'Hij heeft op Harrow gezeten.'

'Zoals in het verhaal over de vrouw die een kamer binnenkomt waar drie voormalige kostschooljongens zitten. De man van Eton vraagt of ze wil zitten, de man van Wykeham pakt een stoel en de man van Harrow...'

'... gaat erop zitten,' vulde Wetherby met een flauwe glimlach aan. 'Precies.'

Liz keek weer naar de rivier, blij dat ze een baas had met wie ze zulke dingen kon bespreken. Aan de overkant van de Theems zag ze de muren van Lambeth Palace, zwart van de regen. Wist Wetherby van Mark? Vrijwel zeker. Hij wist zo ongeveer alles van haar.

'Ik geloof dat we eindelijk compleet zijn,' mompelde hij met een blik over haar schouder.

MI6 werd vertegenwoordigd door Geoffrey Fane, de coördinator contraterroristische operaties, en door de nieuweling, Bruno Mackay. Er werden handen geschud en Wetherby liep soepel naar de deuren om

14

ze te sluiten. Er lag voor alle aanwezigen een samenvatting van de weekendverslagen van de buitenlandse veiligheidsdiensten klaar.

Mackay werd in Thames House verwelkomd en voorgesteld aan de andere teamleden. De functionaris van MI6 was net terug uit Islamabad, vertelde Wetherby, waar hij een zeer gewaardeerd plaatsvervangend vestigingshoofd was geweest.

Mackay stak in een bescheiden protest zijn handen op. Met zijn gebruinde huid, grijze ogen en flanellen pak dat onmiskenbaar van Savile Row fluisterde, zat hij als een pauw tussen zijn onopvallende tafelgenoten. Toen hij zich naar voren boog om Wetherby antwoord te geven, keek Geoffrey Fane ijzig goedkeurend toe. Hij had zich duidelijk ingespannen om de jongere man het team in te werken.

Op Liz, die doordesemd was van de ingehouden, overbescheiden cultuur van Thames House, kwam Mackay nogal verwaand over. Voor iemand van zijn leeftijd, en hij kon niet ouder zijn dan twee- of drieëndertig, was hij veel te duur uitgedost. Zijn knappe uiterlijk – het diepe bruin, de effen grijze blik, de gebeeldhouwde neus en mond – was veel te nadrukkelijk. Dit was een persoonlijkheid die de mensen niet snel zouden vergeten, en haar hele professionele wezen verzette zich tegen dat idee. Haar ogen vonden die van Wetherby, even maar, en zonder enige uitdrukking.

De plichtplegingen waren afgehandeld en de groep begon zich door de buitenlandse verslagen heen te werken. Geoffrey Fane beet het spits af. Fane, die lang was en een vogelachtig postuur had (Liz vond hem altijd net een reiger in krijtstreep) had zijn carrière opgebouwd op de afdeling Midden-Oosten van MI6, waar hij zich een reputatie van onwrikbare hardheid had verworven. Zijn onderwerp was het ITS, het Islamitische Terrorisme Syndicaat, de verzamelnaam voor groepen als Al Qa'ida, de jihad, Hamas en talloze andere.

Toen Fane was uitgesproken, flitste zijn aristocratische blik naar zijn jongere collega links van hem. Bruno Mackay leunde naar voren, schudde zijn manchetten uit zijn mouwen en keek naar zijn aantekeningen. 'Als ik even mag terugkomen op mijn oude terrein,' begon hij, 'onze verbindingsman in Pakistan heeft gemeld dat Dawood al Safa is gesignaleerd. Het verslag doet vermoeden dat al Safa een trainingskamp bij Takht-i-Suleiman in het noordwesten van het land heeft bezocht, in de bergen, en hij zou contact kunnen hebben gelegd met een groep die bekendstaat als de Hemelse Kinderen, die wordt verdacht

15

van betrokkenheid bij de moord op een bewaker van de Amerikaanse ambassade in Islamabad, nu een halfjaar geleden.'

Tot Liz' grote ergernis sprak Mackay de islamitische namen op zo'n manier uit dat het overduidelijk was dat hij Arabisch sprak. Wat hebben die mensen toch? dacht ze. Waarom denken ze allemaal dat ze T.E. Lawrence zijn, of Ralph Fiennes in *The English Patient*? Wetherby gaf haar met een samenzweerderige blik te kennen dat hij er net zo over dacht als zij.

'Wij van Vauxhall hebben het gevoel dat die activiteit significant is,' vervolgde Mackay minzaam. 'Twee redenen. Ten eerste is al Safa's voornaamste rol die van geldsmokkelaar; hij vervoert geld van Riaad naar de terroristengroepen. Ten tweede zijn de Hemelse Kinderen een van de weinige ITS-groepen die blanken in hun gelederen zouden hebben. In een observatieverslag van de Pakistaanse Inlichtingendienst van ongeveer een halfjaar geleden werd melding gemaakt van de aanwezigheid in het kamp van, ik citeer, "twee, mogelijk drie mensen met een uitgesproken westers uiterlijk".'

Hij legde zijn spatelvormige, door de zon gebruinde vingers op de tafel voor zich. 'Onze zorg, die we in de loop van het weekend aan alle vestigingen hebben doorgegeven, is dat de oppositie op het punt zou kunnen staan een onzichtbare in te zetten.'

Hij liet de opmerking even in de lucht hangen. De berekende dramatiek van zijn voordracht deed geen afbreuk aan de uitwerking van zijn bewering. Een 'onzichtbare' was CIA-jargon voor de grootste nachtmerrie van de inlichtingendiensten: de terrorist die, doordat hij of zij een geboren ingezetene is van het land dat het doelwit is, daar ongehinderd door de douane kan binnenkomen, er kan rondreizen zonder op te vallen en gemakkelijk binnen de gevestigde orde kan infiltreren. Een onzichtbare was het slechtst denkbare nieuws.

'Derhalve,' vervolgde Mackay soepel, 'stellen wij voor Immigratie in te schakelen.'

De man van Binnenlandse Zaken fronste zijn wenkbrauwen. 'Wat zijn jullie ideeën over vermoedelijke doelwitten en tijdstippen? Misschien moeten we de beveiligingsstatus van alle regeringsgebouwen van zwart naar rood opwaarderen, maar dat leidt tot administratieve problemen, en ik wil niet voorbarig zijn.'

Mackay keek naar zijn aantekeningen. 'Pakistan controleert de passagierslijsten van alle vluchten naar het buitenland al, met speciale aan-

16

dacht voor... even zien, niet-zakelijke bezoekers van onder de vijfendertig die meer dan dertig dagen in het land zijn geweest. Daar zitten ze er dus met hun neus bovenop. Nog geen idee van doelwitten hier, maar we houden onze oren gespitst.' Hij keek van Wetherby naar Liz. 'En we moeten ook continu contact houden met onze agenten hier.'

'Dat doen we al,' zei Wetherby. 'Als zij iets horen, horen wij het ook, maar tot nu toe...' Hij keek vragend naar de vertegenwoordiger van GCHQ, die vrijblijvend zijn lippen op elkaar kneep.

'We krijgen de laatste tijd iets meer ruis binnen dan anders, maar geen specifieke aanwijzingen. Niets wat in de buurt komt van het drukke verkeer dat je bij een grote operatie zou verwachten.'

Liz keek steels om zich heen. De mannen van de Special Branch hadden zich zoals gewoonlijk stilgehouden. Hun gebruikelijke opstelling was die van drukke mensen die hun tijd zaten te verdoen met de kletspraatjes in Whitehall, maar nu zaten ze allebei alert rechtop.

Haar ogen vonden die van Mackay. Hij beantwoordde haar blik zonder te glimlachen. Ze ging naar het volgende gezicht, maar wist dat de functionaris van MI6 nog naar haar keek. Ze voelde het trage, kille branden van zijn blik.

Wetherby, van wie de vermoeide, ongedenkwaardige trekken gespeend waren van elke emotie, hield op zijn beurt Mackay in de gaten. Zo bleven ze een lang, gespannen moment zitten, tot Fane de ban verbrak met een algemene vraag over agenten van MI5 in de militante islamitische gemeenschappen in het Verenigd Koninkrijk. 'Hoe dicht zitten die mensen van jullie eigenlijk op de actie?' vroeg hij. 'Als er een grote ITS-operatie tegen dit land op stapel stond, zouden zij er dan van op de hoogte moeten zijn?'

Wetherby liet het antwoord aan Liz over. 'In de meeste gevallen waarschijnlijk niet,' zei ze, want de ervaring had haar geleerd dat optimisme weinig indruk maakte op Fane. 'Maar we hebben agenten in de juiste invloedssferen. Op den duur komen ze vanzelf dichter bij het centrum.'

'Op den duur?'

'We verkeren niet in een positie om het proces te kunnen versnellen.'

Ze had besloten niets over Marzipan te zeggen. Die agent was een sterke troef, maar hij moest zijn waarde nog bewijzen. En ook zijn moed, trouwens. Ze was niet bereid hem in dit prille stadium van zijn carrière als agent openbaar te maken, en zeker niet aan zo'n grote kring als deze.

17

Wetherby tikte met een potlood tegen zijn lippen, ondoorgrondelijk, maar Liz zag aan zijn lichaamstaal dat hij haar beslissing de juiste vond. Ze had zich niet door Fane laten verleiden een uitspraak te doen die later tegen hen gebruikt zou kunnen worden.

En Mackay, drong het met een wee gevoel tot haar door, zat nog steeds naar haar te kijken. Zond ze zonder het zelf te weten vleermuisachtige seksuele sonarsignalen uit? Of was Mackay zo'n man die dacht dat hij een pact moest sluiten met elke vrouw die zijn pad kruiste, zodat hij zichzelf later kon wijsmaken dat hij haar had kunnen hebben als hij had gewild? Hoe het ook zat, ze voelde zich eerder geërgerd dan gevleid.

Een van de tl-buizen aan het plafond begon te flikkeren. Het leek een teken dat de bijeenkomst ten einde was.

18

3

Anderhalve kilometer naar het noordwesten liet Peregrine Lakeby zich in de zachte behaaglijkheid van zijn stoel bij Trumper in Jermyn Street zakken en bekeek zichzelf met een zekere voldoening in de schuin tegen de muur hangende spiegel. Het is niet eenvoudig om er elegant uit te zien terwijl een kapper met zijn handdoeken en borstels om je heen loopt te redderen, maar Perry Lakeby prees zichzelf gelukkig dat het hem in weerwil van zijn tweeënzestig zomers lukte. Hij had niet de dooraderde huid, wallen onder de ogen en onderkinnen die zijn leeftijdgenoten zo onaantrekkelijk maakten. Lakeby's ogen waren helder zeegroen, zijn huid was niet verslapt en zijn haar was een achterovergeborstelde, staalgrijze manenkrans.

Perry had geen idee waarom hij aan de tand des tijds was ontsnapt en anderen niet. Hij at en dronk misschien niet overdadig, maar zeker zonder enige matigheid. De enige lichaamsbeweging waaraan hij zich overgaf, was af en toe een overspelige periode en, in het seizoen, een paar dagen op jacht. Als hij een verklaring zou moeten geven, zou hij zijn goed geconserveerde verschijning waarschijnlijk hebben toegeschreven aan zijn goede afkomst. De Lakeby's stamden af van de Angelsaksen, vertelde hij aan iedereen die het maar horen wilde.

'Een goede reis naar de stad gehad, meneer?'

Perry trok gemelijk een wenkbrauw op. 'Het kon slechter, afgezien van die herrieschoppers met hun mobiele telefoons. De mensen schijnen er geen been in te zien de details van hun afgrijselijke leventjes aan de hele wereld kenbaar te maken. En dan ook nog eens zo uitgebreid dat je ballen er pijn van gaan doen.'

De schaar van meneer Park flitste. 'Dat spijt me, meneer. Vanavond weer terug naar de provincie?'

'Ik ben bang van wel, ja. Mijn vrouw heeft mensen uitgenodigd. Het saaiste stel van Norfolk, maar het is niet anders.'

'Wat u zegt, meneer. Hoofd even achterover, alstublieft.'

Perry nam gemiddeld een keer per maand de trein naar Londen, en

19

meestal ging hij dan regelrecht naar Trumper. Iets aan de donkere lambrisering, de dassenharen borstels en de functionele, zeepachtige geur van de zaak werkte enorm geruststellend op hem. Misschien herinnerde het hem aan zijn schooltijd. Perry stelde prijs op continuïteit, en hij kwam al tientallen jaren bij Trumper. Hij zou ook naar de kapper in Fakenham kunnen gaan en daar vrijwel hetzelfde resultaat bereiken voor een derde van de prijs, maar het zou niet in zijn hoofd opkomen. Zijn uitstapjes naar Londen waren een vlucht (niet in de laatste plaats voor de argusogen van Anne, zijn echtgenote) en ze hadden een ritueel karakter waarop hij zich was gaan verlaten.

'Kin omhoog, meneer, alstublieft.'

Perry gehoorzaamde en meneer Park beklopte de kaken van zijn klant met een scherp geurende lotion.

'Verder nog iets, meneer?'

Perry zat in een aangenaam geurig waas van talkpoeder en Essence of Sicilian Limes. Zelfs het vooruitzicht van Ralph en Diane Munday die zijn gin naar binnen klokten kon het moment niet bederven. 'Ik dacht het niet, meneer Park. Dank u vriendelijk.'

Hij stond op en werd in de jas met fluwelen kraag geholpen die hij altijd droeg als hij naar de stad ging. Toen hij de treden naar de straat afliep, zag hij dat het nog wel waaide, maar niet meer regende, en meer kon je redelijkerwijs niet verlangen van een ochtend in december.

Met zijn dichte paraplu in zijn hand drentelde Perry in westelijke richting naar St.-James, langs de winkels met maatschoenen, kousen en ondergoed, hoeden, parfum en toiletartikelen, de manchetknopenimperiums en de traditionele overhemdenmakers met de hoog opgetaste rollen gestreepte stof in de etalages. Al die etablissementen monterden Perry Lakeby extra op, want ze bevestigden dat er nog een wereld was waarin de vroegere orde iets betekende en waar mensen zoals hij nog steeds met eerbied werden behandeld. En als er al een paar oude zaken dicht waren, vervangen door telefoonwinkels en schreeuwerig egalitaire herenmodemagazijnen, zag hij dat door de vingers. Hij liet zijn dag er niet door bederven.

Bij New & Lingwood aangekomen, overwoog hij zichzelf op een stropdas te trakteren. Hij had een bijzondere genegenheid voor New & Lingwood, want ze hadden een filiaal in Eton gehad toen hij daar op school zat, en waarschijnlijk was het er nog steeds. Op het laatste moment keerde hij de deur echter de rug toe. Hij kon niet goed thuiskomen met

20

een nieuwe stropdas om, maar zonder cadeautje voor Anne, en hij had geen tijd om iets voor haar te kopen. En eerlijk gezegd ook geen geld. Hij had de afgelopen maanden de broekriem moeten aanhalen, en de zeldzame keren dat hij zichzelf op zeker gebied verwende, betaalde hij dat uit zijn privé-fondsen. Die fondsen waren uiterst beperkt en mochten, ongeacht de verzachtende omstandigheden, niet verkwist worden aan zijden pochets van Liberty's of geschenkflessen stefanotisbadolie van Floris.

Sigaren waren een heel ander geval. Kipling had ooit geschreven dat een vrouw maar een vrouw is, maar een goede sigaar een opsteker, en met precies dat gezegde in zijn achterhoofd stak Perry de straat over naar Davidoff, op de hoek van St.-James Street. De eigenaar begroette hem beleefd en liet hem in het humidorvertrek. Dit was een van Perry's geliefdste plekken, en een paar lange momenten ademde hij simpelweg de naar havanna's geurende lucht in. Het aanbod was zoals altijd exquise, en Perry draalde besluiteloos bij de Partaga's, de Cohiba's en de Bolivars. Uiteindelijk wees de eigenaar hem op een prachtige oude, kersenhouten humidor met enige tientallen El Rey Del Mundo's in verschillende formaten. Perry koos er drie, een Gran Corona en twee Lonsdales, en ruilde ze tegen twee bankbiljetten met een hoge waarde.

Perry stak de straat weer over, de taxi's vermijdend die tegenwoordig totaal geen rekening meer hielden met voetgangers, en liep naar de discreet voorname ingang van Brooks' Club. Het was de verjaardag van zijn petekind, en hij had haar een lunch in de club aangeboden.

Miranda Munday was de jongste telg van Perry's buren in Norfolk, en Perry begreep nog steeds niet goed hoe hij verantwoordelijk was geworden voor haar geestelijk welzijn. Op basis van eerdere ervaringen had hij echter wel een redelijk idee van wat hem de komende uren te wachten stond. De vierentwintigjarige zou vastbesloten niet onder de indruk zijn van de ambiance van de club met zijn gewelfde plafonds, verguld lofwerk, zware, bourgognerode draperieën en mosgroene leren fauteuils. In plaats daarvan zou ze zich neerbuigend uitlaten over het geringe aantal vrouwelijke leden, zonder enig enthousiasme naar het menu staren, een vegetarisch voorgerecht kiezen in plaats van een hoofdgerecht, mineraalwater nemen in plaats van de rode huiswijn, kamillethee eisen in plaats van een dessert en Perry uitgebreid verhalen over de kaakverzakkend saaie details van haar baan in de reclame.

21

Waarom, vroeg hij zich af, was de jeugd zo dodelijk serieus? Waar was de lol in vredesnaam gebleven?

Hij beende naar binnen, begroette Jenkins, de portier, hing zijn jas op en zette zijn paraplu in de lange, mahoniehouten standaard. Half-twaalf. Nog een halfuur wachten.

In een opwelling ging hij niet meteen de trap op naar de eetzaal, maar sloeg rechtsaf, de backgammonzaal in, waar twee leden hun spel bijna hadden besloten.

'Goedemorgen, Roddy,' zei Perry. 'Simon.'

Het parlementslid Roderick Fox-Harper en Simon Farmilow keken hem bevreemd aan. 'Lakeby, nietwaar?' vroeg Farmilow ten slotte.

'Peregrine Lakeby. Tijd voor een spelletje?'

Farmilow trok zijn wenkbrauwen op. Hij was een bekend toernooi-speler, maar als dit lam zelf op de slachtbank ging liggen...

'Tien pond per punt?' opperde Perry, die door Farmilows zwijgen tot een roekeloze bravoure werd aangezet.

Het spel duurde niet lang. Farmilows eerste worp was een dubbel zes, waardoor de inzet automatisch werd verdubbeld. Een paar minu-ten later, toen hij zijn positie had geconsolideerd, gooide hij weer dub-bel zes, waardoor de inzet werd verviervoudigd. Perry, die geen zin had om te passen en voor veertig pond het schip in te gaan, aanvaardde de verhoging met een flauwe glimlach die niet van zijn plaats week toen Farmilow onberispelijk hoffelijk een val opbouwde, Perry vast-zette en hem met een gammon versloeg. Een gammon verdubbelde de inzet, zoals beide spelers wisten.

'Nog een?' vroeg Perry, iets minder zelfverzekerd dan tevoren.

'Ja, waarom niet?' stemde Farmilow in.

Deze keer had Perry iets meer geluk. Een redelijke serie beginwor-pen gaf hem de moed de inzet te verdubbelen, maar het duurde niet lang of zijn tegenstander pikte zijn laatste schijven in.

'Zullen we maar ophouden?' stelde Farmilow voor.

'Dat lijkt me beter,' mompelde Perry. Hij liep naar een tafel aan het eind van de zaal, schreef een schuldbekentenis van honderd pond aan Farmilow en duwde ze in de gleuf van het houten kistje. Hij had net zogoed die verdomde sjaal voor Anne kunnen kopen. Maar goed, de schulden hoefden pas aan het eind van het jaar vereffend te worden. De dag was nog niet verloren.

Miranda Munday wachtte hem in de hal op, met een beige mantel-

22

pak om haar niet opzienbarende vormen. Toen ze samen de wenteltrap beklommen, bepeinsde Perry dat ze tenminste meestal vrij snel na de lunch opsodemieterde. Als hij een taxi nam, zou hij zijn afspraak van halfdrie aan Shepherd Market met gemak kunnen halen. Bij de gedachte aan die afspraak verstrakte zijn hand om de trapleuning, begon het in zijn nek te tintelen en bonsde zijn hart als een regimentstrommel. Een man heeft recht op een geheim leven, hield hij zichzelf voor.

4

Aan de andere kant van de rivier, anderhalve kilometer naar het oosten, bereikte een Eurostar-trein zijn eindbestemming, Waterloo Station. Een jonge vrouw stapte uit de slaapverwekkende warmte van een tweedeklascoupé in het midden de verkwikkende kou van het perron in en werd door de jachtige menigte naar de uitgang gevoerd. Ingeblikte mededelingen weergalmden over het overdekte perron, het geratel van bagagetrolleys en gesnor van kofferwieltjes overstemmend. De geluiden klonken de vrouw zo vertrouwd in de oren dat ze ze nauwelijks opmerkte. Ze had de reis van en naar het Gare du Nord de afgelopen jaren minstens tien keer gemaakt.

Ze droeg een windjack, een spijkerbroek en Nikes, en op haar hoofd een bruine corduroy Beatles-pet van een kraampje aan de Quai des Celestins waarvan ze de klep ver over haar gezicht had getrokken. Hoewel het een bewolkte dag was, had ze ook nog eens een pilotenzonnebril op. Ze zag eruit alsof ze begin twintig was, had een weekendtas en een grote rugzak bij zich en onderscheidde zich in niets van de andere weekendreizigers die opgewekt uit de trein stroomden. Een aandachtige beschouwer had kunnen opmerken hoe weinig er maar van haar te zien was (het windjack verhulde haar figuur, de pet bedekte haar haar en de zonnebril haar ogen) en een zeer aandachtige beschouwer had zich kunnen afvragen hoe ze in deze tijd van het jaar aan zulke gebruinde handen kwam, maar die maandagochtend besteedde geen mens echt aandacht aan de tweede lading passagiers van die dag. Degenen die geen EU-paspoort hadden, werden bij de uitgang door de douane gecontroleerd, maar de overgrote meerderheid van de reizigers werd met een knikje doorgelaten.

De vrouw liep naar het Avis-autoverhuurbedrijf en sloot achter aan in de rij van vier man sterk. Als ze zich al bewust was van de bewakingscamera aan de muur boven zich, gaf ze daar geen blijk van; ze sloeg de ochtendeditie van de *International Herald Tribune* open en leek zich in een modeartikel te verdiepen.

24

Toen ze aan de beurt was, werd ze begroet door het schrille piepen van een mobiele telefoon. De assistent excuseerde zich en las het binnengekomen sms-bericht. Toen hij weer opkeek, had hij een afwezige glimlach op zijn gezicht, alsof hij probeerde een gevat antwoord te bedenken. Hij hielp haar met de vereiste hoffelijkheid, maar haar gescheurde nagels, slecht verzorgde handen en de goedkope vijfdeursauto die ze huurde, zeiden hem dat hij haar niet vol in de schijnwerpers van zijn aandacht hoefde te zetten. Hij gunde haar rijbewijs en paspoort dan ook niet meer dan een vluchtige blik; de foto's, die allebei uit dezelfde pasfotoautomaatserie kwamen en beide de gebruikelijke wezenloze, lichtelijk geschrokken gelaatsuitdrukking toonden, leken te kloppen. Kortom: tegen de tijd dat ze uit het gezicht verdween, was de assistent haar al vergeten.

De vrouw slingerde haar bagage op de stoel naast zich en schoof de zwarte Opel Astra de verkeersstroom naar Waterloo Bridge in. In de tunnel gaf ze gas en voelde het bonken van haar hart. Ademhalen, hield ze zichzelf voor. Hou je hoofd koel.

Vijf minuten later stopte ze op een parkeerplaats. Ze haalde het paspoort, het rijbewijs en de autopapieren uit de zak van haar jas en stopte ze in de weekendtas bij haar andere paspoort, het exemplaar dat ze aan de douane had laten zien. Toen ze daarmee klaar was, bleef ze stil zitten wachten tot haar handen, die trilden van de opgekropte spanning, weer vast waren.

Het was lunchtijd, schoot haar te binnen. Ze moest iets eten. Ze maakte het zijvak van de rugzak open en pakte een baguette met gruyère, een reep chocola met hazelnoten en een plastic fles met mineraalwater. Ze dwong zichzelf langzaam te kauwen. Toen keek ze in de zijspiegel, startte en voegde langzaam in.

5

Liz Carlyle zat aan haar bureau in 5/AX met Marzipans dossier op haar computerscherm. Al lezend voelde ze het vertrouwde, misselijkmakende onbehagen opkomen. Angst en spanning waren voor haar, als agentenbegeleider, constante metgezellen die haar als een schaduw volgden. Het was een simpel maar genadeloos feit: een agent kon alleen nut hebben als hij of zij zich in gevaarlijke situaties begaf.

Maar was Marzipan van net twintig zich wel echt bewust van de risico's die hij nam? Was het echt tot hem doorgedrongen dat hij, als hij door de mand viel, waarschijnlijk nog maar een paar uur te leven zou hebben?

Marzipans echte naam was Sohail Din, en hij had zich zelf aangeboden. Het was een uitzonderlijk intelligente jongen van Pakistaanse afkomst, zijn vader zat er als eigenaar van een aantal kiosken in Tottenham warmpjes bij en hij was toegelaten aan de universiteit van Durham, waar hij rechten wilde gaan studeren. Als vroom moslim had hij besloten na zijn eindexamen eerst een jaar bij een kleine islamitische boekwinkel in Haringey te gaan werken. Het was geen goedbetaalde baan, maar de winkel was dicht bij zijn ouderlijk huis en Sohail had gehoopt er de kans te krijgen religieuze discussies te houden met andere serieuze jongemannen zoals hij.

Het was hem echter al snel duidelijk geworden dat de sfeer in de winkel minder gematigd was dan hij had gedacht. De versie van de islam die de bezoekers aanhingen, leek nauwelijks op de barmhartige leer die Sohail thuis en in zijn buurtmoskee tot zich had genomen. Extremistische standpunten werden als vanzelfsprekend uitgesproken, jonge mannen vertelden openlijk van plan te zijn een mujaheddin-training te volgen en het zwaard van de jihad tegen het westen op te nemen, en telkens wanneer de media een terroristische aanslag op een Amerikaans of Israëlisch doelwit meldden, ging er gejuich op.

Sohail, die niet van plan was tegen de heersende mening in te gaan, maar zeker wist dat een wereldbeeld waarin moord op burgers werd

26

toegejuicht God een gruwel moest zijn, hield zich gedeisd. In tegenstelling tot zijn collega's zag hij geen reden om zijn geboorteland te haten of de wet te verachten die hij ooit hoopte te dienen. Het beslissende moment kwam op een zomernamiddag, toen er drie Arabisch sprekende mannen in een bejaarde Mercedes bij de winkel waren aangekomen. Een collega had Sohail aangestoten en naar de oudste man geknikt, een onopvallende, kalende figuur met een warrige baard. Dit was nu Rahman al Masri, hoorde Sohail toen de drie mannen naar de verdieping boven de winkel waren gegaan, een belangrijk strijder. Zijn komst betekende mogelijk dat Groot-Brittannië eindelijk een koekje van eigen deeg zou krijgen voor de terreur die werd uitgeoefend door zijn satanische bondgenoot Amerika.

Dat gaf voor Sohail de doorslag, en hij besloot in actie te komen. Aan het eind van de dag was hij niet zoals anders met de bus naar huis gegaan, maar had de plattegrond van Londen bestudeerd en de sneltrein naar Cambridge Heath genomen. Toen hij uit het station kwam, verzekerde hij zich ervan dat hij niet was gevolgd, zette zijn capuchon op en liep door de motregen naar politiebureau Bethnal Green.

De Special Branch had er geen gras over laten groeien; Rahman al Masri was een bekende speler. MI5 was gewaarschuwd, de boekwinkel werd geobserveerd en toen al Masri en zijn twee lijfwachten de volgende dag weggingen, werden ze discreet gevolgd. Inlichtingendiensten van bevriende naties werden op de hoogte gesteld en kwamen tot een nauwe samenwerking. Al Masri, die dacht dat hij zijn gang kon gaan, werd uiteindelijk op de luchthaven van Dubai opgepakt en in hechtenis genomen door de geheime staatspolitie. Na een week van, zo luidde het officieel, 'intensief verhoor' bekende al Masri dat hij in Londen was geweest om daar terroristische cellen te instrueren. Er zouden aanslagen worden gepleegd op doelen in het financiële hart van Londen.

Met die voorkennis kon de Special Branch de betrokkenen identificeren en aanhouden. Gedurende de hele operatie was het behouden van de oorspronkelijke informatiebron een van de prioriteiten geweest. Daarna was Sohail uitgebreid nagetrokken, en toen hadden een hoge functionaris van de Special Branch en Charles Wetherby besloten dat de jonge Pakistaan geschikt zou kunnen zijn om door Five te worden opgeleid tot agent voor de lange termijn. Wetherby had zijn dossier aan Liz gegeven, die een paar dagen later naar Tottenham

27

was gereden. Hun eerste gesprek vond plaats in een leeg lokaal van het instituut waar Sohail een avond per week een computercursus volgde.

Ze was geschrokken toen ze zag hoe jong hij was. Hij leek bijna nog een schooljongen, tenger en bescheiden en keurig gekleed met een jasje en stropdas. Toch had hij ook iets onverzettelijks, en tijdens hun gesprek werd ze getroffen door zijn onwrikbaar strikte ethiek. Er was geen enkele rechtvaardiging voor moord, zei hij tegen haar, en als hij door het verstrekken van informatie over zijn medegelovigen kon helpen moorden te voorkomen, en de goede naam van de islam kon beschermen tegen degenen die op een nihilistische Apocalyps uit waren, zou hij dat met alle plezier doen. Ze had hem gevraagd of hij bereid was in de boekwinkel te blijven werken en haar op gezette tijden te ontmoeten om haar inlichtingen te verstrekken, en hij had bevestigend geantwoord. Hij had geraden welke organisatie ze vertegenwoordigde zonder dat ze iets had gezegd, en leek zich niet over de betrokkenheid van de inlichtingendienst te verbazen.

Sindsdien hadden ze elkaar nog drie keer in het avondinstituut ontmoet. Sohail hield in een gecodeerd bestand op zijn laptop bij wie de winkel bezochten, en terwijl een agent van de Special Branch onopvallend de wacht hield op de gang, las hij Liz zijn verslagen voor. Zijn informatie was nooit meer zo schokkend geweest als het bericht dat al Masri er was, maar het was wel duidelijk dat de boekwinkel een vaste halte was voor, in het jargon van de Special Branch, de 'Bin Laden-lichters'. De kans was groot dat áls een van de ITS-groepen een grote actie in het Verenigd Koninkrijk voorbereidde, Sohail — Marzipan — de eerste rimpelingen zou voelen. Zijn inlichtingen zouden op den duur van onschatbare waarde kunnen zijn.

Hun laatste ontmoeting was moeilijk geweest, althans voor Liz. Ze had Sohail gevraagd of hij zou willen overwegen zijn studie nog een jaar uit te stellen en in de boekwinkel te blijven werken, en voor het eerst had ze die jongen van twintig in elkaar zien krimpen. Liz wist dat hij erop had gerekend in september bevrijd te worden van de loodzware last van zijn dubbelleven. Het gevoel van tijdelijkheid had het waarschijnlijk draaglijk voor hem gemaakt, en nu vroeg ze hem het nog eens twaalf maanden vol te houden, twaalf maanden waarin er van alles zou kunnen gebeuren. Hij zou onder druk gezet kunnen worden om zich tot undercoverterrorist te laten opleiden; een aantal van de

28

jongemannen die boven de boekwinkel pepermuntthee hadden ge-dronken terwijl ze over de jihad praatten, hadden de reis naar Pakistan en de kampen gemaakt. De vertraging zou hoe dan ook een ernstige bedreiging vormen voor zijn droom ooit advocaat te worden.

Zijn ontzetting was bijna zichtbaar geweest, als een korte huivering in zijn ogen. En toen had hij met een bedaarde glimlach, alsof hij Liz wilde verzekeren dat alles goed zou komen, toegezegd door te gaan.

Zijn dapperheid was Liz aan het hart gegaan. Ze hoopte dat ze nooit naar Sarfraz en Rukhsana Din zou hoeven gaan, hun nooit zou hoeven vertellen dat hun zoon voor zijn geloof en vaderland was gestorven.

'Een lastige?' vroeg Dave Armstrong vanaf het bureau naast het hare.

'Je weet hoe het is,' zei Liz. Ze sloot het bestand-Marzipan en gaf haar stoel een zet naar achteren. 'Dit is soms echt een klotebaan.'

'Ik weet het. En die zogenaamde goulash waarmee ik je in de kanti-ne zag worstelen, kan je ook niet hebben opgevrolijkt.'

Liz lachte. 'Het was een beetje een ondoordachte keus. Wat heb jij genomen?'

'Iets kipachtigs met een laagje vernis.'

'En?'

'Het deed precies wat het blikje beloofde.' Zijn handen dansten even over zijn toetsenbord. 'Hoe ging de bespreking vanochtend? Ik hoorde dat het team uit Legoland weer modieus laat was.'

'Ik denk dat ze iets duidelijk wilden maken,' zei Liz. 'Er was een nieuwe bij. Op Harrow gezeten. Nogal tevreden over zichzelf.'

'Zeg nou niet dat MI6 tegenwoordig zelfingenomen ex-kostschool-jongens werft,' prevelde Dave. 'Dat kan ik echt niet geloven.'

'Hij staarde naar me,' vervolgde Liz.

'Met of zonder gêne?'

'Zonder.'

'Je zult hem moeten vermoorden. Trap hem als een echte Rosa Klebb tegen zijn enkel met je puntschoenen.'

'Doe ik... wacht even.' Liz boog over naar haar scherm, waarop een icoontje was verschenen. Ze klikte het aan.

'Problemen?'

'Nieuwsflits van onze Duitse contactpersoon. Er is een Brits rijbe-wijs besteld bij een van de vervalsers in Bremerhaven. Vierhonderd mark betaald. Gevraagde naam: Faraj Mansoor. Zegt het je iets?'

'Nee,' zei Armstrong. 'Waarschijnlijk gewoon een illegaal die een

29

auto wil huren, of een arme stumper die ze zijn rijbewijs hebben afge-pakt. Je kunt niet altijd aan terroristen denken.'

'Six denkt dat er een ITS-onzichtbare op weg zou kunnen zijn.'

'Waarvandaan?'

'Een van de kampen aan de noordwestelijke grens.'

'Zeker weten?'

'Nee. Geruchten.' Ze sloeg het bericht op en rolde met de muis langs de andere berichten.

De deur zwaaide open en er slenterde een jonge man met een hard gezicht en een T-shirt van het Arisch Verzet het kantoor in.

'Hé, Barney!' begroette Dave hem. 'Hoe bevalt het extreem-recht-se leven? Mag ik uit je kapsel en je stevige stappers afleiden dat je straks nog een sociale verplichting hebt?'

'Ja. In East Ham. Een lezing over de Europese heidense traditie.'

'En die houdt in?'

'New Age Hitler-verering, kort gezegd.'

'Super!'

'Ja, hè? Ik probeer er gemeen genoeg uit te zien om onze man te be-reiken, maar niet zo godvergeten afschuwelijk dat de anti-nazi's me aan gort trappen voordat ik er ben.'

'Volgens mij heb je de juiste toon wel ongeveer getroffen,' zei Liz.

'Nou, bedankt.' Hij grinnikte samenzweerderig. 'Mag ik jullie iets laten zien?'

'Je praat als een potloodventer. Snel dan, want ik zit met een volle postbus.'

Barney tastte onder zijn bureau en haalde een slap rubberen masker en een lap rood vilt tevoorschijn. 'Voor het kerstfeest. Ik heb een be-drijfje gevonden dat ze kan maken. Ik heb er vijftig besteld.'

Liz staarde ongelovig naar het masker. 'Dat meen je niet!'

'Toch wel!'

'Maar dat is geniaal! Het lijkt sprekend.'

'Weet ik, maar mondje dicht. Het moet een verrassing voor Wether-by zijn. Geen mens op deze afdeling kan ook maar vijf minuten een ge-heim bewaren, dus ik deel ze pas op de dag zelf uit.'

Liz schoot in de lach, en het leed van Sohail Din werd tijdelijk maar totaal verdrongen door het gezicht dat hun afdelingshoofd (een uit ge-woonte telaatkomer op feestjes) zou trekken wanneer hij vijftig stra-lende David Shaylers met kerstmutsen op zou zien.

30

6

Toen Liz terugkwam in haar souterrain in Kentish Town hing er een stil verwijt in de lucht. Het huis was niet zozeer rommelig als wel verwaarloosd; haar spullen lagen nog grotendeels op de plek waar ze ze aan het begin van het weekend had achtergelaten. De cd stoffig in de uitstekende muil van de speler. De afstandsbediening midden in de kamer op de vloer. De cafetière halfvol. De zaterdagkranten her en der.

Er zweefde nog een vage begrafenisgeur; de armvol winterjasmijn die haar moeder haar had gegeven en die ze de vorige avond in het water had willen zetten voordat ze ging slapen, lag nu als een trieste wirwar stelen op tafel. Eromheen, en in een laag op de vloer eronder, een sterrenstelsel van verwelkte vijfpuntige bloemen. Op het antwoordapparaat een klein rood knipperlichtje.

Waarom was het zo koud? Ze liep naar de thermostaat en zag dat de tijdklok twee uur achterliep. Was er een stroomuitval geweest in het weekend? Zou kunnen, maar wat Liz betrof, hadden thermostaten en dergelijke altijd al over een vreemde, grillige kracht beschikt die ze onberekenbaar maakte. Ze zette de klok op halfacht en hoorde de verwarmingsketel met een bevredigend *woemf* aanslaan.

Het halfuur daarna ruimde ze op terwijl de warmte het kleine souterrain vulde. Toen de orde zodanig was hersteld dat ze zich kon ontspannen, haalde ze een kant-en-klare lasagnemaaltijd uit de vriezer (waren de maaltijden tijdens de stroomuitval ontdooid en toen weer bevroren, áls de stroom was uitgevallen, en stond ze op het punt zichzelf te vergiftigen?), prikte nette gaatjes in de folieverpakking, schoof de maaltijd in de magnetron en schonk zichzelf een grote wodka-tonic in.

Er stonden twee berichten op haar antwoordapparaat. Het eerste was van haar moeder: Liz had een suède rok en een riem aan haar slaapkamerdeur in Bowerbridge laten hangen; kon ze die tot de volgende keer missen?

31

Het tweede was van Mark. Hij had die middag om 12.46 uur gebeld vanuit Nobu in Park Lane, waar hij een Amerikaanse actrice een lunch op zijn onkostenrekening zou aanbieden. De actrice liet echter op zich wachten, en Mark had honger, en zijn gedachten waren afgedwaald naar het souterrain aan Inkerman Road NW5 en de mogelijkheid daar de nacht door te brengen met de eigenares van het appartement. Na een drankje en een hapje bij de Eagle aan Farringdon Road, wellicht.

Liz wiste beide berichten. Het idee van een afspraak bij de Eagle, een geliefd trefpunt van journalisten van de *Guardian*, was krankzinnig. Had hij mensen van de krant over haar verteld? Was het algemeen bekend dat hij dat chicste van alle journalistieke accessoires bezat: een spionerende minnares? En zelfs al had hij geen mens iets verteld, dan was het nog duidelijk dat het spel niet langer een aanvaardbaar risico was, maar de grenzen van de waanzin had overschreden. Hij solde met haar, trok haar centimeter voor centimeter naar het randje van de zelfvernietiging.

Liz nam een grote slok wodka-tonic en belde Mark op zijn mobiele nummer. Ze zou het nu meteen doen, er eens en voor altijd een eind aan maken. Het zou godsonmogelijk veel pijn doen en ze zou zich onbeschrijflijk ongelukkig voelen, maar ze wilde haar leven weer in eigen hand hebben.

Ze kreeg zijn voicemail, wat waarschijnlijk betekende dat hij thuis bij Shauna zat. Waar hij verdomme hoorde, bedacht ze zuur. Toen ze als een gekooide tijger rondliep, werd ze tot staan gebracht door de aanblik van de wasmachine en de liggende halvemaan van grijzig water. De was van vorige week lag inmiddels tweeëneenhalve dag in zijn eigen sop te weken. Ze reikte moedeloos naar de knop en de machine kwam met een schok tot leven.

7

Bij het ontwaken zag Anne Lakeby haar man Perry bij het open slaapkamerraam staan dat over de tuin op de zee uitkeek. Het was een heldere dag, aangescherpt door het vermoeden van een zilte bries, en haar echtgenoot zag er bijna priesterlijk uit in zijn lange Chinese ochtendjas. Zijn haar was vochtig en tot een doffe glans gladgestreken door het paar borstels met ivoren rug in de kleedkamer. Zo te zien had hij zich ook geschoren.

Die oude zak weet nog heel wat van zichzelf te maken, dacht ze, maar het was niets voor hem om zo vroeg al zoveel moeite te doen. Ze tuurde naar de wekker en zag dat het amper zeven uur was. Perry mocht dan een vurig bewonderaar van Margaret Thatcher zijn geweest, hij had haar voorliefde voor vroeg opstaan nooit gedeeld.

Perry trok het raam dicht en Anne sloot haar ogen en hield zich slapend. De deur klikte dicht en vijf minuten later kwam haar man terug met twee koffiekoppen en schotels op een dienblad. Het begon nu echt verontrustend te worden. Wat had hij de vorige dag in vredesnaam uitgespookt in Londen dat hij zo'n gebaar maakte?

Perry zette het blad met een zacht gekletter op het kleed en legde zijn hand op de schouder van zijn vrouw.

Anne speelde haar eigen ontwaken. 'Wat een… aangename verrassing.' Ze knipperde doezelig en reikte naar het glas water op het nachtkastje. 'Waar heb ik dit aan te…'

'Hou het maar op het broeikaseffect,' zei Perry vlot. 'Ik verwachtte een gigantische kater na gisteravond, maar een welwillende god heeft zich ingehouden. En de zon schijnt ook nog eens. Het is een dag voor dankbaarheid. En mogelijk voor het verbranden van de laatste herfstbladeren.'

Anne hees zich in zittende houding in de kussens en probeerde haar gedachten te ordenen. Ze vroeg zich af of ze die attente, koffiezettende versie van haar wederhelft wel vertrouwde. Hij voerde beslist iets in zijn schild. Zijn doortastende houding herinnerde haar aan die keer toen hij haar had overgehaald die aandelen Corliss Defence Systems te kopen. Hoe luchtiger zijn gedrag, had de ervaring haar geleerd, hoe groter de kans dat hij over de schreef ging.

'Die lui zijn verdomme echt het toppunt, hè?' vervolgde Perry.

'Wie? Dorgie en Diane?' Dorgie was Annes bijnaam voor sir Ralph Munday, van wie de snuitachtige trekken haar aan de corgi-dashond-kruisingen van de koningin deden denken. Aangezien de Lakeby's en de Mundays de twee grootste, aanzienlijkste landgoederen van Marsh Creake bezaten, beschouwden ze elkaar als 'buren', hoewel hun huizen in feite bijna een kilometer van elkaar vandaan stonden.

'Wie anders? Dat weerzinwekkende gezeur over schieten. De haan gespannen... de volle laag op vijftig meter... Hij praat alsof hij het allemaal uit een boekje heeft. En zij is nog erger, met haar...'

'Waar schiet hij?'

'Een of andere popsterrenvereniging bij Houghton. Een van de leden, vertelde Dorgs me, is rijk geworden met internetporno.'

'Nu ja, jij schiet met een wapenhandelaar,' zei Anne toegeeflijk terwijl ze in haar koffie roerde.

'Ja, maar dat is vandaag de dag allemaal heel ethisch. Je kunt het spul niet zomaar uit de achterbak van een vrachtwagen aan Afrikaanse dictators verkopen.'

'Johnny Fortescue heeft de restauratie van het plafond van de bibliotheek van Holt betaald uit de verkoop van stroomstootknuppels aan de geheime politie van Irak. Ik kan het weten, want Sophie heeft het me zelf verteld.'

'Nou, dan moet het destijds allemaal dik in orde geweest zijn, met goedkeuring van het ministerie van Handel en Industrie.'

Ze dronken zwijgend hun koffie.

'Trouwens,' begon Anne toen, 'ken je Ray?'

Perry keek haar aan. Ray Gunter was een visser uit het dorp die een paar boten en een wirwar van kreeftennetten had opgeslagen op het tweehonderd meter lange privé-strand dat het terrein van de Hall begrensde. 'Dat moet wel, na al die jaren. Hoezo?'

'Moeten we hem echt over het terrein laten sluipen? Eerlijk gezegd krijg ik de kriebels van hem.'

Perry fronste zijn voorhoofd. 'In welke zin?'

'Hij is gewoon... sinister. Je slaat een hoek om en daar staat hij. De honden mogen hem ook niet.'

34

'De Gunters hebben hun boten daar al minstens sinds mijn grootvaders tijd liggen. Rays vader...'

'Weet ik, maar Rays vader is dood. En terwijl Ben Gunter de aardigste vent was die je maar kon ontmoeten, is Ray eerlijk gezegd...'

'Tuig?'

'Nee, erger. Hij is sinister, zoals ik al zei.'

'Ik ben het niet met je eens. Hij is misschien niet de meest sprankelende gesprekspartner van de wereld en hij zal wel niet zo fris ruiken, maar dat heb je met vissen. Volgens mij halen we ons allerlei soorten moeilijkheden op de hals als we proberen hem te verjagen. De plaatselijke pers zou zich kostelijk vermaken.'

'Laten we dan tenminste uitzoeken of we in ons recht zouden staan.'

'Waarom zouden we daar geld aan uitgeven?'

'Waarom niet? Waarom doe je zo...' Ze zette haar koffiekop op het nachtkastje en reikte naar haar bril. 'Ik zal je nog eens iets vertellen wat ik van Sophie heb gehoord. Ken je zijn zus?'

'De zus van Gunter? Kayleigh?'

'Ja, Kayleigh. Het meisje dat de tuin van de Fortescues doet, schijnt bij haar op school te hebben gezeten, en zij heeft Sophie verteld dat ze, Kayleigh, bedoel ik, een paar avonden per week als stripper in een club in King's Lynn werkt.'

'Echt waar?' Perry trok zijn wenkbrauwen op. 'Ik wist niet dat King's Lynn zulke sensationele verleidingen te bieden had. Heeft ze ook verteld hoe die club heette?'

'Perry, ophouden. Wat ik maar wil zeggen, is dat de huidige Gunters niet meer zulke eenvoudige visserslieden zijn als hun ouders.'

Perry schokschouderde. *Tempus mutantur, et nos mutamur in illis.*

'En wat mag dat betekenen?'

Hij liep terug naar het raam. Keek uit over de glanzende kustlijn van Norfolk die zich tot ver in het oosten en westen uitstrekte. 'De tijden veranderen,' prevelde hij, 'en wij veranderen mee. We hebben helemaal geen last van Ray Gunter.'

Anne zette haar bril af en legde hem met een geërgerde tik op het nachtkastje. Perry kon zich welbewust van de domme houden wanneer hij daar zin in had. En ze maakte zich zorgen. Na vijfendertig jaar huwelijk wist ze wanneer hij iets in zijn schild voerde, en hij vóérde iets in zijn schild.

35

8

Nu-Celeb Publications uit Chelmsford in Essex was gehuisvest in een laag, geschakeld gebouw op het industrieterrein Writtle in het zuidwesten van de stad. Het was een sober, functioneel onderkomen, maar wel warm, zelfs om negen uur 's ochtends. Melvin Eastman verafschuwde de kou, en in zijn kantoor met glazen wanden met uitzicht op de werkvloer stond de thermostaat op $20°C$. Eastman zat, nog in de camel jas waarin hij tien minuten eerder was aangekomen, aan zijn bureau de voorpagina van de *Sun* te bestuderen. Hij was vrij klein, met keurig gekapt haar dat ietwat onnatuurlijk zwart was, en zijn gezicht bleef neutraal terwijl hij las. Ten slotte leunde hij naar voren en reikte naar een van de telefoons op het bureau. Zijn stem was zacht, maar zijn articulatie heel zorgvuldig.

'Ken, hoeveel van die Mink Parfait-kalenders hebben we laten drukken?'

Zijn voorman, die een verdieping lager stond, keek naar hem op. 'Iets van veertigduizend, baas. Het zou de grote kerstknaller moeten worden. Waarom?'

'Omdat, Ken, Mink Parfait uit elkaar gaat.' Hij hield de krant voor het raam, zodat de voorman hem kon zien.

'Klopt dat wel, baas? Is het geen publiciteits...'

Eastman legde de krant weer voor zich. '"Foxy Deacon heeft bevestigd," las hij voor, "dat de leden van de vier meiden sterke band op grond van persoonlijke en muzikale meningsverschillen hebben besloten ieder huns weegs te gaan. 'We weten dat dit een schok voor de fans zal zijn,' zegt Foxy (22), covergirl van FHM, 'maar we wilden ophouden zolang het nog leuk was.' Ingewijden beweren dat de spanningen binnen de groep teruggaan tot...", enzovoort. We kunnen die kalenders aan de straatstenen niet kwijt.'

'Sorry, baas. Ik heb er geen woorden voor.'

Eastman verbrak de verbinding en liet een frons op het bleke maanlandschap van zijn gezicht toe. Het was geen veelbelovend begin van de dag. Nu-Celeb was niet het enige ijzertje dat hij in het vuur had; de kalenders van beroemdheden dienden als dekmantel voor een hele reeks andere, minder legale bezigheden die hem multimiljonair hadden gemaakt, maar toch stak het dat hij voor twintig mille het schip in ging door de nukken van zo'n stelletje snollen als Mink Parfait. Halfbloedsnollen zelfs. Melvin Eastman zag niets in de droom van een multicultureel Groot-Brittannië.

Frankie Ferris, een sleutelfiguur binnen een van Eastmans andere zakelijke activiteiten, zat tegen de muur. Hij had een smal gezicht en droeg een zwartleren jack en een honkbalpetje. Hij had een kop thee in zijn ene hand en met de andere tikte hij nerveus en onnodig vaak zijn sigarettenas af boven de prullenbak.

Eastman vouwde de krant op, stopte hem met zorg in diezelfde prullenbak en keek naar Ferris. Hij zag hoe bleek zijn lippen waren en dat de sigaret in zijn vingers licht beefde.

'Zo, Frankie,' zei hij bedaard. 'Hoe gaat het?'

'Best, meneer Eastman.'

'Komt de winst binnen? Betaalt ieder zijn deel?'

'Ja, hoor. Geen probleem.'

'Nog speciale verzoeken?'

'Harlow en Basildon hebben allebei om ketamine gevraagd. Ze vroegen of ze een proefpakketje kunnen krijgen.'

'Mooi niet. Dat spul is net crack, alleen geschikt voor zwarten en dwazen. Ga door.'

'LSD.'

'Idem. Verder nog iets?'

'Ja, de ecstasy. Iedereen wil opeens de vlinders.'

'Niet de duiven?'

'Duiven zijn ook goed, maar liefst vlinders. Ze zeggen dat die sterker zijn.'

'Lulkoek, Frankie. Ze zijn exact hetzelfde, zoals je heel goed weet.'

Frankie haalde zijn schouders op. 'Ik zeg het maar.'

Melvin Eastman knikte en wendde zich af. Hij pakte een plastic bankenvelop uit zijn bureaula en gaf hem aan Frankie.

Frankie fronste zijn voorhoofd en draaide de envelop niet-begrijpend om.

'Je krijgt deze week maar drieëneenhalfhonderd,' zei Eastman zacht, 'omdat het wel duidelijk is dat ik je te veel betaal. Afgelopen vrijdag

37

heb je zeseneenhalf aan de blackjacktafel in de Brentwood Sporting Club vergokt.'

'H-het spijt me, meneer Eastman. Ik...'

'Dergelijk gedrag valt op, Frankie, en dat is het laatste wat we willen. Ik geef jou geen rooie rug in de week om in het openbaar weg te smijten, begrepen?'

Eastmans toon en gezichtsuitdrukking waren niet veranderd, maar de dreiging lag dicht onder de oppervlakte. De laatste die zijn werkgever tegen zich in het harnas had gejaagd, wist Frankie, was op de moddervlakten bij Foulness Island aangespoeld. De hondshaaien hadden zich te goed gedaan aan zijn gezicht, en men had hem aan zijn gebit moeten identificeren.

'Ik begrijp het, meneer Eastman.'

'Zeker weten?'

'Ja, meneer Eastman, heel zeker.'

'Mooi zo. Aan het werk dan maar.'

Eastman gaf Frankie een stanleymes uit zijn bureau en wees naar de vier verzegelde kartonnen dozen die tegen een van de wanden stonden opgestapeld. Volgens de stempels op de zijkanten zaten er in Korea geproduceerde documentscanners in.

Frankie sneed door de verzegeling en maakte de eerste doos open waarin de beloofde apparatuur zat. Hij tilde voorzichtig de scanner en het piepschuim uit de doos. Daaronder lagen drie propvolle, dichtgesealde plastic zakken.

'Moeten we ze controleren?'

Eastman knikte.

Frankie maakte een sneetje in de eerste zak, haalde er een opgevouwen papiertje uit en gaf het aan Eastman. Die maakte het papier open, bracht het puntje van zijn tong naar het grijzig witte poeder, knikte en gaf het aan Frankie terug.

'Ik denk dat we de tranquillizers en de E wel kunnen vertrouwen. Even zien of Amsterdam duiven of vlinders heeft gestuurd.'

Frankie keek naar een zak met ecstasypillen. 'Dit zijn duiven, zo te zien,' zei hij zenuwachtig. 'Ze maken zeker de oude voorraad op.'

De andere drie dozen ondergingen dezelfde behandeling. Frankie pakte de zakken ecstasy, temazepam en pep behoedzaam in een rugzak en dekte het geheel af met een T-shirt en een groezelige onderbroek.

'De vlinders gaan naar Basildon, Chelmsford, Brentford, Romford en Southend,' zei Eastman. 'De duiven naar Harlow, Braintree, Colchester...'

Zijn telefoon ging en hij stak een hand op ten teken dat Frankie moest wachten. In de loop van het gesprek wierp hij een paar keer een blik op hem, maar Frankie stond naar de werkvloer te staren, kennelijk gefascineerd door de handelingen van een vorkheftruck.

Zou hij gebruiken, vroeg Eastman zich af, of was het alleen het gokken? Moest hij de straf van die ochtend compenseren met een kleine aanmoediging en een paar briefjes van vijftig in zijn achterzak stoppen als hij wegging?

Uiteindelijk besloot hij ervan af te zien. De les moest geleerd worden.

9

'Faraj Mansoor,' zei Charles Wetherby terwijl hij zijn leesbril met schildpadmontuur weer in zijn borstzak stopte. 'Zegt die naam je iets?'

Liz knikte. 'Ja, iemand met die naam heeft afgelopen weekend een vervalst Brits rijbewijs in een van de noordelijke havens gekocht... Bremerhaven, geloof ik. Onze Duitse verbindingsman heeft hem gisteren aan ons doorgegeven.'

'Een terroristisch verleden?'

'Ik heb hem door de database gehaald. Er staat een Faraj Mansoor op de volledige lijst van een Pakistaanse verbindingsman van iedereen die Dawood al Safa gedurende zijn verblijf in Peshawar eerder dit jaar heeft ontmoet en gesproken.'

'Al Safa, de geldsmokkelaar van het ITS? Die over wie Mackay ons gisteren vertelde?'

'Ja, die. Die Mansoor, en het moet een heel gangbare naam zijn, is geïdentificeerd als een van het handjevol werknemers van een garage aan de weg naar Kabul. Al Safa schijnt er gestopt te zijn om een paar tweedehands auto's te bekijken. Onze man in Pakistan had hem laten volgen, en toen al Safa doorreed, hebben ze een van de surveillanten achtergelaten om een lijst van de werknemers op te stellen.'

'Is dat alles?'

'Ja, dat was het.'

Wetherby knikte peinzend. 'Ik vraag het omdat ik, om redenen die ik nog niet kan doorgronden, zojuist door Geoffrey Fane ben gebeld met het verzoek hem op de hoogte te houden.'

'Met betrekking tot Mansoor?' vroeg Liz verbaasd.

'Ja. Ik moest hem zeggen dat er, zoals de zaken er nu voorstaan, niets te melden was.'

'En?'

'En dat was dat. Hij bedankte me en hing op.'

Liz liet haar ogen langs de kale wanden dwalen en vroeg zich af waarom Wetherby haar bij zich had geroepen voor een gesprek dat ze gemakkelijk telefonisch hadden kunnen afhandelen.

'Liz, voor je gaat, is alles goed met je? Ik bedoel, gaat het... goed?'

Ze beantwoordde zijn blik. Hoe ze haar best ook deed, hij had zo'n gezicht dat ze nooit goed uit haar geheugen kon opdiepen. Soms herinnerde ze zich het dode-bladerenbruin van zijn haar en ogen, dan weer de scheve symmetrie van zijn neus en mond, maar de precieze samenhang van de trekken bleef ongrijpbaar. Zoals altijd leek hun beroepsmatige relatie doortrokken van een subtiele ironie, alsof ze elkaar ook buiten het werk en op een andere basis ontmoetten.

Dat was echter nooit gebeurd, en buiten de context van hun werk wist Liz maar heel weinig van hem. Er was een echtgenote die aan de een of andere chronische ziekte zou lijden en er waren een paar schoolgaande zoons. Ze woonden ergens aan de rivier; in Shepperton, of was het Sunbury? Zo'n oord in het westen waar *De wind in de wilgen* zou kunnen spelen.

Verder reikte haar kennis niet. Ze had geen idee waar hij van hield, wat zijn hobby's waren of in wat voor auto hij reed.

'Zie ik eruit alsof het niet goed met me gaat?'

'Je ziet er prima uit, maar ik weet dat het gedoe met Marzipan niet gemakkelijk voor je is geweest. Hij is nog piepjong, hè?'

'Ja.'

Wetherby hield zijn hoofd schuin en knikte. 'Hij is ook een van onze belangrijkste aanwinsten, of belooft dat te worden. Daarom heb ik hem aan jou toevertrouwd. Hoor hem uit, zeg niets en laat me zien wat je hebt. Ik wil hem voorlopig nog niet officieel inlijven.'

Liz knikte. 'Ik geloof niet dat Fane al van zijn bestaan weet.'

'Houden zo. We zullen een lang spel met die jongeman moeten spelen, en dat betekent dat wij geen enkele druk mogen uitoefenen. Zorg gewoon dat hij stevig geworteld raakt. Als hij zo goed is als jij zegt, levert het resultaat op.'

'Zolang jullie bereid zijn te wachten.'

'Zo lang als het maar duurt. Denkt hij nog steeds dat hij volgend jaar gaat studeren?'

'Nee, maar ik weet niet of hij het al aan zijn ouders heeft verteld.'

Wetherby knikte meelevend, stond op en liep naar het raam. Hij keek even over de rivier uit voordat hij zich weer naar haar omkeerde. 'Zeg eens, wat denk je dat je zou hebben gedaan als je niet hier werkte?'

41

Liz keek hem nadenkend aan. 'Gek dat je het vraagt,' zei ze uiteindelijk, 'want vanochtend heb ik mezelf die vraag ook min of meer gesteld.'

'Waarom juist vanochtend?'

'Ik heb een brief gekregen.'

Hij wachtte af. Zijn zwijgen was peinzend en ongedwongen, alsof ze alle tijd van de wereld hadden.

Aanvankelijk aarzelend, zich afvragend hoeveel hij al wist, begon Liz over haar leven te vertellen. Ze verbaasde zich over haar welbespraaktheid; het was alsof ze een goed gerepeteerd alibi opdreunde. Aannemelijk, en zelfs verifieerbaar, maar tegelijkertijd net niet echt.

Haar vader was meer dan dertig jaar beheerder geweest van Bowerbridge, een landgoed in de vallei van de rivier de Nadder bij Salisbury. Liz' moeder en hij hadden in het portiershuis gewoond, waar Liz was opgegroeid. Vijf jaar geleden was Jack Carlyle evenwel gestorven en kort daarna had de eigenaar van Bowerbridge het landgoed verkocht. Het jachtterrein met zijn bossen kreupelhout was aan een plaatselijke landbouwer verkocht en het landhuis met zijn figuursnoeiwerk, kassen en ommuurde tuin was gekocht door de eigenaar van een tuincentrumketen.

De vertrekkende eigenaar, een gul mens, had als voorwaarde voor de verkoop gesteld dat de weduwe van zijn vroegere beheerder de rest van haar leven gratis in het portiershuis mocht blijven wonen met het recht van koop, mocht ze dat willen. Aangezien Liz in Londen werkte, woonde haar moeder alleen in het achtkantige huis, en toen de nieuwe eigenaar van het landhuis besloot zeldzame planten in de tuin te gaan kweken, had ze er een deeltijdbaan gekregen.

Susan Carlyle was dol op de tuinen van het landgoed en kende ze door en door, dus was het een ideale baan voor haar. Binnen een jaar werkte ze voltijds voor de kwekerij en nog eens anderhalf jaar later had ze de leiding overgenomen. Wanneer Liz een weekend bij haar logeerde, legde haar moeder haar tijdens lange wandelingen over de betegelde lanen en grazige allees uit wat haar dromen en plannen voor de kwekerij waren. Wanneer ze langs de seringen liepen, rij na crème met paarse rij die de lucht met zijn geur bezwangerde, prevelde ze de namen als een litanie: *Masséna, Decaisne, Belle de Nancy, Persica, Congo...* Er waren ook hele velden met witte en rode camelia's en rododendrons in geel, mauve, dieprood en roze, en boomgaarden met wasachtig geu-

42

rende magnolia's. Op het hoogtepunt van de zomer wachtte om elke hoek een nieuwe, duizelingwekkende onthulling.

Bij ander weer, als de regen tegen het glas sloeg en de klamme geur van de groene planten rondom hen opwees, liepen ze langs de smeedijzeren hekken van de kassen in art-nouveaustijl en dan vertelde Susan over de diverse kweektechnieken terwijl de rijen stekken en zaailingen zich tot perspectivische oneindigheid voor hen uitstrekten.

Ze hoopte onmiskenbaar dat Liz in een niet al te verre toekomst zou besluiten Londen achter zich te laten om zich aan het beheer van de kwekerij te wijden. Moeder en dochter zouden kameraadschappelijk samen in het portiershuis wonen en op den duur zou 'de ware', een vage, sir Lancelot-achtige figuur, vanzelf opduiken.

Liz was zeker niet fel tegen het idee. De droom van het terug naar huis gaan, wakker worden in de slaapkamer uit haar kindertijd en haar dagen doorbrengen te midden van de zacht geworden stenen en het groen van Bowerbridge was verleidelijk, en ze had geen bezwaar tegen knappe ridders op witte paarden. Maar ze wist dat het in werkelijkheid zwoegen zou zijn om op het platteland de kost te verdienen en dat ze welbewust haar horizon zou moeten versmallen. Haar interesses, vrienden en meningen waren allemaal stads, en ze dacht niet dat ze het gestel had om het vierentwintig uur per dag, zeven dagen per week op het platteland uit te houden. Al die regen, al die bazige vrouwen met hun kleinzielige snobisme en hun jeeps, die plaatselijke kranten vol trivialiteiten en advertenties voor landbouwwerktuigen... Hoeveel ze ook van haar moeder hield, Liz wist dat ze er het geduld niet voor zou hebben.

En toen was de brief gekomen. Waarin Susan Carlyle schreef dat ze had besloten tot aankoop over te gaan. Dat ze haar spaargeld, het geld dat ze met de kwekerij had verdiend en de uitkering van de levensverzekering na de dood van haar man in de portierswoning van Bowerbridge wilde investeren.

'Denk je dat ze probeert je terug te lokken?' vroeg Wetherby zacht.

'In zekere zin wel, ja,' zei Liz, 'maar het is ook een heel vrijgevig besluit. Ik bedoel, ze kan er ook de rest van haar leven voor een habbekrats blijven wonen, dus ze doet het voor mij. Het probleem is dat ik denk dat ze hoopt op...' – ze zette haar glas neer en haalde machteloos haar schouders op – '... een wedergaar. En ik kan momenteel niet in zulke termen denken.'

43

'Er is iets met het huis van je jeugd,' zei Wetherby. 'Je kunt er nooit echt terugkeren. Niet voordat je bent veranderd en het met andere ogen kunt zien, en zelfs dan lukt het niet altijd.'

De radiator achter zijn bureau begon hard te tikken en een zwakke lucht van verhit stof vulde de kamer. De horizon achter de ramen tekende zich vaag af tegen de winterlucht.

'Neem me niet kwalijk,' zei Liz. 'Het was niet mijn bedoeling je met mijn niet zo belangrijke problemen te belasten.'

'Het is allesbehalve een last.' Zijn ogen, waarin een zweempje melancholie blonk, dwaalden over haar heen. 'Je wordt hier zeer gewaardeerd.'

Ze bleef even bewegingloos zitten, zich bewust van wat onuitgesproken bleef, en stond toen bruusk op.

'A, je hebt promotie gekregen,' raadde Dave Armstrong toen ze een paar minuten later aan haar bureau ging zitten, 'b, je bent ontslagen; c, je hebt ondanks keihard verzet van bovenaf besloten je memoires te publiceren of d, niets van het bovenstaande.'

'Toevallig,' zei Liz, 'wijk ik uit naar Noord-Korea. P'yongyang schijnt hemels te zijn in deze tijd van het jaar.' Ze draaide peinzend in haar stoel. 'Heb jij ooit over iets anders dan het werk gesproken met Wetherby?'

'Ik dacht het niet,' zei Dave, die bedachtzaam doortypte. 'Hij heeft me ooit gevraagd of ik de uitslag van de oefenwedstrijd wist, maar persoonlijker is het volgens mij nooit geworden. Hoezo?'

'Zomaar. Maar Wetherby is een soort schimmige figuur, zelfs voor hier, vind je ook niet?'

'Vind je dat hij aan *Big Brother* voor beroemdheden moet meedoen? In het kader van de nieuwe openheid?'

'Je snapt me wel.'

'Tja.' Hij tuurde naar zijn scherm. 'Zeggen de woorden "miladun nabi" jou iets?'

'Ja, miladun nabi is de verjaardag van de Profeet. Ergens eind mei, dacht ik.'

'Bedankt.'

Ze richtte haar aandacht op het knipperende lichtje van de voicemail op haar vaste toestel en luisterde het bericht af. Tot haar verbazing was het Bruno Mackay, die haar uitnodigde om te gaan lunchen.

44

'Ik weet dat het verschrikkelijk laat is,' klonk zijn lome stem, 'en ik weet zeker dat je al iets hebt, maar ik zou iets met je willen... bepeínzen, als je het goedvindt.'

Ze schudde ongelovig haar hoofd. Dat was zo typisch Six, de veronderstelling dat de dag, en het contraterrorismebedrijf, één lange cocktailparty was. Bepeinzen? Zij peinsde nooit. Ze brak zich het hoofd, en dat deed ze in haar eentje.

Maar waarom ook niet? Ze zou tenminste de gelegenheid hebben Bruno Mackay van dichtbij te bekijken. Er mocht dan een nieuwe sfeer van samenwerking heersen, Five en Six zouden nooit boezemvrienden worden. Hoe beter ze haar tegenvoeter kende, hoe kleiner de kans dat hij haar de kaas van het brood at.

Ze belde het nummer dat hij had ingesproken en hij nam prompt op.

'Liz!' zei hij voordat ze haar mond had opengedaan. 'Zeg dat je kunt.'

'Goed.'

'Fantastisch! Ik kom je halen.'

'Dat hoeft niet. Ik kan best...'

Zijn woorden sneden haar luchtig de pas af. 'Kun je om kwart voor een bij Lambeth Bridge zijn, aan jouw kant?'

'Tot dan.'

'Oké.'

Ze hing op. Dit kon heel boeiend worden, maar ze zou op haar hoede moeten blijven. Ze draaide haar stoel naar haar computerscherm en richtte haar aandacht op Faraj Mansoor. Fanes ongerustheid kwam voort uit zijn onzekerheid, vermoedde ze; het was niet duidelijk of de koper van het vervalste rijbewijs in Bremerhaven dezelfde Faraj Mansoor was met wie al Safa contact had gehad in Peshawar. Waarschijnlijk liet hij op dit moment de garage door iemand in Pakistan natrekken. Als het verschillende mensen bleken te zijn, en er dus nog steeds een Faraj Mansoor was die jeeps repareerde aan de weg naar Kabul, was Five nu aan zet.

De kans was groot dat het echt twee verschillende mensen waren en dat de Mansoor in Bremerhaven een economische asielzoeker was die voor zijn reis (vermoedelijk een helse tocht in een container) naar Europa had betaald en nu probeerde het Kanaal over te steken. Waarschijnlijk hield een neef in een Britse stad een vacature als taxichauffeur voor hem open. Het was vast een zaak voor de Immigratiedienst, niet voor de inlichtingendiensten. Ze zette het hele geval op een laag pitje.

Rond halfeen begon ze vreemd nerveus te worden. Gelukkig (of juist niet) ging ze chic gekleed. Aangezien al haar werkkleding óf nog aan de waslijn hing, óf op de berg voor de stomerij lag te verkwijnen, was ze teruggeworpen geweest op de Ronit Zilkha-jurk die ze ooit voor een bruiloft had aangeschaft. Hij had een fortuin gekost, zelfs in de uitverkoop, en hij was totaal ongeschikt voor een dagje inlichtingen verzamelen. Om het nog extremer te maken, had ze maar één paar schoenen die erbij pasten, en die waren van geribbelde zijde. Wetherby had alleen net merkbaar zijn ogen opengesperd toen hij haar zag, maar niets gezegd.

Om tien over halfeen kwam er een telefoontje bij haar binnen dat, zo vermoedde ze, al een paar keer door het gebouw was gestuiterd. Een groep fotografen die zichzelf vliegtuigspotters noemden, was door de politie onderschept op een terrein naast de vs-basis bij Lakenheath, en de beveiligingsdienst van de Amerikaanse luchtmacht eiste dat ze allemaal werden nagetrokken voordat ze in vrijheid werden gesteld. Het kostte Liz een paar minuten om de afdeling Research ermee op te schepen, maar het lukte, en toen rende ze naar buiten met haar jas half over de Zilkha-jurk.

Lambeth Bridge was geen ideale ontmoetingsplaats in december, ontdekte ze. Na een heldere ochtend was de lucht betrokken en nu striemde er een ongedurige oostenwind over de rivier die aan haar haar trok en het afval om haar zijden schoenen liet dansen. Bovendien was het op de brug verboden te stoppen.

Toen ze vijf minuten met tranende ogen had staan wachten, stopte er abrupt een zilverkleurige bmw langs de stoeprand. Het portier zwaaide open. Ze haastte zich, begeleid door het geluid van loeiende claxons, de auto in en Mackay, die een zonnebril droeg, voegde weer in. Er stond een cd op, en de klanken van een tabla, sitar en andere instrumenten vulden het luxueuze interieur van de bmw.

'Fateh Nusrat Ali Khan,' zei Mackay toen ze de rotonde bij Millbank namen. 'Een grote ster op het subcontinent. Ken je hem?'

Liz schudde haar hoofd en probeerde met haar vingers een soort kapsel in haar verwaaide haar te kammen. Ze glimlachte in zichzelf. Die vent was gewoon te mooi om waar te zijn; een perfect exemplaar

46

van het geslacht Vauxhall Cross. Ze waren de brug bijna over en de muziek bereikte een onstuimig hoogtepunt. Toen ze hun plek in het kruipende verkeer op Albert Embankment innamen, zwegen de luidsprekers eindelijk. Mackay zette zijn zonnebril af.

'En, Liz, hoe maak je het?'

'Ik, eh... goed,' antwoordde ze. 'Dank je.'

'Mooi.'

Ze nam hem zijdelings op. Hij droeg een lichtblauw overhemd met de kraag open en de mouwen tot halverwege opgerold, zodat er een groot deel van zijn gebruinde, gespierde onderarmen zichtbaar was. Zijn horloge, dat zo te zien wel een pond woog, was een Breitling Navitimer. En hij had een verbleekte tatoeage. Een zeepaardje.

'Zo!' zei ze. 'Waar heb ik de eer aan te danken...'

Hij schokschouderde. 'We zijn collega's, jij en ik. Ik dacht dat we een hapje konden eten, een paar glazen wijn drinken en van gedachten wisselen.'

'Ik vrees dat ik overdag niet drink,' antwoordde Liz, en ze had meteen spijt van haar toon. Ze sprak kijfziek en afwerend, terwijl er geen reden was om aan te nemen dat Mackay méér wilde dan lunchen.

'Sorry dat ik je zo laat heb gebeld,' zei Mackay met een blik opzij.

'Geen punt. Ik ben niet bepaald een dame die uit lunchen gaat, tenzij je een broodje uit de kantine bij een stapel observatieverslagen aan mijn bureau lunchen noemt.'

'Vat het niet verkeerd op,' zei Mackay, die weer een blik op haar wierp, 'maar ik vind dat je eruitziet als iemand die luncht.'

'Ik zal het als een compliment beschouwen. Toevallig ben ik zo gekleed omdat ik vanmiddag een bespreking heb.'

'Aha. Je hebt een agent in Harvey Nichols lopen?'

Ze glimlachte en wendde haar blik af. Het immense gebouw van MI6 doemde onverdraagzaam voor hen op, en toen zwenkte Mackay linkshandig de windingen van het verkeerscirculatieplan van Vauxhall in. Twee minuten later sloegen ze een smalle, doodlopende zijstraat van South Lambeth Road in. Mackay parkeerde de BMW voor een kleine banden- en uitlaatservice, sprong eruit en hield Liz' portier voor haar open.

'Je kunt je auto niet zomaar hier laten staan,' protesteerde ze.

'Ik heb een afspraak met hen,' zei Mackay luchtig, en hij wuifde naar een man in een overall vol smeervegen. 'Zwart, dus ik kan het niet declareren, maar ze houden wel een oogje op de auto. Heb je trek?'

47

'Ik geloof van wel,' zei Liz.

'Uitstekend.' Hij pakte een indigoblauwe stropdas en een donkerblauw colbert van de achterbank, strooptе zijn mouwen naar beneden en trok beide aan. Liz vroeg zich af of hij ze alleen voor de rit had uitgetrokken, om haar niet te laten denken dat hij een stijve hark was.

Hij sloot de auto af met een korte piep van de afstandsbediening. 'Kun je wel een paar honderd meter lopen op die schoenen?' vroeg hij.

'Met een beetje geluk.'

Ze liepen terug naar de rivier, namen de voetgangerstunnel en kwamen uit aan de voet van een nieuw, luxueus project aan de zuidkant van Vauxhall Bridge. Mackay groette de bewakers en leidde Liz door het atrium een druk, aantrekkelijk restaurant binnen. De tafelkleden waren van wit linnen, het glas en bestek flonkerden en het donkere uitzicht over de Theems door de grote vlakken pantserglas werd omlijst door gordijnen. De meeste tafels waren bezet. Het gedempte geroezemoes verstomde even toen ze binnenkwamen. Liz gaf haar jas af en liep achter Mackay aan naar een tafel bij het raam.

'Wat leuk en onverwacht allemaal,' zei ze spontaan. 'Bedankt voor de uitnodiging.'

'Bedankt dat je ze hebt aangenomen.'

'Ik neem aan dat hier vrij veel bekenden van je zitten?'

'Een paar, en toen je net door de zaal liep, heb je mijn aanzien met een paar honderd procent verhoogd. Het zal je niet ontgaan dat we discreet in de gaten worden gehouden.'

Ze glimlachte. 'Inderdaad. Je zou je collega's naar de overkant van de rivier moeten sturen voor een van onze surveillancecursussen.'

Ze bestudeerden de kaart. Vertrouwelijk naar haar overbuigend zei Mackay tegen Liz dat hij kon voorspellen wat ze zou kiezen. Hij pakte een pen uit zijn zak, gaf hem aan haar en vroeg haar aan te kruisen wat ze had besteld.

Liz hield de kaart onder de tafel, zodat hij niet kon gluren, en kruiste een salade met gerookte eendenborst aan. Het was een voorgerecht, maar ze schreef er 'als hoofdgerecht' bij.

'Goed,' vervolgde Mackay. 'Vouw de kaart op en stop hem in je zak.'

Ze deed het. Ze was ervan overtuigd dat hij niet had gezien wat ze had opgeschreven.

Toen de serveerster kwam, bestelde Mackay een hertenbiefstuk en een glas Italiaanse barolo. 'En voor mijn collega,' voegde hij er met een

48

flauwe glimlach en een knikje naar Liz aan toe, 'de salade met eenden-borst. Als hoofdgerecht.'

'Heel slim,' zei Liz met gefronst voorhoofd. 'Hoe doe je dat?'

'Dat is geheim. Neem een glas wijn.'

Ze had het graag gedaan, maar vond dat ze zich aan haar 'niet tijdens de lunch'-uitspraak moest houden. 'Nee, dank je.'

'Eén glaasje maar. Om me gezelschap te houden.'

'Goed, eentje dan. Vertel nu eens...'

'Jij bent niet bevoegd om het geheim te horen.'

Liz keek om zich heen. Geen mens had kunnen zien wat ze schreef, en er was nergens een weerspiegelend oppervlak te bekennen.

'Grapjas. Zeg op.'

'Zoals ik al zei...'

'Zeg het nou maar,' zei ze, opeens hevig geïrriteerd.

'Goed dan. We hebben contactlenzen ontwikkeld waarmee we door documenten heen kunnen kijken. Ik heb ze nu in.'

Ze kneep haar ogen tot spleetjes en keek hem aan. Ze had zich voor-genomen objectief te blijven en de lunch als een soort verkennings-tocht te beschouwen, maar ze begon zich uitgesproken kwaad te ma-ken.'

'En weet je wat?' fluisterde hij. 'Je kunt er ook mee door stof kijken.'

Voordat Liz iets terug kon zeggen, viel er een schaduw over het witte tafellaken, en toen ze opkeek zag ze Geoffrey Fane boven zich uittorenen.

'Elizabeth, wat een genoegen je aan onze kant van de rivier te zien. Bruno zorgt goed voor je, hoop ik?'

'Ja,' zei ze, en toen wist ze niets meer te zeggen. Fanes pogingen tot vriendelijkheid bezorgden haar de rillingen.

Hij maakte een lichte buiging. 'Wil je de groeten aan Charles Wetherby doen? Zoals je weet, of zou moeten weten, hebben we de hoogst mogelijke achting voor jullie afdeling.'

'Dank je,' zei Liz. 'Ik zal het doen.'

Toen kwam het eten. Fane draaide zich om. Liz keek weer naar Mac-kay, net op tijd om de blik van verstandhouding te zien die de beide mannen wisselden, of een glimp ervan. Wat had dat te betekenen? Het kon niet alleen zijn dat een van hen de lunch gebruikte met iemand van de vrouwelijke kunne. Was de afspraak doorgestoken kaart? Fane had niet erg verbaasd geleken haar te zien.

49

'Vertel,' zei ze. 'Hoe is het om weer terug te zijn?'

Mackay haalde een hand door zijn zongebleekte haar. 'Fijn,' zei hij. 'Islamabad was fascinerend, maar keihard. Ik was er op eigen houtje, niet als gemachtigde van het diplomatieke team, en hoewel ik daardoor veel meer gedaan kon krijgen met mijn agenten bracht het ook veel meer stress met zich mee.'

'Woonde je niet op de basis?'

'Nee, in een voorstad. Ik werkte in naam bij een bank, dus verscheen ik daar elke dag in pak, en 's avonds liep ik het sociale circuit af. Daarna was ik meestal de rest van de nacht bezig met het uithoren van agenten of het coderen en verzenden van verslagen naar Londen. Het was dus wel fascinerend om met mijn neus op de actie te zitten, maar ook vrij uitputtend.'

'Hoe ben je eigenlijk in dit werk verzeild geraakt?'

Een glimlach plooide zijn mondhoeken. 'Waarschijnlijk op dezelfde manier als jij. De kans om de leugens te verkondigen die me altijd zijn komen aanwaaien.'

'Is dat zo? Dat het je komt aanwaaien, bedoel ik?'

'Ik heb me laten vertellen dat ik al heel jong begon te jokken. En ik maakte nooit een proefwerk zonder spiekbriefje. De avond van tevoren schreef ik alles met een fijne pen op luchtpostpapier en dat stopte ik opgerold in een balpen.'

'Ben je zo bij Six terechtgekomen?'

'Nee, jammer genoeg niet. Ik denk dat ze gewoon naar me keken, besloten dat ik een onbetrouwbaar sujet naar hun hart was en me er aan mijn haren bij hebben gesleept.'

'Wat heb jij als motivatie voor je sollicitatie opgegeven?'

'Vaderlandsliefde. Dat leek me destijds de juiste invalshoek.'

'En is het de ware reden?'

'Tja, je weet wat ze zeggen. Het laatste redmiddel van de schurk, en noem maar op. Nee, het ging me natuurlijk om de vrouwen. Al die secretaresses van Buitenlandse Zaken met hun glamour. Ik heb altijd een Miss Moneypenny-complex gehad.'

'Ik zie hier niet veel Moneypenny's.'

Zijn grijze ogen flitsten vrolijk door de eetzaal. 'Nee, ik schijn me te hebben vergist, hè? Enfin, zo gewonnen, zo geronnen. En jij?'

'Ik heb nooit een geheim-agentencomplex gehad, vrees ik. Ik zat bij de eerste lichting die op de "Wachten op Godot?"-advertentie reageerde.'

'Net als de praatgrage meneer Shayler.'

'Precies.'

'Denk je dat je het gaat uitzitten? Dat je blijft tot je vijfenvijftigste of zestigste of wanneer jullie ook maar pensioen krijgen? Of sluit je je voor die tijd aan bij Lynx, Kroll of zo'n ander particulier beveiligings-bureau? Of ga je kinderen krijgen met een handelsbankier?'

'Zijn dat de alternatieven? Een deprimerend lijstje.'

De ober naderde, en voordat Liz bezwaar kon maken, had Mackay naar hun glazen gewezen ten teken dat ze meer wijn wilden. Liz ge-bruikte het korte respijt om de balans van de situatie op te maken. Bruno Mackay was een schandalige flirt, maar hij was onmiskenbaar goed gezelschap. Haar dag verliep veel beter dan wanneer hij haar niet had gebeld.

'Ik denk niet dat ik zo gemakkelijk afscheid zou kunnen nemen van de Dienst,' zei ze omzichtig. 'Het is nu al tien jaar mijn leven.'

Zijn hand schoof over de tafel en bleef op de hare rusten. 'Weet je wat ik denk?' zei hij. 'Ik denk dat we allemaal voor ons eigen verleden op de vlucht zijn.'

Liz keek naar zijn hand en het grote Breitling-horloge om zijn pols, en toen liet hij haar los en wenkte de ober. Het was een zorgeloos ge-baar, zoals alles aan hem, en er bleef geen spoortje verlegenheid of twijfel hangen. Betekenden zijn woorden echt iets? Ze klonken afge-sleten. Tegen hoeveel vrouwen had hij exact hetzelfde gezegd, op exact dezelfde toon?

'O, en wat betekent dat in jouw geval?' vroeg ze. 'Waar ben jij voor gevlucht?'

'Niets bijzonders,' zei hij. 'Mijn ouders zijn gescheiden toen ik nog heel jong was, en ik heb mijn hele jeugd heen en weer gependeld tus-sen mijn vaders huis in de Test Valley en mijn moeders huis in Zuid-Frankrijk.'

'Leven ze nog?'

'Ik ben bang van wel. Onbeschoft gezond.'

'En ben je meteen na je studie bij de Dienst gegaan?'

'Nee. Ik heb Arabisch gestudeerd in Cambridge en daarna heb ik als analist Midden-Oosten bij een investeringsbank in de City gewerkt. Daar-naast speelde ik nog soldaatje bij de HAC.'

'De wat?'

'De Honourable Artillery Company. Met granaten gooien op Salisbu-

51

ry Plain. Leuk. Maar het bankieren begon zijn glans te verliezen, dus heb ik het examen voor Buitenlandse Zaken gedaan. Wil je een toetje?'

'Nee, geen toetje, dank je, en dat tweede glas wijn wil ik ook niet echt. Ik zou de rivier weer eens moeten oversteken.'

'Ik weet zeker dat onze wederzijdse bazen geen bezwaar hebben tegen een beetje... verbindingswerk tussen onze diensten,' bracht Mackay ertegen in. 'Neem tenminste een kop koffie.'

Ze gaf toe en hij wenkte de ober.

'Trouwens,' zei ze toen de koffie was gebracht, 'hoe wist je nu eigenlijk wat ik ging bestellen?'

Hij lachte. 'Ik wist het niet zeker, maar alle vrouwen met wie ik hier heb gegeten, bestelden hetzelfde.'

Liz gaapte hem aan. 'Zijn we zo voorspelbaar?'

'Eigenlijk ben ik hier maar één keer eerder geweest, met vijf anderen. Er waren drie vrouwen, en die bestelden allemaal hetzelfde als jij. Einde verhaal.'

Ze keek hem strak aan en haalde diep adem. 'Hoe oud was jij ook alweer toen je begon te liegen?'

'Ik kan het niet van je winnen, hè?'

'Ik denk het niet,' zei Liz. Ze dronk haar vingerhoedje espresso in één keer leeg en slikte. 'Maar het gaat me niets aan met wie jij allemaal hebt geluncht.'

Hij keek haar met een veelbetekenende halve glimlach aan. 'Nog niet.'

'Ik moet weg,' zei ze.

'Neem een cognac, of een calvados of zo. Het is koud buiten.'

'Nee, dank je, ik ga ervandoor.'

Hij stak berustend zijn handen op en riep de ober.

De lucht buiten was van plaatstaal. De wind rukte aan hun haar en kleren. 'Het was leuk,' zei hij, en pakte haar handen.

'Ja,' beaamde ze, en trok voorzichtig haar handen terug. 'Tot maandag.'

Hij knikte, nog steeds met die halve glimlach. Tot Liz' opluchting stapte er net iemand uit een taxi.

10

Dersthorpe Strand was onder de gunstigste omstandigheden al melancholisch, maar in december leek het het eind van de wereld, vond Diane Munday. Ondanks haar ski-jack met ganzendons rilde ze toen ze uit de Cherokee met vierwielaandrijving stapte.

Diane woonde niet in Dersthorpe. Ze was een knappe vrouw van begin vijftig met dure highlights in haar blonde haar, zo bruin alsof ze net uit Barbados kwam, en ze woonde met haar echtgenoot Ralph in een classicistische villa aan de rand van Marsh Creake, zes kilometer naar het oosten. Marsh Creake had een goede golfbaan, een kleine jachtclub en de Trafalgar. Verderop langs de kust lag Brancaster, met een echte jachtclub, en nog eens vijf kilometer verder lag Burnham Market, dat wat betreft zijn begerenswaardigheid te vergelijken was met Chelsea aan zee, met de bijbehorende huizenprijzen.

Al die faciliteiten waren aan Dersthorpe voorbijgegaan. Het dorp had een café in country & westernstijl (de Lazy 'W'), een busstation, een kleine Londis-supermarkt en een door de wind geteisterde woningwetwijk. In de zomer stond er altijd een hamburgertent zonder vergunning aan het strand.

Achter Dersthorpe, in westelijke richting naar de Wash verdwijnend, lag de troosteloze reep kustlijn die de plaatselijke bewoners 'de Strand' noemden. Hier waren op anderhalve kilometer voorbij Dersthorpe in de jaren vijftig vijf bungalows gebouwd. Ergens in het recente verleden waren ze, waarschijnlijk in een poging de genadeloze eentonigheid van de natuur te doorbreken, in vrolijke tinten roze, geel en oranje geschilderd. De zeelucht had de kleur inmiddels uitgeloogd en de verf bladderde van het hout, zodat de bungalows weer in hun omgeving opgingen. Ze hadden geen van alle een tv-antenne of telefoonaansluiting.

Diane Munday had de bungalows aan de Strand een jaar geleden gekocht, als investering. Ze stonden haar niet aan (ze kreeg er zelfs de rillingen van), maar een inspectie van de winst van de vorige eigenaar had haar ervan overtuigd dat ze aardig wat opbrachten tegen een minimum

53

aan kosten en moeite. De bungalows stonden in het najaar en de herfst meestal leeg, maar zelfs dan diende zich nog wel eens een enkele vogel-spotter of schrijver aan. Hoe vreemd Diane het ook vond, er waren verbazend veel mensen die smachtten naar het bijna-niets dat de Strand te bieden had. De eeuwig aanrollende en zich terugtrekkende golven op het kiezelstrand, de wind in de zoutmoerassen, de lege ein-der; het leek meer dan genoeg te zijn.

Hopelijk nam de jonge vrouw die nu met haar rug naar de meest westelijke bungalow stond er ook genoegen mee. Ze had gezegd dat ze studente was en haar scriptie wilde voltooien. Ze stond in een wind-jack, spijkerbroek en hoge wandelschoenen, de VVV-gids waarin Diane adverteerde in haar hand, verwachtingsvol naar de horizon te turen. De wind blies haar haar om haar gezicht en de golven trokken aan de grijze en witte kiezels voor haar.

Net *The French Lieutenant's Woman*, dacht Diane, die lange tijd warme gevoelens jegens de acteur Jeremy Irons had gekoesterd, maar dan jon-ger en minder knap. Hoe oud zou ze zijn? Twee-, drieëntwintig? En waarschijnlijk zou ze heel representatief kunnen zijn, als ze er haar best voor wilde doen. Er moest iets aan dat haar gedaan worden (het doffe, lichtbruine bobkapsel schreeuwde om de zorgen van een kapper die kon verven), maar de basis was er. Niet dat meiden van die leeftijd zich ook maar iets lieten zeggen; Diane had het met Miranda geprobeerd en stank voor dank gekregen.

'Is het geen zalige plek?' zei ze met een bezitterige glimlach. 'Zo vredig.'

Het meisje fronste afwezig haar voorhoofd. 'Wat zijn de kosten voor een week, inclusief de borgsom?'

Diane schroefde de prijs zo hoog op als ze durfde. De vrouw leek niet bijzonder welgesteld, naar haar jack en de bemodderde Astra te oordelen, maar zo te zien had ze geen zin om langer te zoeken. Haar ouders betaalden, dat kon bijna niet anders.

'Accepteert u contant geld?'

'Natuurlijk,' zei Diane, en ze glimlachte. 'Dat is dan geregeld. Ik ben Diane Munday, zoals je al weet, en jij bent...'

'Lucy. Lucy Wharmby.'

Ze gaven elkaar een hand. Het viel Diane op dat de vrouw een ver-bazend sterke greep had. Zodra de zaak rond was, reed ze terug naar Marsh Creake.

54

De vrouw die zich Lucy Wharmby noemde keek haar peinzend na. Toen de Cherokee eindelijk in Dersthorpe was opgegaan, pakte ze de lichtgewicht Nikon-verrekijker van onder haar jas en tuurde de kustweg af. Op heldere dagen zou een naderend voertuig vanuit beide richtingen van anderhalve kilometer afstand te zien moeten zijn, schatte ze.

Ze opende het portier aan de passagierskant van de Astra, reikte naar haar weekendtas en rugzak en droeg ze door de voordeur van de bungalow naar de witgeschilderde woonkamer. Ze legde haar portemonnee met klittenbandsluiting, de verrekijker, haar kwartsduikhorloge, een Pfleuger-zakmes, een klein NAVO-survivalkompas en haar Nokia-mobieltje op de tafel bij het raam met uitzicht op zee. Ze schakelde de Nokia in, die ze de vorige avond had opgeladen in de Travel Lodge aan de A11. Het was bijna drie uur. Ze ging in kleermakershouding op een lage bank tegen de muur zitten, met haar ogen half dichtgeknepen tegen het ijle licht, en begon haar geest langzaam maar zeker te ontdoen van alle gedachten die geen betrekking hadden op haar taak.

11

Het telefoontje bereikte Liz' toestel kort na halfvier. Het kwam via de centrale binnen, want de beller had het openbare nummer van MI5 gedraaid. Hij had een schuilnaam van Liz genoemd die ze een paar jaar eerder had gebruikt, toen ze op de afdeling georganiseerde misdaad werkte en zichzelf Zander genoemd. Hij belde vanuit een cel in Essex en was in de wacht gezet terwijl de telefonist Liz vroeg of ze hem wilde spreken.

Zodra Liz de codenaam hoorde, liet ze zich doorverbinden, vroeg het telefoonnummer van de cel en belde terug. Ze had lang niets meer van Frankie Ferris gehoord en betwijfelde of ze wel iets van hem wilde horen, maar als hij na drie jaar stilte contact met haar opnam en alle regels met voeten trad door de centrale te bellen, had hij haar heel misschien iets bruikbaars te vertellen.

Ze had Ferris leren kennen toen ze als agentenbegeleider van de afdeling georganiseerde misdaad had meegewerkt aan een operatie tegen een zekere Melvin Eastman, de leider van een syndicaat in Essex die er onder andere van werd verdacht grote hoeveelheden heroïne van Amsterdam naar Harwich te smokkelen. Het observatieteam had vastgesteld dat Ferris een van Eastmans chauffeurs was, en toen de Special Branch van Essex hem voorzichtig onder druk had gezet, had hij toegezegd informatie over de bezigheden van het syndicaat te verstrekken. De Special Branch had hem aan MI5 doorgespeeld.

Al sinds ze bij de dienst begon, had Liz intuïtief aangevoeld hoe ze haar verschillende agenten moest begeleiden. Aan de ene kant van het spectrum had je agenten als Marzipan, die hun collega's verlinkten uit vaderlandsliefde of ethische overtuigingen, en aan de andere kant degenen die alleen uit eigenbelang handelden, of om het geld. Zander zat ergens in het midden. Voor hem was het een zuiver emotionele kwestie. Hij wilde Liz' respect verdienen. Hij wilde dat ze hem waardeerde, hem haar onverdeelde aandacht gunde en luisterde naar zijn opsommingen van de onrechtvaardigheden van het leven.

Liz had dit opgepikt en de benodigde tijd aan hem besteed, en geleidelijk aan was de informatie binnengekomen, alsof hij bloem na bloem aan haar voeten legde. Het was niet allemaal even bruikbaar; zoals veel agenten die naar complimenten van hun begeleider hunkeren, had ook Ferris de neiging Liz in te pakken met half vergeten onbenulligheden. Maar hij was erin geslaagd de vaste en mobiele nummers van diverse handlangers van Eastman te noteren en door te geven, evenals de kentekens van voertuigen die de loods in Romford bezochten waar Eastman destijds zijn hoofdkwartier had.

Dat was bruikbaar geweest en had veel bijgedragen aan de kennis van MI5 over Eastmans operaties, maar Ferris drong niet door tot Eastmans kring van vertrouwelingen en had weinig tot geen toegang tot concrete informatie. Hij bracht zijn dagen door als een veredelde taxichauffeur: hij vervoerde vrouwelijke croupiers uit Eastmans casino's van en naar lunches met zakenrelaties van Eastman, bezorgde gesmokkelde tabak bij cafés en distribueerde dozen vol illegale cd's en dvd's over de markten.

Uiteindelijk was het onmogelijk gebleken een waterdichte zaak tegen Eastman op te bouwen, die zeer veiligheidsbewust was, en daardoor was hij nog machtiger geworden. En waarschijnlijk, dacht Liz, was hij ook gevaarlijker, winstgevender artikelen gaan verkopen dan linke cd's. Hij zat in elk geval achter de regelmatige distributie van ecstasy onder de vele dealers in zijn regio, een bijzonder lucratieve onderneming, en de Special Branch was ervan overtuigd dat een aantal van zijn legitieme bedrijven als dekmantel diende voor allerlei vormen van zwendel.

De Special Branch van Essex was op de zaak blijven zitten, en toen Liz naar Wetherby's afdeling contraterrorisme was overgestapt, had een van hun mensen de begeleiding van Zander overgenomen, een taaie man uit Ulster die Bob Morrison heette. Ferris had Morrison moeten bellen, niet Liz.

'Zeg het maar, Frankie,' opende Liz het gesprek.

'Grote dropping vrijdag bij de landtong. Twintig, plus een speciale uit Duitsland.' Ferris' stem klonk vast, maar hij was hoorbaar nerveus.

'Dat moet je aan Bob Morrison vertellen, Frankie. Ik weet niet wat je zegt en ik kan niets doen.'

'Ik vertel Morris geen reet meer. Dit is voor jou.'

'Maar ik weet niet wat het allemaal betekent, Frankie. Ik doe dat werk niet meer en je mag me niet bellen.'

57

'Vrijdag, bij de landtong,' herhaalde Frankie met klem. 'Twintig en een speciale. Uit Duitsland. Heb je dat?'

'Ik heb het opgeschreven. Hoe kom je eraan?'

'Van Eastman. Hij kreeg telefoon toen ik een paar dagen geleden bij hem was. Hij was witheet. Hij had het niet meer.'

'Werk je nog voor hem?'

'Als het zo uitkomt.'

'Verder nog iets?'

'Nee.'

'Sta je in een cel?'

'Ja.'

'Bel nog iemand voordat je weggaat. Dit mag niet het laatste nummer zijn dat uit de cel is gebeld.'

Ze hingen op en Liz staarde een paar minuten naar de flarden informatie op het notitieblok voor zich. Toen belde ze de Special Branch in Essex en vroeg naar Bob Morrison. Hij belde binnen een paar minuten terug uit een cel langs de snelweg.

'Heeft Ferris gezegd waarom hij jou belde?' vroeg hij. Zijn stem galmde onduidelijk in haar oor.

'Nee,' zei Liz, 'maar hij wilde pertinent niet met jou praten.'

Het bleef even stil. Het was een slechte verbinding, en Liz hoorde het gejengel van claxons tussen de ruis door.

'Als informant,' zei Morrison toen, 'is Frankie Ferris finaal afgeschreven. Negentig procent van het geld dat hij van Eastman krijgt, gaat regelrecht naar het wedkantoor, en ik zou er niet van opkijken als hij ook gebruikte. Hij heeft het waarschijnlijk allemaal uit zijn duim gezogen.'

'Het zou kunnen,' zei Liz omzichtig.

De lijn kraakte even.

'... bruikbaars krijgen zolang Eastman hem geld geeft.'

'En als hij dat niet meer doet?' vroeg Liz.

'Dan geef ik geen cent voor zijn...'

'Denk je dat Eastman hem zou lozen?'

'Ik denk dat het bij hem zou opkomen. Frankie weet genoeg om hem te ruïneren. Maar ik denk niet dat het zover zal komen. Melvin Eastman is een zakenman. Het is gemakkelijker hem als een onkostenpost te beschouwen, hem een aalmoes toe te stoppen...'

Weer claxons. 'Je zou... nuttigs uit hem kunnen krijgen. In feite is het een Siamese tweeling.'

58

'Oké. Zal ik je sturen wat Frankie me heeft verteld?'

'Ja, waarom niet?'

Ze verbraken de verbinding. Liz had zich ingedekt; of er iets met de informatie werd gedaan, was een ander geval.

Ze staarde weer naar de halve zinnen. Een dropping van wat? Drugs? Wapens? Mensen? Een dropping uit Duitsland? Waar zou die vandaan komen? Als het een dropping aan de kust was, zoals het woord 'landtong' deed vermoeden, moest ze misschien aan de noordelijke havens denken.

Voor de zekerheid, want het kon uren duren voordat Morrison weer achter zijn bureau zat, besloot ze een contactpersoon bij de douane te bellen. Wat was het dichtstbijzijnde Britse grondgebied vanuit de Duitse havens waar je voet aan wal kon zetten? Het moest East-Anglia zijn, Eastmans territorium. Een klein schip met smokkelwaar uit het noordoosten zou zich niet in het Kanaal wagen; het zou de meer dan honderdvijftig kilometer onbewaakte kustlijn tussen Felixstowe en de Wash opzoeken.

12

De *Susanne Hanke* was een tweeëntwintig meter lange hektrawler, en na meer dan dertig uur op zee vervloekte Faraj Mansoor elke roestige centimeter van het schip. Hij was trots, maar dat zag je nu niet aan hem af, in elkaar gedoken als hij met zijn twintig medepassagiers op de kotsgladde vloer van het visruim zat. De meesten kwamen uit Afghanistan, net als Faraj zelf, maar er waren ook Pakistanen, Iraniërs, een paar Koerden uit Irak en een in stilte lijdende Somaliër.

Ze droegen allemaal dezelfde blauwe, tweedehands monteursoverall. Ze hadden in een pakhuis bij de kade van Bremerhaven de ranzige kledingstukken afgegeven waarin ze de reis vanuit hun diverse geboortelanden hadden gemaakt, ze hadden zich mogen scheren en douchen en tweedehands spijkerbroeken, truien en windjacks uit kringloopwinkels gekregen. Toen waren de overalls uitgedeeld, en tegen de tijd dat ze met hun eenentwintigen om het vreugdevuur van hun oude kleding stonden, hadden ze er, voor iemand die een vluchtige blik op hen wierp, uitgezien als een stel gastarbeiders. Voordat ze aan de oversteek begonnen, hadden ze brood, koffie en een opgewarmde kant-en-klaarmaaltijd gekregen; stamppot met schapenvlees, een maal dat in de anderhalf jaar dat de Karavaan nu draaide aanvaardbaar was gebleken voor de overgrote meerderheid van de cliënten.

De Karavaan was opgericht om, zoals de organisatoren het noemden, 'eersteklas geheime verscheping' van Azië naar Noord-Europa en het Verenigd Koninkrijk te bieden aan economische asielzoekers. De overtocht was niet luxueus, maar er waren verwoede pogingen gedaan om er een humane, functionele dienstverlening van te maken. Voor 20.000 Amerikaanse dollars werd de klanten een veilige reis beloofd, compleet met de benodigde EU-documentatie (inclusief paspoort) en vierentwintig uur opvang in een pension bij aankomst.

Dit stond lijnrecht tegenover eerdere mensensmokkelondernemingen. In het verleden waren asielzoekers in ruil voor flinke sommen geld, contant te voldoen op het vertrekpunt, smerig, getraumatiseerd en half verhongerd langs snelwegen in het zuiden van het Verenigd Koninkrijk afgezet, alleen en zonder geld en papieren om zichzelf te kunnen redden. Er waren er veel die de reis niet overleefden; de doodsoorzaak was meestal verstikking in afgesloten containers of vrachtwagens.

De organisatoren van de Karavaan daarentegen wisten dat ze in dit tijdperk van flitsend snelle communicatie hun belangen uiteindelijk het best dienden door een reputatie van efficiëntie op te bouwen. Vandaar de overalls, waarvan het naargeestige doel duidelijk werd zodra de *Susanne Hanke* de haven achter zich had gelaten. Het schip lag niet diep in het water, misschien anderhalve meter, en hoewel het stabiel genoeg was om alles te doorstaan wat de Noordzee in petto zou kunnen hebben, stampte en deinde het bij slecht weer als een oordeel. En het weer was heel slecht: vanaf het moment dat de *Susanne Hanke* de open zee bereikte, stond er een niet-aflatende decemberstorm. Daar kwam nog bij dat de Caterpillar-motor, die gestaag 375 pk leverde, het omgebouwde ruim al snel vulde met een misselijkmakende dieselstank.

De baardige Duitse kapitein van de *Susanne Hanke* en zijn twee bemanningsleden hadden geen last van al die zaken, want zij zaten in het verwarmde stuurhuis en hoefden alleen maar naar het westen te koersen, maar ze hadden een rampzalige uitwerking op de passagiers. Het presenteren van sigaretten en optimistisch zingen van filmliederen in het Hindi maakten al snel plaats voor kokhalzen en ellende. De mannen probeerden op de banken te blijven zitten, maar door de bewegingen van de boot werden ze afwisselend achteruit tegen de verschansing gesmeten en vooruit in het ijskoude lenswater aan hun voeten geduwd. Hun overalls zaten binnen de kortste keren vol gal en braaksel en, in een paar gevallen, bloed uit gebroken neuzen. Hun koffers en plunjezakken zwiepten woest heen en weer in het net boven hun hoofden.

En naarmate de uren verstreken, was het weer alleen maar erger geworden. De golven waren weliswaar onzichtbaar voor de mannen die in elkaar gedoken onder het voordek zaten, maar ze waren huizenhoog. De mannen klampten zich aan elkaar vast terwijl de romp van het schip steigerde en viel, maar ze werden uur na uur door het met geribbeld staal beklede ruim geslingerd. Met hun gehavende, gekneusde lijven, bevroren voeten en rauwe kelen van het braken hadden ze elke schijn van waardigheid opgegeven.

Faraj Mansoor concentreerde zich op zijn overleving. De kou kon hij

61

wel aan; hij kwam uit de bergen. Afgezien van de Somaliër, die huilerig aan zijn linkerkant zat te kreunen, konden ze de kou allemaal aan. Maar die misselijkheid was een ander geval, en hij was bang dat hij er zo door zou verzwakken dat hij zich niet meer zou kunnen verdedigen.

De asielzoekers waren niet voorbereid op de beproevingen van de zeereis van zeshonderdvijftig kilometer. De reis door Iran in de verstikkende hitte van de container was oncomfortabel geweest, maar de tocht door Turkije, Macedonië, Bosnië, Servië en Hongarije was betrekkelijk moeiteloos verlopen. Er waren angstige momenten geweest, maar de chauffeurs van de Karavaan wisten waar de lekken in de grenzen zaten en welke douaniers zich het gemakkelijkst lieten omkopen.

Ze waren bijna alle grenzen 's nachts overgestoken, maar niet allemaal. In Esztergom in het noordwesten van Hongarije hadden ze op een verlaten speelterrein een oude voetbal gevonden en een balletje getrapt en een sigaret gerookt voordat ze weer in de vrachtwagen klommen voor de oversteek van de rivier de Morava naar Slowakije. De laatste oversteek, naar Duitsland, had plaatsgevonden bij Liberec, tachtig kilometer ten noorden van Praag, en een dag later hadden ze de benen gestrekt in Bremerhaven. Daar hadden ze in het pakhuis tussen de afgedankte draai- en werkbanken geslapen. De fotograaf was gekomen en twaalf uur later hadden ze hun paspoort gekregen en, in het geval van Faraj Mansoor, een Brits rijbewijs. Dat zat nu samen met zijn andere papieren in de binnenzak met rits van het windjack dat hij onder de smerige overall droeg.

Faraj zette zich schrap op zijn bank en verdroeg het rijzen en dalen van de *Susanne Hanke*. Verbeeldde hij het zich of begonnen die helse pieken en golfdalen eindelijk iets af te nemen? Hij drukte op het Indiglo-lichtknopje op zijn horloge. Het was iets na twee uur 's nachts Britse tijd. Bij de zwakke gloed van het horloge zag hij de bleke, angstige gezichten van zijn medereizigers, die als geestverschijningen op een kluitje zaten. Om hen op te peppen stelde hij voor samen te bidden.

Om halfdrie 's nachts zag Ray Gunter het eindelijk. Het licht van de *Susanna Hanke* was te zwak voor het blote oog, maar door de beeldversterker van de verrekijker was het zichtbaar als een heldere, groene gloed aan de horizon.

62

'Hebbes,' mompelde hij, en knipte zijn peuk op de kiezels. Zijn handen waren bevroren, maar de spanning hield als altijd de kou op afstand.

'Zullen we?' vroeg Kieran Mitchell.

'Ja. Kom op.'

Ze duwden samen de boten de zee in en voelden het stuifwater op hun gezicht en de ijzige kou om hun kuiten. Gunter, die meer ervaring had, nam het voortouw. Hij brak een *glowstick*, die fluorescerend blauw oplichtte, en zette hem in een houder op de achtersteven; de twee boten mochten elkaar onder geen beding kwijtraken.

De beide mannen begonnen op een paar meter van elkaar door de ruwe golven voor de kust te roeien, met de harde oostenwind in hun zij. Ze droegen allebei zware regenkleding en een reddingsvest. Na honderd meter haalden ze de riemen binnen en startten de Evinrude-buitenboordmotoren, die brommend tot leven kwamen. De wind voerde het geluid mee. Mitchell, in Gunters kielzog, keek strak naar de *glowstick* en volgde hem de zee op.

Tien minuten later waren ze langszij de *Susanne Hanke*. De passagiers kwamen een voor een uit het ruim, hun schamele bezittingen tegen zich aan gedrukt en zonder de bevuilde overalls (die gewassen zouden worden voor de volgende lading illegalen) en werden een ladder naar de boten af geholpen. Het ging traag en het was gevaarlijk in het bijna-donker op de wilde zee, maar een halfuur later zaten ze allemaal met hun bagage aan hun voeten in een van de boten. Op één na. Een van de mannen, een hoffelijk maar vastbesloten type, wilde zijn zware rugzak per se op zijn rug houden. En als je uit de boot valt, jongen, dacht Mitchell, is het je eigen stomme schuld.

Kieran Mitchell kende maar één woord Urdu: *khamosh*, dat 'stil' betekent. Deze keer hoefde hij het niet te gebruiken. De lading zat er zoals gewoonlijk geïntimideerd, angstig en terecht eerbiedig bij. Als zelfbenoemd patriot wilde Mitchell niets te maken hebben met die voddige illegalen en had hij al dat uitschot liever teruggestuurd, maar als zakenman, en een zakenman die voltijds voor Melvin Eastman werkte, kon hij geen kant op.

De terugreis naar de kust was het deel waar Mitchell het meest tegen opzag. De oude houten vissersboten konden maar net twaalf man houden en lagen angstwekkend diep in het water. Dankzij Gunters superieure zeemanschap bleven zijn mensen min of meer droog,

63

maar die van Mitchell hadden het minder goed getroffen. De golven sloegen onophoudelijk over de boeg en ze raakten doorweekt. Het was uiteindelijk een rillend, doorweekt groepje dat hem hielp de boot aan land te trekken en toen, zoals elke lading, gezamenlijk op de natte kiezels knielde om dank te zeggen voor de behouden aankomst. Op één na. De man met de zwarte rugzak, die bleef staan en om zich heen keek.

Toen de boten op hun plaats lagen, trokken Gunter en Mitchell hun reddingsvest en regenkleding uit. Gunter hing de uitrusting in een kleine houten keet met een slot aan de rand van het strand en Mitchell zette de mannen in een rij en leidde hen in ganzenpas bij de zee vandaan.

Op het kiezelstrand volgde een graspad, en dat voerde weer naar een open, smeedijzeren hek dat Mitchell achter hen sloot. Ze marcheerden omhoog en er doemden vormen van bomen op in de zwakke gloed van de schijnschemering. Daarna kwamen gesnoeide hagen en het platte vlak van een gazon, waarna het pad naar links afboog. Een hoge muur rees voor hen op, en een deur. Gunter maakte hem met een sleutel open en Mitchell trok hem achter de laatste man dicht. Ze waren nu in een smalle zijstraat die aan de ene kant door de muur werd begrensd en aan de andere kant door bomen. Vijftig meter verderop stak het zwakke silhouet van een vrachtwagen hoekig af tegen de bomen.

Mitchell maakte het hangslot van de achterdeuren open en leidde de illegalen naar binnen. Toen ze allemaal achter in de laadruimte zaten, trok Mitchell er een metalen rooster voor dat zo was gedrapeerd met touwen en zakkengoed dat het een valse wand werd. De illegalen zaten erachter in een ruimte van nog geen meter diep met een plafondventilator in het dak. Het was geen waterdichte bescherming, maar een onopmerkzame beschouwer, zoals een politieman met een zaklamp die bij de achterdeuren stond, zou denken dat de laadruimte leeg was.

Mitchell klom achter het stuur en Gunter stapte naast hem in. De eerste vijf minuten kropen ze zonder licht over een oneffen landweg, maar toen de hoofdweg in zicht kwam, deed Mitchell de koplampen aan en gaf gas.

'Het was windkracht negen,' zei hij. 'Wedden dat ze aan één stuk door hebben zitten kotsen?'

'Ze zagen er besodemieterd uit,' beaamde Gunter, die zijn sigaret-

64

ten en aansteker uit zijn zak opdiepte. Meestal ging hij nu naar huis, slapen, maar vanochtend reed hij met Mitchell mee tot King's Lynn, waar zijn zus Kayleigh in een gemeenteflat woonde. Hij was liever met zijn eigen auto gegaan, maar dat achterlijke wijf van Munday had haar jeep in zijn kofferbak geramd. Zijn Toyota stond in Brancaster, waar hij een nieuwe achterklep, lichten en uitlaat kreeg. De oude uitlaat was voor de botsing al naar z'n mallemoer geweest, maar de garage had op kosten van de verzekering met alle plezier een nieuwe uitlaat willen aanbrengen. Wat niet weet, wat niet deert.

Twintig minuten later parkeerde Mitchell de vrachtwagen bij een wegcafé aan de A148 bij Fakenham. Hier moest de 'speciale' volgens de instructies worden afgezet.

Terwijl de hydraulische systemen van de vrachtwagen sissend uit- bliezen, pakte Gunter een zware Maglite-zaklamp van vijfendertig centimeter lang uit het kluisje aan de passagierskant en sprong uit de cabine. Hij maakte de achterdeuren open, klauterde naar binnen, deed de zaklamp aan en trok het rooster iets naar voren.

De man met de rugzak stond op. Hij was van gemiddelde lengte, tenger gebouwd, en hij had een wilde zwarte haardos en een gekun- stelde halve glimlach op zijn gezicht. De rugzak, die er duur uitzag maar niet van een merk was voorzien, hing zwaar om zijn smalle schouders. Alles aan hem schreeuwt dat hij een kneus is, dacht Gunter. Geen wonder dat er zo met die lui werd gesold. En toch had hij ergens twintig mille voor zijn reis opgeduikeld. Al het spaargeld van zijn pa, vermoedelijk, en waarschijnlijk hadden een stuk of vijf suikertantes de rest bijgepast. En dat allemaal om die arme stakker de kans te geven de rest van zijn leven curry's op te dienen of kranten te verkopen in zo'n armoedige stad als Bradford. Ongelooflijk. Gunter schoof de valse wand terug en wierp een blik op de jonge Pakistaan; de versleten spij- kerbroek, het goedkope windjack en het smalle, vermoeide gezicht. Het was niet de eerste keer van zijn leven dat hij oprecht dankbaar was dat hij blank was geboren, en in Engeland.

Hij zag de speciale uit de laadbak klimmen, het non-descripte nachtlandschap in zich opnemen en de rugzak hoger op zijn rug sjor- ren. Wat zat daarin dat zo zorgvuldig bewaakt moest worden? vroeg Gunter zich af. Iets waardevols, dat stond vast. Misschien wel goud. Hij zou niet de eerste illegaal zijn die een plak van dat glimmende spul bij zich had.

65

Gunter klom na Mansoor uit de laadbak en sloot de deuren af. Uit het open cabineraam aan de voorkant kringelde Mitchells sigarettenrook.

Mansoor stak zijn hand uit. 'Dank u wel,' zei hij.

'Graag gedaan,' zei Gunter stroef. In zijn grote, eeltige hand leek die van Mansoor heel klein.

De Afghaan knikte, nog steeds met die halve glimlach op zijn gezicht. Met zijn rugzak om liep hij naar het witte toiletgebouw zo'n vijftig meter verderop.

Gunter nam in een opwelling een besluit, en toen de deur van het gebouwtje zich achter Mansoor had gesloten, volgde hij in zijn voetsporen. Hij knipte de zaklamp uit en pakte hem vast bij de geribbelde greep. Toen hij over de drempel stapte, zag hij dat een van de cabines bezet was, maar dat er verder niemand was. Hij zakte door zijn knieën en zag de onderkant van Mansoors rugzak door de kier onder de deur. Hij bewoog een beetje, alsof hij opnieuw werd ingepakt. Ik had gelijk, dacht Gunter, die geniepige klootzak heeft daar echt iets. Hij schudde zijn hoofd om de doortraptheid van Aziaten in het algemeen, liep naar de pisbak en wachtte.

Toen Mansoor een paar minuten later met de rugzak over zijn ene schouder tevoorschijn kwam, besprong Gunter hem met de zaklamp, waar hij mee zwaaide alsof het een stalen knuppel was. Het provisorische wapen sloeg tegen Mansoors bovenarm, zodat hij wankelde en de rugzak van zijn schouder op de vloer gleed.

Buiten adem van de pijn en woedend op zichzelf omdat hij zijn vermoeidheid boven zijn waakzaamheid had laten prevaleren, deed Mansoor een radeloze poging de rugzak met zijn linkerarm te grijpen, maar de visser probeerde hem nu met de zaklamp op zijn hoofd te slaan en hij moest snel achteruitdeinzen om geen verbrijzelde kaak of schedel op te lopen.

Gunter schoof de rugzak buiten Mansoors bereik en schopte hem hard in zijn maag en kruis. Terwijl zijn slachtoffer kronkelend naar adem snakte, pakte hij zijn buit, maar het gewicht van de rugzak maakte hem traag. De paar aarzelende seconden waarin hij hem over zijn schouder hing, gaven Mansoor de tijd wanhopig in zijn windjack te tasten. Als het had gekund, had hij geschreeuwd om Gunters aandacht op het wapen te vestigen, om die stomme Engelse pummel de rugzak te laten vallen voordat het te laat was, maar hij had er de adem niet

66

voor. En hij mocht de rugzak niet uit het oog verliezen; dan zou alles verloren zijn.

Faraj Mansoors mogelijkheden flitsten naar het verdwijnpunt.

De knal was niet harder dan het knappen van een twijg. Al het geluid, voorzover het er was, was afkomstig van de inslag van de zware kogel.

13

Anne Lakeby knipte met de snoeischaar in haar gehandschoende hand doelbewust de dode stengels uit de wal met sierzegge en grassoorten aan de voet van het gazon voor het huis. Het was een mooie ochtend, koud en helder, en haar rubberlaarzen zetten knisperige sporen in de bevroren grond. Het schouderhoge gras benam het zicht op het strand beneden, maar daarachter was de bruinige schittering van de zee te zien.

In haar jeugd was Anne 'aantrekkelijk' genoemd, maar naarmate ze ouder werd, was haar lange gezicht ingevallen en zag ze er alleen nog maar vriendelijk uit. Robuust en nuchter als ze was, een steunpilaar van de plaatselijke liefdadigheidsverenigingen en goede doelen, had ze zich geliefd gemaakt in de gemeenschap, en het kwam zelden voor dat haar luide hinniklach niet klonk bij evenementen in en rondom Marsh Creake. Ze was net zo'n baken geworden als de Hall zelf.

In haar vijfendertig jaar huwelijk had Anne nooit veel genegenheid leren opbrengen voor het vormeloos grijze, laat-Victoriaanse landhuis dat haar echtgenoot had geërfd. Het huis was door Perry's overgrootvader gebouwd als vervanging van een veel mooier bouwwerk dat was afgebrand, en Anne had het altijd streng en ongastvrij gevonden. De tuinen waren echter haar grote trots en vreugde. De verweerde stenen muren, het gazon dat zich tot aan de kust uitstrekte en de subtiele wisselwerking van vormen en kleuren in de volgroeide borders schonken haar allemaal een diepe, duurzame voldoening. Ze werkte hard om de tuin te onderhouden en stelde het terrein een aantal keren per jaar open voor het publiek. In het vroege voorjaar kwamen de mensen van heinde en verre om van de sneeuwklokjes en de monnikskap te genieten.

Perry had het landgoed in hun huwelijk ingebracht, maar meer ook niet. Anne, die uit een plaatselijk geslacht van grondbezitters stamde, had op grote schaal van haar ouders geërfd en voelde zich verplicht haar financiën gescheiden te houden van die van haar man. Veel echtparen zouden een relatie op die manier onhoudbaar vinden, maar Anne en Perry leefden zonder al te veel wrijving naast elkaar. Ze was op hem gesteld, ze vond hem prettig gezelschap en was binnen bepaalde grenzen bereid hem de kleine dingen te gunnen die hem gelukkig maakten, maar ze wilde wel graag weten wat er in zijn leven speelde, en dat wist ze nu niet. Er was iets gaande.

Een kille zeebries ritselde in de zegge en bracht de geveerde toppen van het gras in beroering. Anne stopte de snoeischaar in haar zak en liep naar het pad dat naar het strand voerde. Het was net als het gazon nog keihard bevroren, maar Anne zag dat het kortgeleden betreden moest zijn. Die vreselijke Gunter, nam ze aan. Ze kwam hemzelf niet vaak tegen, maar ze zag continu tekenen van zijn aanwezigheid, als sigarettenpeuken en diepe voetsporen, en het begon haar mateloos te ergeren. Ray Gunter was zo iemand die meteen je hele hand pakte als je hem een vinger aanbood. Hij wist dat ze hem niet mocht, maar het kon hem geen donder schelen. Ze kon er met haar hoofd niet bij dat Perry hem dag en nacht over hun terrein liet banjeren.

Ze draaide zich om naar het huis. De wal met gras en zegge was het eind van de eigenlijke tuin. Het gazon was omzoomd met bevroren perken vol kortgesnoeide oude rozen. Het geheel werd omsloten door stenen muren waarboven essen en andere groenblijvende bomen zwart afgetekend stonden tegen de winterlucht. Het schouwspel schonk Anne een moment van diepe bevrediging, maar toen herinnerde het haar aan haar tweede ergernis: Diane Munday had besloten haar eigen tuin op exact dezelfde dag als Anne voor het publiek open te stellen.

God mocht weten wat het mens bezielde. Ze wist verdomd goed, of hoorde te weten, dat de poorten van de Hall altijd werden opengezet op de laatste zaterdag voor Kerstmis. In die tijd van het jaar viel er weinig aan de tuin te bewonderen, maar het was een traditie; de mensen betaalden een paar pond om er rond te dwalen (de winst ging allemaal naar de St.-John's Ambulancebrigade) en daarna gingen ze, gelovig of niet, naar de kerkdienst met kerstliederen en pasteitjes.

Maar zoiets kon je mensen als de Mundays niet uitleggen. Toegegeven, ze hadden een keurig huis. Een fraaie classicistische villa van een paar miljoen aan de andere kant van het dorp, om precies te zijn, betaald van de overvloedige honoraria en bonussen die sir Ralph Munday zichzelf in zijn laatste jaren in de City had toebedeeld. En de tuinen van Creake Manor konden er ook best mee door, althans, tot Diane ze in haar overgemanicuurde vingers had gekregen. Nu was het een en al

69

koetslantaarns in Sheraton-stijl, decoratieve hekjes en afschuwelijke snelgroeiende conifeertjes. En dan dat zwembad, dat op iets bij een Romeinse villa moest lijken, en dat roze pampagras... en zo kon Anne nog uren doorgaan. Wanneer de Mundays hun terrein openstelden voor het publiek, had dat absoluut niets te maken met horticultuur, maar alles met een flagrant vertoon van rijkdom.

En dat mocht best, nam Anne aan, want niet iedereen was met een gouden lepel in zijn mond geboren. En ze wilde niet vervelend verwaand en truttig overkomen. Maar het malle mens had toch wel even de datum kunnen natrekken? Dat had ze toch tenminste wel kunnen doen?

Haar gedachten werden onderbroken door het knetterende gebulder van straaljagers. Ze keek op en zag drie Amerikaanse gevechtsvliegtuigen schuine strepen door het harde blauw van de lucht trekken. Van de basis bij Lakenheath, dacht ze afwezig. Of Mildenhall. Hoeveel brandstof verbruikten die dingen? Vrij veel, dacht ze, net als die bespottelijke buitenmaats jeep van Diane. Wat haar er weer aan herinnerde dat er sinds ruim voor het ontbijt al politieauto's in beide richtingen langs het huis zoefden. Opmerkelijk. Het leek hier soms net Piccadilly Circus.

Anne liep het pad naar zee af. De Hall en de tuinen besloegen een verhoogde landtong die naar het oosten en westen werd geflankeerd door open wad. Bij vloed liep het wad onder, maar bij eb lag het er glanzend en naakt bij, het domein van aalscholvers, zeezwaluwen en scholeksters. Aan het eind van de landtong, voorbij de tuin, lag Hall Beach, een zeventig meter lang kiezelstrand. Doordat er aan weerszijden kilometers ver geen andere plek was waar boten konden aanmeren, beschikten Anne en Perry Lakeby over veel privacy aan het strand. Of daar hádden ze over kunnen beschikken, bepeinsde Anne korzelig, als het niet ook de plek was geweest waar Gunters boten en netten lagen.

De kiezels knerpten onder haar voeten en de lucht was prikkelend zilt. Het had de afgelopen nacht nogal gestormd, herinnerde Anne zich, maar de zee was tot bedaren gekomen. Ze staarde naar de horizon en gaf zich over aan het wegebben en aanzwellen van de golven. Toen viel haar oog op iets aan haar voeten. Ze bukte zich en raapte een zilveren handje op, een soort bedeltje. Mooi, dacht ze verstrooid, en ze stopte het in de zak van haar doorgestikte donsjack. Ze had al een paar passen gezet voordat ze tot staan werd gebracht door de vraag waar het ding in vredesnaam vandaan kwam.

70

14

Toen Liz om halfnegen op haar werk kwam, lag er een boodschap van de centrale: ze moest contact opnemen met Zander, en het was dringend. Ze wierp een blik op haar FBI-beker, vroeg zich af of er een rij bij de koffie zou staan, startte haar computer en riep het gecodeerde dossier van Frankie Ferris op. Het nummer dat hij had doorgegeven, hoorde bij een telefooncel in Chelmsford, en hij had gevraagd of ze net zo lang wilde bellen tot hij opnam.

Ze belde om negen uur. Hij nam prompt op.

'Kun je vrijuit spreken?' vroeg Liz terwijl ze een potlood en notitieblok klaarlegde.

'Nu wel, ja. Ik sta in een parkeertoren. Maar als ik ophang, moet je... Weet je, er is iemand omgelegd na de dropping.'

'Is er iemand vermoord?'

'Ja. Vannacht. Ik weet niet waar of hoe, maar ik denk dat er geschoten is. Eastman is door het dolle heen, hij raast en tiert over voddenbalen dit en Pakistanen dat en noem maar op...'

'Niet afdwalen, Frankie. Begin maar bij het begin. Heb je het van iemand gehoord, of was je bij Eastman in zijn kamer, of hoe zit het?'

'Ik ben meteen naar het kantoor gegaan. Het is op het industrieterrein Writtle, dat...'

'Vertel het verhaal nu maar, Frankie.'

'Ja, nou, ik kwam Ken Purkiss tegen, dat is Eastmans voorman. Niet naar boven gaan, zei hij, de hele boel is ingestort, de baas is finaal door het lint...'

'Omdat er iemand was vermoord na een dropping?'

'Ja.'

'Weet je wat voor soort dropping?'

'Nee.'

'Zei hij waar het was gebeurd?'

'Nee, maar ik denk bij de landtong, waar die ook mag zijn. Wat hij zei, volgens Ken, was dat hij tegen de moffen had gezegd dat ze het

71

netwerk te zwaar belastten. Dat waar hun problemen ophielden, de zijne pas begonnen, zoiets. En toen al dat gedoe over voddenbalen en zo.'

'Dus je hebt Eastman zelf gesproken?'

'Nee, ik heb Kens advies opgevolgd en ben pleite gegaan. Ik moet hem later nog spreken.'

'Frankie, waarom vertel je me dat allemaal?' vroeg Liz, hoewel ze het antwoord al kende. Frankie dekte zich in. Als Eastman werd gearresteerd, wat heel goed zou kunnen als er een klopjacht op een moordenaar kwam, wilde Frankie niet ook voor de bijl gaan. Hij wilde iets regelen nu hij nog een paar troeven in handen had, niet vanuit een politiecel. Mocht Eastman zich echter onder een aanklacht uit weten te wurmen, dan wilde Frankie voor hem blijven werken.

'Om je te helpen,' zei Frankie gegriefd.

'Heb je Morrison gesproken?'

'Ik praat niet met die klootzak. Het gaat tussen jou en mij of de afspraak vervalt.'

'Er is helemaal geen afspraak, Frankie,' zei Liz geduldig. 'Als je informatie hebt met betrekking tot een moord moet je naar de politie gaan.'

'Ik weet niks wat hout snijdt,' bracht Frankie ertegenin. 'Alleen wat ik jou heb verteld, en dat heb ik allemaal van horen zeggen.'

Hij zweeg.

Liz zei niets. Wachtte af.

'Misschien zou ik...'

'Ja?'

'Ik zou... kunnen zien wat ik aan de weet kan komen. Als je wilt.'

Liz dacht erover na. Ze wilde de Special Branch in Essex niet voor het hoofd stoten, maar Frankie leek pertinent niet met Morrison te willen praten. En ze zou de informatie meteen aan hem doorspelen. 'Waar kan ik je bereiken?' vroeg ze uiteindelijk.

'Geef me je nummer. Ik bel jou wel.'

Liz gaf het en de verbinding werd verbroken. Ze keek naar de krabbels op haar notitieblok. Duitsers. Arabieren. Pakistanen. Het netwerk te zwaar belast. Was het een drugsverhaal? Zo klonk het in elk geval wel. Drugs waren Melvin Eastmans melkkoetje. Zijn handelsmerk, zogezegd. Anderzijds waren veel drugsbaronnen overgestapt op mensensmokkel. Economische migranten die uit China, Pakistan, Afghanistan

72

en het Midden-Oosten werden vervoerd in ruil voor dikke bundels harde valuta. Moeilijk te weerstaan als je je grenswachten had omgekocht en een goede transportlijn had opgezet.

Voorzover Liz wist, had Eastman echter geen operatie in het Midden-Oosten. Hij was er het type niet voor. Hij kende zijn beperkingen, en de concurrentie aangaan met de Afghanen, Kosovaren en Chinese slangenkoppen was hem veel te hoog gegrepen. Als puntje bij paaltje kwam, was Melvin Eastman gewoon een gladde jongen uit het oosten van Londen die eersteklas drugs uit Amsterdam importeerde die hij in Essex en East-Anglia verkocht. Groot ingekocht en aan de detailhandel verkocht, en de Nederlanders besloten wanneer en hoeveel er werd verscheept. Het was een plaatselijke operatie, een franchisehandel, feitelijk, en de Nederlanders hadden minstens vijf van dergelijke afnemers, verspreid over het Verenigd Koninkrijk.

Wat kon Eastman dan voor zaken hebben gedaan met Duitsers, Arabieren en Pakistanen? Wie was er vermoord? En, bovenal: was er een connectie met het terrorisme?

Nog steeds naar haar aantekeningen kijkend pakte Liz de telefoon en belde de Special Branch in Chelmsford. Ze legitimeerde zich met haar contraterrorismeteamcode en vroeg of er die ochtend melding was gemaakt van een moord.

Het bleef even stil, ze hoorde het zachte klikken van een toetsenbord en toen werd ze doorverbonden met de wachtmeester.

'Nee,' zei de wachtmeester. 'Helemaal niets. We hebben vannacht een melding gekregen van een schot bij een nachtclub in Braintree, maar... Wacht even, iemand wil me iets vertellen.'

Het bleef even stil.

'Norfolk,' zei hij een paar seconden later. 'Er schijnt vanochtend vroeg een moord in Norfolk te zijn gepleegd, maar we hebben geen nadere gegevens.'

'Bedankt.' Ze toetste het nummer in van de Special Branch in Norfolk.

'We hebben een schietincident gehad,' bevestigde de wachtmeester in Norwich. 'In Fakenham. Vanochtend om halfzeven ontdekt. De locatie is een toiletgebouwtje bij het Fairmile, een wegcafé met nachtparkeren voor vrachtwagens, en het slachtoffer is een plaatselijke visser, Ray Gunter. De politie is ermee bezig, maar we hebben zelf ook iemand gestuurd omdat er vragen waren over het gebruikte wapen.'

73

'En?'

'Uit ballistisch onderzoek is gebleken dat de gebruikte munitie...' Liz hoorde papier ritselen. 'Er is geschoten met 7.62 mm pantser-doorborende munitie.'

'Bedankt,' zei Liz, en ze noteerde het kaliber. 'Hoe heet jullie man daar?'

'Steve Goss. Zal ik zijn nummer geven?'

'Graag.'

Hij gaf haar het nummer en ze hing op. Ze staarde minutenlang naar haar aantekeningen. Ze was geen deskundige, maar had genoeg wapens gezien om te weten dat kaliber 7.62 doorgaans op militaire of ex-militaire wapens duidde. De kalasjnikov was een 7.62, en ook de SLR die het Britse leger vroeger gebruikte. Ideaal voor het slagveld, maar een onpraktische keus voor een moord van dichtbij. En pantserdoorborende munitie? Wat had dat te betekenen?

Ze nam in gedachten de feiten door. Hoe ze die ook combineerde, het zag er slecht uit. Uit plichtsgevoel belde ze Bob Morrison, al leek het haar zinloos. De functionaris van de Special Branch belde haar weer vanuit een cel terug, maar de verbinding was deze keer beter. Hij had over de moord bij het wegcafé gehoord, zei hij, maar niet gedetailleerd. Hij had nog nooit van Ray Gunter, het slachtoffer, gehoord.

Liz herhaalde wat Ferris tegen haar had gezegd. Morrison reageerde nors, en ze hoorde dat het hem tegenstond dat zijn informant, hoe nutteloos hij dan ook mocht zijn, hem had gepasseerd ten gunste van haar.

'Zander zei dat Eastman des duivels was,' vertelde ze. 'Hij tierde over Pakistanen, voddenbalen en overbelaste netwerken.'

'Ik zou ook des duivels zijn als ik Eastman was. Het laatste wat hij wil, is gedonder op zijn eigen terrein.'

'Is Norfolk zijn eigen terrein?'

'Aan de rand ervan, ja.'

'Ik stuur je alles wat Zander heeft gezegd, oké?'

'Ja, doe maar. Ik geloof geen woord van wat die etterbuil zegt, zoals ik al zei, maar speel het vooral aan me door als je wilt.'

'Het komt eraan,' zei Liz, en ze hing op.

Ze vroeg zich af of hij het gesprek zou doorgeven aan de Special Branch in Norfolk. Dat hoorde hij beslist te doen, maar hij zou het ook voor zich kunnen houden, gewoon uit nijd. Het zou een manier zijn om haar, Liz, op haar nummer te zetten, en als iemand naderhand vragen stelde, kon hij beweren dat Zander een corrupte, onbetrouwbare informant was.

Hoe langer Liz erover nadacht, hoe zekerder ze ervan werd dat Morrison zijn mond zou houden. Hij was een knoeier, en zijn hele leven was een tirannieke, pietluttige weg van de minste weerstand geworden. Hoe waardevoller Frankies informatie bleek te zijn, hoe slechter hij uit de bus zou komen omdat hij hem slecht had behandeld. Waarschijnlijk zou hij het hele geval in de doofpot stoppen, en Liz vond het best, want uiteindelijk hield dat in dat zij meer stukjes van de puzzel had dan wie ook. En dat beviel haar goed.

Met haar potlood in de aanslag staarde ze naar haar notitieblok en de aantekeningen. Wat vertelden die haar? Wat mocht ze er redelijkerwijs uit afleiden? Iets of iemand was uit Duitsland verscheept en 'op de landtong gedropt'. Die activiteit hield verband met de operaties van Melvin Eastman, maar maakte er geen deel van uit; ze had sterk de indruk dat Eastman onder druk werd gezet, dat hij het niet meer in de hand had. Intussen was er een visser, dus waarschijnlijk iemand die een boot had, dood op een parkeerterrein voor vrachtwagens bij de kust van Norfolk gevonden. Doodgeschoten met een wapen dat, zoals de zaken er nu voor stonden, vermoedelijk een militaire oorsprong had.

Ze reikte naar haar toetsenbord en vroeg een stafkaart op met Fakenham in het midden. Het stadje lag een kilometer of vijftien ten zuiden van Wells-next-the-Sea aan de lange noordkust van Norfolk. Wells was de grootste stad binnen een straal van dertig kilometer; het grootste deel van de noordkust van Norfolk leek te bestaan uit zoutwatermoeras en baaien, met her en der een gehucht, een natuurreservaat voor wild en vogels en grote particuliere landgoederen. Verlaten, door de zee omgeven platteland, zo te zien. Mogelijk een paar kustwachtposten en jachtclubs, maar verder een ideale kust voor smokkelaars. En op nog geen vijfhonderd kilometer van de Duitse havens. Glip in de avondschemering Cuxhaven of Bremerhaven uit en je kunt zesendertig uur later beschut door het donker van de vroege ochtend in zo'n kreek aanmeren.

Daar was Bremerhaven weer. De plek waar Faraj Mansoor zijn valse Britse rijbewijs had gekregen. Was er een verband? In haar achterhoofd speelde zacht maar dwingend Bruno Mackays melding dat een terroristische organisatie van plan was een onzichtbare tegen het Verenigd Koninkrijk in te zetten.

75

Kon Faraj Mansoor die onzichtbare zijn? Niet waarschijnlijk, want dat zou vrijwel zeker een Angelsaksisch type zijn. Wie was Faraj Mansoor dan, en waarom had hij een vals rijbewijs gekocht in Bremerhaven? Was hij een Brits ingezetene die een smetteloos nieuw rijbewijs wilde hebben omdat het zijne was ingenomen? Bremerhaven was een bekende markt voor valse paspoorten en andere legitimatiebewijzen, en het feit dat Mansoor niet op een paspoort uit was, deed vermoeden dat hij er geen nodig had, dat hij al een Britse ingezetene was. Had iemand dat nagetrokken?

Mansoor, noteerde ze, en onderstreepte de naam. Britse ingezetene?

Want als hij geen Britse ingezetene was, bleven er twee mogelijkheden over. Hij zou het Verenigd Koninkrijk binnen kunnen komen op een vals paspoort dat hij ergens anders had gekocht, een andere keer, of, ernstiger, hij kwam het Verenigd Koninkrijk op zo'n manier binnen dat hij geen paspoort nodig had. Dan was hij iemand van wie het verblijf verborgen moest blijven voor de autoriteiten. Een hoge ITS-speler, wellicht. Een contactpersoon van Dawood al Safa, van wie de baan bij een garage in Peshawar een dekmantel was voor terroristische activiteiten. Iemand die het risico van de grenscontrole niet kon lopen, hoe goed zijn papieren ook waren.

Elk instinct dat Liz bezat, elk zintuig dat ze in de loop van tien jaar werk voor de geheime inlichtingendienst steeds fijner had afgestemd, fluisterde haar in dat er een dreiging was. Desgevraagd had ze die gevoelens moeilijk kunnen omschrijven, want de brokjes informatie werden voor een deel in haar onbewuste gecombineerd en kregen daar vorm. Ze had echter geleerd op die gevoelens te vertrouwen. Ze had geleerd dat een bepaalde samenloop van omstandigheden, hoe fragmentarisch en hoe onduidelijk ook, altijd kwaadaardig was.

Onder de woorden 'Mansoor. Brits ingezetene?' schreef ze: 'Nog werkzaam bij garage?'

Het systematisch afzoeken van de noordkust van Norfolk leverde een aantal mogelijke landtongen op. De westelijkste, Garton Head, stak een paar honderd meter in zee uit vanaf de Stiffkey Marshes, en er was een naamloos maar net zo groot uitsteeksel in Holkham Bay, twintig kilometer naar het westen. Ze leken allebei per boot bereikbaar te zijn. De derde mogelijkheid was een vingertje land dat zich in Brancaster Bay uitstak, aan de rand van een dorp dat Marsh Creake heette, een paar kilometer ten oosten van Brancaster.

76

Ze bekeek de drie landtongen nog eens en probeerde met het oog van een smokkelaar naar de kaart te kijken. Ze leken sterk op elkaar, in die zin dat het alle drie stukjes vasteland te midden van het wad waren. De landtong bij Brancaster Bay, in de nabijheid van Marsh Creake, was waarschijnlijk het minst aannemelijk, want er stond een groot huis op. Wie zo'n landgoed had, zou het niet snel beschikbaar stellen voor criminele activiteiten. Tenzij de eigenaar, of eigenaren, niet aanwezig waren. Onmogelijk te zien aan een paar vierkante centimeter kaart op een flatscreen monitor. Ze zou er zelf naartoe moeten.

Vijf minuten later zat ze in Wetherby's kamer en lachte deze zijn ongelijkmatige glimlach. Als je hem niet kende, dacht ze, zou je denken dat hij een verstrooide professor was. Zo iemand met stevige stappers en fietsklemmen die zich beter thuis voelt in een torenkamer dan aan het hoofd van een hightech contraterroristische organisatie. Op zijn bureau stonden twee foto's in kunstleren lijstjes, met de achterkant naar Liz toe.

'Wat denk je precies te bereiken door daarheen te gaan?' vroeg hij.

'Ik wil in elk geval de mogelijkheid uitsluiten dat er terrorisme in het spel is,' zei Liz. 'Het kaliber van het wapen baart me zorgen, en de Special Branch in Norfolk zit er kennelijk ook over in, want ze hebben iemand op het onderzoek gezet. Mijn intuïtie zegt me, en dan hou ik ook rekening met Zanders verhaal, dat Eastmans organisatie op de een of andere manier gekaapt is.'

Wetherby liet peinzend een donkergroen potlood tussen zijn vingers rollen.

'Weet de Special Branch van Zanders telefoontje?'

'Ik heb het doorgegeven aan Bob Morrison in Essex, Zanders huidige begeleider, maar de kans is groot dat hij er niets mee doet.'

Wetherby knikte. 'Dat hoeft voor ons niet noodzakelijkerwijs een slechte zaak te zijn,' zei hij na een korte stilte. 'Helemaal geen slechte zaak. Ik vind dat je er maar heen moet gaan, een onderonsje houden met de plaatselijke man van de Special Branch... Wie is dat?'

'Goss.'

'Hou een onderonsje met Goss en kijk hoe het zit. Je zou de indruk kunnen wekken dat je interesse uitgaat naar het aspect van de georganiseerde misdaad, zoiets, en ik ga op jouw oordeel af. Als het je niet lekker zit, overleg ik met Fane en komen we meteen in actie. Als er daarentegen niets voor ons te doen is... tja, dan hebben we maandag-

77

ochtend iets om over te praten tijdens het overleg. Weet je zeker dat Zander het niet gewoon heeft verzonnen?'

'Nee,' gaf Liz toe. 'Dat weet ik niet. Hij is een aandachttrekker, en volgens Bob Morrison gokt hij tegenwoordig, dus heeft hij vrijwel zeker geldproblemen. Hij is in alle opzichten een onbetrouwbare informant, maar dat houdt niet in dat hij niet zo nu en dan de waarheid zou kunnen spreken.' Ze aarzelde. 'Ik vond het niet klinken als een verzonnen verhaal. Hij was doodsbenauwd.'

Wetherby zette het potlood in een stenen pot waarin ooit marmelade van Fortnum & Mason had gezeten. 'Als jij het zo inschat,' zei hij, 'vind ik dat je erheen moet gaan. Desondanks is er alleen die 7.62 kogel die doet vermoeden dat dit geen afrekening onder drugsdealers is geweest. Of een uit de hand gelopen mensensmokkeloperatie. Misschien hebben drugssmokkelaars tegenwoordig ook legerwapens. Misschien was die Gunter gewoon op het verkeerde moment op de verkeerde plaats en heeft hij iets gezien wat niet voor zijn ogen bestemd was.'

'Ik hoop het maar,' zei Liz.

Hij knikte. 'Hou me op de hoogte.'

'Doe ik dat niet altijd?'

Hij keek haar aan, glimlachte flauwtjes en wendde zich af.

78

15

Faraj Mansoor lag roerloos en stil in de piepkleine slaapkamer aan de oostkant van de bungalow te slapen. Had hij dat zo geleerd? vroeg de vrouw zich af. Was zelfs dit facet van zijn leven onderworpen aan beheersing en geheimhouding? Over het hoofdeinde hing de zwarte rugzak die hij bij zich had gehad toen ze hem kwam halen. Zou hij de inhoud aan haar toevertrouwen? Zou hij openhartig tegen haar zijn en haar als zijn compagnon behandelen, of zou hij verwachten dat zij, een vrouw, achter hem bleef lopen? Zich in alle opzichten als zijn ondergeschikte zou gedragen?

Eigenlijk kon het haar niets schelen. Waar het om ging, was het volbrengen van de taak. Ze was trots op haar kameleontische aard, haar bereidheid te zijn wat er van het ene moment op het andere van haar werd verwacht, en ze nam met genoegen elke rol op zich die van haar werd geëist. In Takht-i-Suleiman hadden de instructeurs haar bestaan amper erkend, in het begin althans, maar ze had zich er niets van aangetrokken. Ze had geluisterd, geleerd en gehoorzaamd. Wanneer ze zeiden dat ze moest koken, kookte ze. Wanneer ze zeiden dat ze de naar zweet stinkende gevechtskleding van de andere rekruten moest wassen, droeg ze de manden zonder te klagen naar de wadi, zakte op haar hurken en schrobde. En toen ze een sjaal voor haar ogen hadden gebonden en haar opdroegen haar legerwapen te strippen, had ze dat ook gedaan, met vingers die snel en vloeiend over de onderdelen dansten waarvan ze alleen de Arabische namen kende. Ze was een nummer geworden, een onbaatzuchtig wraakinstrument, een Hemels Kind.

Ze glimlachte. Alleen wie de inwijding zelf had meegemaakt, kende de vurige vreugde van het jezelf wegcijferen. Misschien, *inshallah*, als Allah het wilde, zou ze deze opdracht overleven. Misschien niet. God was groot.

En in de tussentijd moesten er dingen gedaan worden. Wanneer Mansoor wakker werd, zou hij zich willen wassen (er had die nacht een

79

geur van muffe lijflucht en braaksel in de auto gehangen) en iets willen eten. Het water werd verwarmd door een nukkige Ascot-geiser die om de vijf minuten zijn laatste adem leek uit te blazen (er lag al een halve doos opgebrande lucifers in de afvalbak) en het elektrische fornuis, een Belling, leek ook op zijn laatste benen te lopen. De zilte lucht bekortte de levensduur van dergelijke apparaten, vermoedde ze. De koelkast gonsde rumoerig, maar leek het nog te doen, en na Dianes vertrek de vorige dag was ze naar King's Lynn gereden om ovenmaaltijden in te slaan bij Tesco. Voornamelijk curry's.

Ze heette niet Lucy Wharmby, zoals ze tegen Diane Munday had gezegd, maar hoe ze werd genoemd interesseerde haar inmiddels net zomin als waar ze woonde. De beweging en verandering zaten haar in het bloed, en elke vorm van vastigheid was onvoorstelbaar geworden.

Het was niet altijd zo geweest. In het prille begin, in een verleden waarover nu een soort vage onwezenlijkheid zinderde, was er een plek geweest die thuis heette. Een plek waar ze, zo had ze met de eenvoud van een kind gedacht, altijd naar terug zou blijven keren. Ze herinnerde zich allerlei losse momenten uit die tijd nog haarscherp. Oud brood voeren aan de gulzige, bijtgrage ganzen in het park. In haar pierenbadje in de piepkleine tuin in het zuiden van Londen liggen, naar de appelboom boven haar hoofd kijken en haar nek op de rand drukken zodat het water er door haar haar overheen stroomde.

Maar toen waren de schaduwen begonnen te vallen. Een verhuizing van het knusse huis in Londen naar een kille betonnen doos in een universiteitsstad in de Midlands. Haar vaders nieuwe baan als docent was prestigieus, maar voor de zevenjarige boekenwurm betekende het een definitieve scheiding van haar vriendinnen in Londen en een helse nieuwe school waar volop werd gepest en vooral de buitenbeentjes het moesten ontgelden.

Ze voelde zich verschrikkelijk alleen, maar zei niets tegen haar ouders, want tegen die tijd had ze al uit de geladen stilten en slaande deuren opgemaakt dat die hun eigen besognes hadden. In plaats daarvan trok ze zich in haar eigen wereldje terug. Haar ooit schitterende schoolprestaties kelderden. Ze kreeg raadselachtige aanvallen van buikpijn die haar thuis hielden, maar op geen enkele vorm van behandeling, allopathisch of alternatief, reageerden.

Toen ze elf was, gingen haar ouders uit elkaar en uiteindelijk kwam het tot een echtscheiding. Oppervlakkig gezien verliep het allemaal

80

vriendschappelijk. Haar ouders plakten allebei een brede glimlach op hun gezicht, een glimlach waaraan hun ogen niet meededen, en vertelden haar nadrukkelijk dat er niets zou veranderen, maar ze vonden beiden al snel een nieuwe partner.

Hun dochter manoeuvreerde tussen de twee huishoudens in, maar gaf zich niet bloot. De raadselachtige buikpijn bleef en isoleerde haar nog meer van haar leeftijdgenoten. Ze werd maar niet ongesteld. Op een avond stompte ze met haar vuist door een matglazen deur en kreeg ze tien hechtingen in haar pols van een co-assistent op de afdeling spoedeisende hulp van het plaatselijke ziekenhuis.

Toen ze dertien was, besloten haar ouders haar naar een progressieve kostschool op het platteland te sturen die de reputatie had een opvanghuis voor probleemkinderen te zijn. Het bijwonen van de lessen was niet verplicht en er werd niet aan gymnastiek gedaan. In plaats daarvan werden de leerlingen aangemoedigd vrije kunst- en toneelprojecten op te zetten. In haar tweede jaar stuurde de vriendin van haar vader haar een boek voor haar verjaardag. Het bleef twee weken onaangeroerd bij haar bed liggen; het was niet echt een onderwerp dat haar interesseerde. Toen ze op een avond niet in slaap kon komen, had ze het boek ten slotte gepakt en was begonnen te lezen.

16

Liz zat op de noordelijke ringweg, ingeklemd tussen een schoolbus-je en een olietankwagen, toen haar mobiele telefoon ging. Ze had haar auto, een donkerblauwe Audi Quattro, tweedehands gekocht van de bescheiden som die haar vader haar had nagelaten. Hij moest ge-wassen worden en de cd-speler had kuren, maar hij liep soepel en stil, zelfs in haar huidige slakkengang van vijftien kilometer per uur. Ze tastte naar het toestel op de stoel naast zich en zag dat een van de jon-gens achter in het busje als een geile hond zijn tong naar haar uitstak. Twaalf? vroeg ze zich af. Veertien? Ze kon niet meer schatten hoe oud kinderen waren. Had ze het wel ooit gekund? Ze nam op.

'Met mij. Waar ben je?'

Ze snakte naar adem. Er waren andere jongens achter het raam van het busje opgedoken, en ze maakten obscene gebaren en lachten. Ze dwong zichzelf een andere kant op te kijken. Ze vond het afschuwelijk om in de auto te bellen en had Mark gevraagd haar nooit onder werk-tijd te bellen, wát er ook aan de hand was.

'Weet ik niet precies. Hoezo? Wat is er?'

'We moeten praten.'

De jongens moesten inmiddels zo hard lachen dat ze verwrongen gezichten hadden, als duivels op een middeleeuws schilderij. Plotse-ling zwiepte de regen tegen de voorruit en werden ze wazig.

'Wat wil je?' vroeg ze.

'Wat ik altijd heb gewild. Jou. Waar ga je naartoe?'

'Een paar dagen weg. Hoe is het met Shauna?'

'Kerngezond. Ik ga dit weekend met haar praten.'

Ze deed de ruitenwissers aan. De jongens waren weg. 'Over iets in het bijzonder, of heb je gewoon een praatje in het algemeen in je agen-da gezet?'

'Ik heb het over ons, Liz. Ik ga tegen haar zeggen dat ik van jou hou. Dat ik bij haar weg wil.'

Liz staarde ontzet voor zich uit en zag haar toekomst als een spiegel

82

barsten. Dit mocht domweg niet. Er zou een echtscheiding komen, en haar naam zou voor de publiek toegankelijke rechtbank worden genoemd.

'Hoor je me?'

'Ja, ik heb het gehoord.' Ze zwenkte de M11 op. Rode remlichten werden door de regen gebroken.

'En?'

'En, wat?'

'Wat vind je?'

'Ik vind het zo ongeveer het slechtste idee dat ik ooit heb gehoord.'

'Liz, ik moet het tegen haar zeggen. Dat is niet meer dan eerlijk.'

De woede die nu door haar heen trok, kleurde haar gedachtestroom donker. 'Als je het haar vertelt, Mark, dan geef ik je op een briefje dat wij...'

'Alleen wij tweetjes, Liz. Alleen wij en de nacht.'

Een idee, een piepklein flintertje van een idee, flitste langs de zwarte wolk van haar woede.

'Zeg dat nog eens?'

'Alleen wij... en de nacht?'

De nacht. Stilte.

'Wat is er?' vroeg hij.

Het was er nog, vlak buiten haar bereik. En het was belangrijk. 'Ik bel je nog wel,' zei ze.

'Liz, dit is... Ik heb het wel over het beëindigen van mijn huwelijk. Over bij Shauna weggaan. Onze toekomst.'

De nacht. Stilte. Verdomme.

'Ik moet ophangen. Ik bel je nog.'

'Liz, ik hou van je, oké? Maar ik kan niet...'

Er waren twee rijstroken afgesloten. Flitsende pijlen versmalden de verkeersstroom. Verdómme. Ze moest die gedachtegang vasthouden. Mark zou proberen terug te bellen. Ze zette haar telefoon uit. Het kostte tien minuten om te stoppen en Goss te bellen.

'Kan ik even een paar details met je doornemen?' vroeg ze. 'Zoals: hebben jullie een exacte tijd van overlijden kunnen bepalen?'

'De patholoog dacht tussen kwart over vier en kwart voor vijf.'

'Waren er andere mensen in de buurt?'

'Een stuk of tien chauffeurs, die in hun cabine lagen te pitten.'

'En het schot heeft niemand gewekt?'

83

'Wij hebben niemand gesproken die ervan wakker is geworden, nee.'

'Heb je de kogel gezien?'

'Ja, de technische recherche heeft hem gekregen.'

'En het was beslist een kaliber 7.62?'

'Ze zeggen het; een 7.62, pantserdoorborend.'

'Is dat op die afstand niet hetzelfde als een walnoot kraken met een voorhamer?'

'Tja, ze zullen die muur wel opnieuw moeten betegelen.'

Liz dacht er zwijgend over na. De wind beukte tegen de auto. Ze had geen idee waar ze was.

'Bedankt. Tot over een paar uur.'

'Oké. Ik zit in het dorpshuis in Marsh Creake. Dat is het dorp waar het slachtoffer woonde. De hoofdinspecteur richt er een recherchezaal in.'

Uiteindelijk zag ze pas drie uur later de eerste richtingaanwijzer naar Marsh Creake, op het snijpunt van twee smalle wegen. Links en rechts van haar strekten de velden, waar de wind vrij spel had, zich tot aan de horizon uit; de wijde lucht boven haar was donker van de dreigende regen. In dit panorama lag hier en daar een gehucht van vaak niet meer dan een handvol boerderijen waarvan de pannendaken en natuurstenen muren tot kilometers in de omtrek te zien waren.

In de nazomer zouden die velden een gouden gloed hebben, vermoedde Liz, en de afwateringskanaaltjes ertussen zouden het heldere blauw van de hemel weerspiegelen. In deze tijd van het jaar was het landschap echter dofbruin; de maïsstengels waren allang in de natte aarde geploegd en het riet deinde geheimzinnig. Je zou hier een eeuwigheid kunnen lopen zonder ooit ergens aan te komen.

Toen ze Marsh Creake inreed, gingen de velden over in de verst gelegen greens van een golfbaan. Er leek niemand aan het spelen te zijn, maar er hadden zich een paar onverschrokken zielen verzameld bij een klein clubhuis met een groengeverfd dak van golfplaat. Ze reed door, langs verregende zandbakken aan de ene kant en villa's uit de jaren zestig aan de andere, en zag opeens de zee voor zich. Het was eb, en achter de lage zeewering lag een oneffen vlakte grijsgroen wadland. Er kronkelden smalle, door de wind opgeklopte rivieren doorheen waarvan de oevers doorspekt waren met wormenhopen. Honderd meter

84

achter de zeewering volgde een regiment wadvogels de komst van de vloed, nuffig met hun snavels pikkend.

Liz' nieuwsgierigheid werd geprikkeld door een houten steiger en het dak van een voornaam uitziend, classicistisch huis in oostelijke richting. Was dat de landtong die ze op de kaart had gezien? Maar die lag toch ten westen van Marsh Creake? Ze besloot erheen te rijden om het met eigen ogen te zien.

Twee minuten later stopte ze. De weg rechts van haar werd begrensd door de uitlopers van de golfbaan. Links van haar, tegenover de plek waar de golfbaan in riet en moeras overging, stond een verweerd gebouw met een balkon en een uithangbord dat verkondigde dat hier de zeilvereniging van Marsh Creake gevestigd was.

Het was net zo kleinschalig als het clubhuis van de golfbaan, en het keek uit over een baai door het wad met een stuk of tien ligplaatsen voor vaartuigen met weinig diepgang. Liz luisterde naar het zwakke geklapper van de wind in de masten. Het was zogoed als onmogelijk hier 's nachts een lading aan wal te brengen. Langs de zijkanten van de baai dreven boeien aan modderige touwen om de loop van het kanaal bij hoogtij aan te geven, maar het risico aan de grond te lopen was groot voor wie geen zaklampen of andere verlichting kon gebruiken. Dit was niet de landtong die Eastman had genoemd.

Achter het verenigingsgebouw stond de villa die ze had gezien. Hij heette Creake Manor en zag er hoogst imposant uit. Op het grind van de oprijlaan zat een blonde vrouw achter het stuur van een metallic-groene jeep Cherokee met een mobieltje aan haar oor. Voorzover Liz het kon zien, bladerde ze in een tijdschrift. De stationair draaiende motor van de jeep blies dikke walmen in een hortensia.

Toen Liz naar het hek reed, keek de vrouw op, eerst onderzoekend en toen lichtelijk geïrriteerd. Liz beantwoordde haar blik met de wezenloze glimlach van een dagjesmens en reed door langs de hoge muur van het terrein, waar geen eind aan leek te komen. Steeneiken, rode eiken, een beuk en andere hoge bomen staken boven het gepleisterde metselwerk uit.

Creake Manor, ontdekte Liz, was het laatste huis van het dorp, en het leek net zomin geschikt voor smokkelaars als de zeilvereniging. Liz reed terug naar de T-kruising bij de zee en loodste de Audi het dorp zelf in.

Het had een sobere, ouderwetse charme, maar niet het snoeperige

85

van een dorp dat al zijn authentieke bewoners heeft laten verdrijven door rijkelui uit Londen die er alleen in het weekend komen. Marsh Creake bestond in feite uit een handvol huizen, slordig verspreid langs de kustweg. Er was een garage met drie pompen en een werkplaats met een vettige vloer, en daarnaast stond de Trafalgar, een café dat, te oordelen naar de glas-in-loodramen en balken aan de buitenkant, kort na de Tweede Wereldoorlog was gebouwd. Naast het café stond een dorpshuis met een puntdak. Liz zag opgestapelde stoelen achter de ramen. Verder langs de kust, meer naar het westen, ontdekte ze de dorpswinkels, een scheepskruidenier en een souvenirwinkel die 's winters gesloten leek te zijn. Daarachter waren wat straten met rijtjeshuizen en een lage gemeenteflat.

Een bocht in de weg, en het westelijkste gebouw van het dorp doemde op, half aan het oog onttrokken door een groep bejaarde dennen. Headland Hall was een grijs, weinig charmant Victoriaans bakbeest met gotische torentjes en boogramen die eerder aan een hotel of gemeentehuis deden denken dan aan een particuliere woning. Aan de zeekant van het huis strekte een lange, ommuurde tuin zich uit tot aan het wad. Het huis was minder elegant dan Creake Manor een kilometer westelijker en het terrein minder weelderig, maar er was een symmetrie tussen de huizen, die het dorp als boekensteunen omsloten, en mogelijk een impliciete rivaliteit. Beide spraken onmiskenbaar van geld en macht. Waren de 'twintig plus een speciale' bij Headland Hall aan land gebracht? vroeg Liz zich af. Het was zeker niet onmogelijk.

Een U-bocht en een paar minuten later was ze weer in het centrum van het dorp. Ze parkeerde de Audi langs de zee. Toen ze uitstapte, de stevige oostenwind in, vloog een zwerm zeemeeuwen op van een betonnen bank en wiekte onder luid protest weg.

Boven de ingang van het dorpshuis waren de woorden *In Memoriam* uitgebeiteld. Binnen hing de kille, enigszins klamme sfeer van een gebouw dat zelden werd gebruikt. Een groot deel van de ruimte werd in beslag genomen door stapels stoelen met linnen ruggen. Aan de ene kant was een klein podium met een half openhangend gordijn waarachter een stoffige piano te zien was. Aan de andere kant stond een schraagtafel met een laptop en een printer. Een agente en een rechercheur in burger waren een videorecorder en een beeldscherm aan het aansluiten.

86

Liz keek om zich heen. Een pezige, roodharige man in een waxjas liep vragend op haar af. 'Kan ik iets voor u doen?'

'Ik zoek Steve Goss.'

'Dat ben ik. Dan bent u...'

'Liz Carlyle. We hebben elkaar gesproken.'

'Inderdaad.' Hij keek naar het beregende raam. 'Welkom in Norfolk!'

Ze glimlachten en schudden elkaar de hand. Liz schatte hem zo rond de vijfenveertig.

'De technische recherche is nog bezig bij het wegcafé waar de schietpartij heeft plaatsgevonden, maar de fotograaf heeft ons net de foto's gemaild. Zal ik ze je laten zien? Dan kunnen we daarna een broodje eten in het café, kennismaken en ontdooien.'

'Prima,' zei Liz. Ze knikte naar de politiemensen, die haar wantrouwig en uitdrukkingsloos opnamen. Ze volgde Goss over een spoor van kabels naar de schraagtafel. De functionaris van de Special Branch schoof een stoel voor haar bij, ging zelf ook zitten en liet zijn vingers over het toetsenbord van de laptop dansen.

'Oké, Gunter, Raymond... daar gaan we.'

Kolommen piepkleine foto's flitsten in beeld.

'Ik laat je alleen de belangrijkste zien,' mompelde Goss. 'Anders zitten we hier morgen nog.'

Liz knikte. 'Mij best. Als ik iets nog eens moet zien, kan ik altijd terugkomen.'

Het eerste beeld dat Goss vergrootte, was een overzichtsfoto van het parkeerterrein. Langs de achterkant van de modderige vlakte stonden de grote vrachtwagens, als knorrige prehistorische dieren, met glanzend natte dekzeilen. Links stond een laag prefabgebouw met een bord *Fairmile Café*. Er viel een zwak tl-licht door de ramen en er waren gekleurde kerstversieringen zichtbaar. Rechts van het café stond een betonnen wc-gebouw waarvoor een rij politiemensen in fluorescerend gele regenjacks de grond afzocht.

De volgende reeks foto's was van het café zelf. Het zou er vast heel gezellig zijn wanneer het open was en de theepotten dampten, maar leeg was het, ondanks de slingers en opblaaskerstmannen, van een uitgesproken treurigheid.

Op de derde reeks was het wc-gebouw te zien. Eerst de buitenkant, waar het wemelde van de mensen van pathologie en de technische re-

87

cherche in hun lichtblauwe beschermende overalls, waar ze blij mee leken te zijn in de regen die om het beton striemde, en toen de binnenkant. Die was leeg, of er waren althans geen levenden. De witbetegelde ruimte was voorzien van een wasbak, twee aan de muur verankerde pisbakken en een wc-cabine. Op een close-upfoto was te zien dat het slot van de cabine was geforceerd. In plaats van een rol wc-papier hing er een Gouden Gids aan een lus paktouw.

De laatste reeks foto's toonde Ray Gunter. Hij lag in een ecrukleurige trui en een donkerblauwe Adidas-trainingsbroek op de vloer onder een spatpatroon van gedroogd bloed en hersenweefsel van een meter breed met in het midden, waar de kogel de tegelwand had doorboord, een zwart gat. Het in elkaar zakkende lichaam had een lange, roodbruine veeg op de muur gemaakt. De kogel, die door de linkerwenkbrauw was binnengedrongen, had het gezicht min of meer intact gelaten, maar het achterhoofd hing vormeloos van de schedel af en de inhoud lag op de betonvloer.

'Wie heeft hem gevonden?' vroeg Liz, met half dichtgeknepen ogen tegen de bloederige verschrikking van de foto's.

'Een vrachtwagenchauffeur. Iets na zes uur 's ochtends.'

'En de kogel?'

'We hebben geboft. Hij is regelrecht door de tegel gegaan en in de muur blijven steken.'

'Heeft de schutter sporen achtergelaten?'

'Nee, en we hebben elke vierkante centimeter van de vloer en de muren onderzocht. Ze moeten het nagelschraapsel van het slachtoffer nog onderzoeken, maar ik heb weinig hoop.'

'Waar stond de moordenaar toen het schot werd afgevuurd?' vroeg Liz.

'Moeilijk te zeggen in dit stadium, maar wel zo ver weg dat er geen zichtbare kruitsporen rondom de inschotwond zitten. Drieëneenhalve meter, misschien. De dader wist heel goed wat hij deed.'

'Waarom zeg je dat?'

'Hij heeft voor een hoofdschot gekozen. Een borstschot was veel gemakkelijker geweest, maar de dader wilde zijn man in één keer dood hebben. Gunter kan al niet meer hebben gevoeld dat hij door zijn knieën zakte.'

Liz knikte bedachtzaam. 'En niemand heeft iets gehoord?'

'Niemand wil toegeven dat hij iets heeft gehoord. Anderzijds moeten er ook de hele tijd vrachtwagens af en aan hebben gereden, er zijn allerlei omgevingsgeluiden.'

'Hoeveel mensen waren er in de buurt?'

'Er lagen zeker tien chauffeurs in hun cabines te slapen. Het café is om middernacht dichtgegaan en om zes uur 's ochtends weer geopend.' Hij zette de laptop uit en leunde achterover in zijn stoel. 'Als we de beelden van de bewakingscamera hebben, die we over een uur verwachten, weten we een stuk meer. Wat dacht je van dat drankje?'

'Dat drankje dat eerst een broodje was?'

'Dat bedoel ik.'

De warmte van de Trafalgar was een verademing na de vreugdeloze kilte van het dorpshuis. De eiken gelambriseerde gelagkamer was versierd met portretten van Nelson, touwen met zeemansknopen, bootjes in flessen en andere scheepsparafernalia. Boven de bar hing een ingelijste vlag van de Britse koopvaardij. Het rook er naar meubelwas en sigarettenrook. Een handjevol klanten van middelbare leeftijd zat boven boerenlunches, salades en bier zacht te praten en te knikken.

Goss bestelde een pint bier voor zichzelf, een kop koffie voor Liz en een blad tosti's. Liz verwachtte weinig van de koffie en had niet veel trek, maar ze vond dat ze iets moest eten. Ze wist dat ze de neiging had zich zo door haar werk te laten meeslepen dat ze zulke dingen vergat. Haar gebrek aan eetlust werd nog versterkt door het telefoontje van Mark, dat zacht maar dwingend door de andere kwesties van de dag heen bleef spelen. Als hij meende wat hij zei, moest ze iets doen. Ze zou er een eind aan moeten maken, een definitieve streep onder de verhouding zetten.

Later, dacht ze. Ik handel het later wel af.

'Zo,' begon ze toen ze zich met hun koffie en bier aan een tafel in een stille hoek hadden genesteld, 'die 7.62 kogel.'

Goss knikte. 'Daarom ben ik hier. Het ziet ernaar uit dat er een legerwapen is gebruikt. Een AK of een SLR.'

'Heb je ooit meegemaakt dat de georganiseerde misdaad zo'n wapen gebruikte?'

'Niet in dit land. Het is veel te groot. De gemiddelde gangster hier houdt het bij de handvuurwapens, en dan liefst een wapen met status, zoals een 9 mm Beretta of een Glock. Professionele huurmoordenaars geven de voorkeur aan gemakkelijk mee te nemen revolvers, zoals een

89

.38 met een korte loop, omdat die geen hulzen in het rond sproeit voor de technische recherche.'

Liz roerde in haar koffie. 'Wat denk jij er dan van? Onder ons?'

Hij haalde zijn schouders op. 'Mijn eerste idee, in aanmerking genomen dat Gunter visser was, is dat hij betrokken was bij drugs- of mensensmokkel en ruzie met iemand heeft gekregen. Mijn tweede idee, en daar houd ik het nog steeds op, is dat hij lucht had gekregen van een operatie van anderen, zware Oost-Europese maffiajongens, misschien, en dat ze hem het zwijgen moesten opleggen.'

'Maar waarom zouden ze dat dan in Fakeham doen, vijftien kilometer van de kust, en op zo'n drukke plek als een wegcafé?'

'Ja, dat is de vraag, hè?' Hij nam haar taxerend op. 'Betekent jouw aanwezigheid hier dat jouw mensen aan een terroristische connectie denken?'

'Wij weten niet meer dan jouw mensen,' zei Liz.

Het was waar, technisch gesproken, want ze had Zanders telefoontje aan Bob Morrison doorgegeven. Goss wierp een blik op haar, maar als hij van plan was geweest lucht te geven aan zijn verdenkingen werd hem dat belet door de komst van de tosti's.

'Heeft de moord veel ophef veroorzaakt?' vroeg Liz toen de serveerster weg was.

'Ja. Het was na de vondst van het lichaam een grote chaos. We moesten het terrein afzetten en alle vrachtwagenchauffeurs achter het lint zien te krijgen. Je kunt je wel voorstellen hoe leuk ze dat vonden.'

'Wie heeft Gunter precies gevonden?'

'Een zekere Dennis Atkins, een vrachtwagenchauffeur. Hij was gisteravond uit Glasgow gekomen en parkeerde rond middernacht bij het Fairmile. Hij zou om halfnegen een paar fijndraaibanken bij een industrieterrein buiten Norwich afleveren. Het café was net open en hij wilde zich even wassen voordat hij ging ontbijten.'

'En dat klopt allemaal?'

Goss knikte. 'Het lijkt mij wel in de haak. Atkins was flink overstuur. En de recherche heeft met mensen van beide kanten gesproken en bevestigd gekregen dat hij is wie hij zegt.'

'Veel belangstelling van de media?'

'De plaatselijke kranten waren er binnen het uur en de landelijke niet veel later.'

'Wat heeft de politie gezegd?'

90

Goss haalde zijn schouders op. 'Man dood aangetroffen ten gevolge van schietincident. Verklaring zodra we meer weten.'

'Hebben ze Gunters naam genoemd?'

'Inmiddels wel. Ze hebben een paar uur naar zijn enige familielid gezocht, een zus die in King's Lynn woont. Ze had die nacht gewerkt en was nog maar net thuis.'

'Wat doet die zus voor werk?'

'Kayleigh? Niet zo gek veel. Ze gaat een paar keer per week uit de kleren in een besloten club, de PJ.'

'En dat deed ze vannacht ook?'

'Ja.'

'En de dode, weten we wat hij vannacht deed? Afgezien van zich laten doodschieten?'

'Nog niet.'

'En niet één van de auto's op het parkeerterrein was van hem?'

'Nee, de politie heeft vastgesteld dat ze allemaal door andere mensen werden bestuurd.'

'Dus hij zat vijftien kilometer van huis in een wegcafé, zonder vervoer.'

'Daar komt het wel zo'n beetje op neer, ja.'

'Was Gunter een bekende van de recherche? Had hij een strafblad?'

'Niet echt. Hij is betrokken geweest bij de bezetting van een café in Dersthorpe een paar jaar geleden, en er wordt beweerd dat hij toen ook een auto in brand zou hebben gestoken, maar er is geen aanklacht ingediend. De auto was van een kleine plaatselijke dealer.'

'Was Gunter zelf ook dealer? Of gebruiker?'

'Laten we het zo zeggen: zo ja, dan niet in die mate dat het onze aandacht trok.'

'Maar een soort plaatselijke boef?'

Goss schokschouderde. 'Zelfs dat niet, volgens de recherche. Alleen een grote bek en losse handjes wanneer hij gedronken had.'

'Ik neem aan dat hij vrijgezel was,' zei Liz droog.

'Ja,' zei Goss, 'maar niet homoseksueel, wat een van de eerste dingen was die bij me opkwamen toen hij in de wc's van het Fairmile was aangetroffen.'

'Is het café dan een oppikplek voor homo's?'

'Je kunt er van alles oppikken. Die langeafstandstruckers willen wel eens wat.'

91

'Zou Gunter er geweest kunnen zijn om een vrouw op te pikken?' vroeg Liz.

'Het zou kunnen, en er werkten wel degelijk een paar hoeren, maar dan blijft de vraag: hoe is hij daar gekomen zonder auto? Wie heeft hem gebracht? Als we dat weten, zouden we verder kunnen komen.'

Liz knikte. 'Wat weten we van het schietincident?'

'Niet veel, eerlijk gezegd. Niemand heeft iets gehoord, niemand heeft iets gezien. Tenzij de technische recherche een goede aanwijzing vindt, denk ik dat we onze hoop op die bewakingsvideo moeten vestigen.'

'Weet je zeker dat de camera's vannacht liepen?'

'De eigenaar van het café zegt van wel. Ze schijnen net een nieuwe installatie te hebben. Er was het afgelopen jaar veel uit opleggers gestolen en de chauffeurs dreigden het café te boycotten als hij niet voor goede beveiliging zorgde.'

'Duimen dan maar.'

'Duimen,' beaamde Goss.

Ze praatten door, maar begonnen al snel in cirkeltjes rond te draaien. Liz hield zich zorgvuldig op de vlakte. De Special Branch hoorde bij de politie, en er was wel eens informatie van politiebureaus naar journalisten uitgelekt, meestal in ruil voor contanten. Goss leek een Special Branch-man van het goede soort, zoals Bob Morrison zonder enige twijfel tot het slechte soort behoorde, maar Liz was blij toen de plaatselijke hoofdinspecteur opbelde met de mededeling dat de opnamen van de bewakingscamera terug waren uit Norwich.

'Het beeld schijnt vrij slecht te zijn,' zei Goss toen hij zijn telefoon weer aan zijn riem haakte. 'Als we er iets bruikbaars uit willen halen, zullen we het moeten versterken.'

Liz keek naar de resten van haar lunch. De helft van de tosti's lag te verpieteren naast een onaangeroerd bergje zilveruitjes. En de koffie was inderdaad slecht geweest. 'Ik ga wel even betalen,' zei ze. 'Dit wordt aangeboden door Thames House.'

'Heel gul van ze,' zei Goss droog.

'Je weet hoe we zijn. We brengen overal liefde en licht.'

Net toen Liz opstond, rinkelde er een telefoon achter de bar. De serveerster nam op en een paar seconden later zakte haar mond sprakeloos open. Ze had het nieuws van de moord gehoord, vermoedde

Liz. Nee, ze wist al van de moord, maar ze had net gehoord dat Gunter het slachtoffer was. Ze moest hem gekend hebben. Maar in zo'n klein dorp kende iedereen elkaar natuurlijk.

Een jonge man in een leren jack met een lila stropdas was net iets eerder bij de bar dan Liz. Een journalist, dacht ze. Vrijwel zeker van de roddelpers. Die mengeling van grootsteedsheid en armetierigheid was onmiskenbaar.

'Nog een glas, schat,' zei hij terwijl hij een glas op de bar zette en er een biljet van tien pond naast legde. De serveerster knikte afwezig en draaide zich om. Een minuut later zette ze nog steeds zichtbaar verdwaasd het glas op de bar en sloeg het bedrag aan. Toen ze het wisselgeld teruggaf, zag Liz de ogen van de man een fractie van een seconde groot worden.

'Pardon,' zei Liz tegen het meisje. 'Ik geloof dat je je hebt vergist. Hij gaf je tien pond. Je hebt hem teruggegeven van twintig.'

De serveerster verstarde met de la van de kassa nog open voor zich. Het was een stevige meid van een jaar of achttien met nerveuze, zigeunerachtige ogen.

'Waar bemoei jij je verdomme mee?' zei de man in het leren jack tegen Liz.

'Gun het haar,' zei Liz. 'Straks klopt haar kas niet.'

De man nam een slok bier. 'Je denkt toch niet dat dat mij een reet kan schelen?'

'Problemen?' vroeg Steve Goss, die als uit het niets naast Liz opdook.

'Nee, hoor,' zei Liz. 'Die jongen heeft per ongeluk wat te veel wisselgeld in zijn zak gestopt, maar hij geeft het nu terug.'

'Aha,' zei Goss op gedragen toon. 'Juist.'

De man in het leren jack nam de kalme Special Branch-functionaris in zijn volle omvang op. Toen schudde hij zijn hoofd, glimlachte toegeeflijk, alsof de anderen geschift waren, legde met een klap een briefje van tien op de bar en liep met zijn glas weg.

'Bedankt,' zei de serveerster zodra de man buiten gehoorsafstand was. 'Als de kas niet klopt, gaat het van mijn loon af.'

'Iemand van hier?' vroeg Liz.

'Nee, nooit eerder gezien. Toen hij binnenkwam, vroeg hij me naar...'

'De moord?'

93

'Ja. Bij het Fairmile. Of ik het slachtoffer kende en zo.'

'Kende je hem?' probeerde Liz haar voorzichtig aan de praat te krijgen.

Ze haalde haar schouders op. 'Van gezicht. Hij kwam hier wel eens. In de kleine zaal.' Ze bladerde in haar notitieboekje en gaf Liz de rekening. 'Dat is dan zeven pond precies.'

'Dank je. Kan ik een bonnetje van je krijgen?'

De ogen van de serveerster werden weer schichtig.

'Of weet je?' zei Liz. 'Laat ook maar.'

Toen ze buitenkwamen, slingerde de wind onregelmatige vlagen regen naar beneden.

'Keurig opgelost,' zei Goss terwijl hij zijn handen met kracht in zijn jaszakken duwde. 'Wat had je gedaan als die vent het geld niet had willen geven?'

'Dan had ik hem aan jouw tedere zorgen overgelaten,' zei Liz. 'Wij vergaren tenslotte alleen maar informatie. Wij doen niet aan geweld.'

'Goh, bedankt!'

Ze liepen terug naar het dorpshuis, waar Don Whitten, de dikke, besnorde hoofdinspecteur die de zaak leidde, inmiddels ook net was aangekomen, terug van het Fairmile Café. Hij gaf Liz een stevige hand en bood zijn verontschuldigingen aan voor de Spartaanse omstandigheden.

'Kunnen we hier een soort verwarming krijgen?' vroeg hij, wanhopig naar de kale muren kijkend. 'De stenen vriezen hier verdomme uit de grond.'

De agente, die gehurkt voor de videorecorder zat, kwam onvast overeind. De hoofdinspecteur wendde zich tot haar. 'Bel het bureau en vraag of iemand zo'n heteluchtkanon kan brengen. En een waterkoker, theezakjes, koekjes, asbakken en de hele mikmak. We gaan het hier gezellig maken.'

De agente knikte en toetste een nummer op haar mobieltje in. Een rechercheur in burger hield een videoband op. 'Norwich heeft de opnamen bekeken en ons een kopie van de beelden van de bewakingscamera van het Fairmile gegeven,' verkondigde hij, 'maar de kwaliteit is abominabel. De camera was niet goed ingesteld en het is een en al beeldschaduw en geflakker. Ze werken aan een verbeterde versie, maar die krijgen we niet eerder dan morgen te zien.'

'Daar was ik al bang voor,' zei Goss binnensmonds tegen Liz. Hij bood haar een stoel aan en pakte er zelf ook een.

'Kunnen we zien wat we dan wel hebben?' zei Whitten, die zich op een derde stoel liet zakken. Hij haalde een pakje sigaretten en een aansteker uit zijn zak, herinnerde zich dat er geen asbakken waren en stopte ze geërgerd terug.

De rechercheur knikte. De beelden waren niet om aan te zien, zoals hij al had gezegd, maar de tijdcode lichtte helder en krachtig op. 'We hebben twee uitbarstingen van bewegingen tussen vier en vijf uur 's ochtends,' zei hij. 'Dit is de eerste.'

Twee beverige witte lijnen krabbelden dwars over het zwart toen er een voertuig op het terrein aankwam, traag uit beeld keerde en de lichten doofde, waarna het scherm weer op zwart ging.

'Uit de afstand tussen koplampen en achterlichten leiden we af dat het een soort vrachtwagen is, waarschijnlijk een lange, en hij heeft vermoedelijk niets met onze zaak te maken. De tijdcode van deze opname is 04.05 uur, zoals jullie zien. Om 04.23 uur wordt het iets spannender. Kijk maar.'

Er leek een tweede voertuig aan te komen, maar deze keer werd er niet achteruit geparkeerd. In plaats daarvan maakte het voertuig, dat duidelijk korter was dan het vorige – het was vrijwel zeker een vrachtwagen – een U-bocht, stopte en doofde zijn lichten midden op de parkeerplaats. Weer werd het scherm zwart.

'En nu wachten,' zei de rechercheur.

Dat deden ze. Na een minuut of drie gingen de lichten van een lager, kleiner voertuig, een sedan, dacht Liz, plotseling aan. De auto reed snel achteruit van zijn parkeerplek links op het terrein, draaide om de stilstaande vrachtauto of bestelbus heen en verdween door de uitgang. Er ging nog meer tijd voorbij, zeker vijf minuten, en toen reed de vrachtwagen eveneens het terrein af, maar dan langzamer.

'En dat is het tot vijf uur. In aanmerking genomen dat het tijdstip van overlijden volgens de patholoog op halfvijf ligt, met een marge van een kwartier naar beide kanten...'

'Kun je het nog eens laten zien?' vroeg Whitten. 'Spoel de stukken waar niets gebeurt maar door.'

Ze keken nog een keer.

'Nou, dat wordt in elk geval geen Oscar voor het beste camerawerk,' zei Whitten. Hij wreef in zijn ogen. 'Wat maak jij ervan, Steve?'

Goss fronste zijn voorhoofd. 'Ik denk dat het eerste voertuig dat we zagen gewoon een vrachtwagen van een bedrijf is geweest. Ik zou graag meer van de tweede wagen willen zien. De bestuurder parkeert niet, dus hij moet wel verwachten dat hij snel weer weg kan...'

Liz pakte onopvallend haar laptop. Ze had de afdeling Research van Thames House een paar vragen gemaild, en met een beetje geluk waren de antwoorden binnen. Ze logde in en zag dat ze twee berichten had, met nummers in plaats van namen van afzenders.

Ze herkende de nummers als codes van Research. Het duurde een paar minuten voordat de berichten waren gedecodeerd, maar ze waren kort en ter zake. Ze hadden maar één Britse ingezetene met de naam Faraj Mansoor kunnen traceren, en dat was een vijfenzestigjarige gepensioneerde tabakshandelaar uit Southampton. En de verbindingsman in Pakistan had bevestigd dat Faraj Mansoor niet meer in de Shar Babar-garage buiten Peshawar aan de weg naar Kabul werkte. Hij was zes weken geleden vertrokken en had geen postadres achtergelaten. Zijn huidige verblijfplaats was onbekend.

Liz zette de laptop uit, stopte hem weer in de tas en staarde naar een omkrullende, met de hand beletterde poster aan de wand voor een uitvoering van HMS Pinafore door de Brancaster Players. Het was ijskoud in het dorpshuis, zoals Whitten had gezegd, en er hing de sombere, institutionele geur die kenmerkend is voor zulke gebouwen. Ze trok haar jas dichter om zich heen en liet haar gedachten over de massa vragen dwalen die de zaak tot nu toe had opgeworpen. Ze bleef al snel steken bij het thema van 7.62 mm pantserdoorborende munitie.

17

Faraj Mansoor werd wakker met het idee dat hij nog op zee was. Hij hoorde het beuken van de golven en voelde de zuigende onderstroom waarmee de *Susanne Hanke* oprees langs de flank van de volgende golftop en in het dal stortte. En toen het geluid waarmee de zee zich leek terug te trekken, tot achter een raam, een klein raam met een houten kozijn dat een staalblauwe lucht omlijstte... en hij besefte dat de golven ergens in de verte aan een kiezelstrand trokken en dat hijzelf aangekleed en bewegingloos in een bed lag.

Met het besef kwam de wetenschap waar hij zich bevond, en de onwezenlijke herinnering aan de landing op het strand en de aanval in het cafétoilet. Hij nam de aanval nog eens door, liet hem als een film door zijn gedachten spelen, beeld voor beeld, en stelde vast dat hij uiteindelijk schuldig was aan de afloop. Hij had de rol van de vertrapte illegaal net iets te overtuigend gespeeld, en hij had rekening moeten houden met de corrupte stupiditeit van de Britten. Zodra hij de man had laten naderen, was de afloop onafwendbaar geweest.

Faraj leed er niet onder dat hij iemand van het leven had beroofd, en hij had Gunters verbrijzelde schedel kil en gevoelloos bekeken voordat hij besloot dat een tweede schot onnodig was en dat het tijd was om te gaan, maar de moord zou de aandacht op de regio vestigen, en dat was ongunstig. De Britse politie, die niet dom was, zou begrijpen dat deze schietpartij iets ongewoons was en de noodzakelijke stappen nemen.

Faraj klopte op zijn broekzak om zich ervan te verzekeren dat hij de patroonhuls van de vloer had opgeraapt. Hij bracht hem naar zijn neus en rook het kruitresidu. Hij had zijn wapen met zorg uitgezocht. Een geraakt doelwit was een dood doelwit, kogelwerend vest of niet. Wanneer het zover was, dacht hij macaber, zou hij de paar seconden die hij daarmee won wel eens hard nodig kunnen hebben.

Hij zwaaide zijn benen uit bed en zette zijn voeten op de biezen mat. Hij had niets tegen het meisje gezegd over de moord op de visser – ze moest kalm zijn, en de wetenschap dat de politie snel een klopjacht op een moordenaar zou inzetten, zou haar overstuur maken. Hijzelf voelde zich afstandelijk, een toeschouwer van zijn eigen handelingen. Hoe oneindig vreemd was het zichzelf aan deze koude, eenzame kust te zien, in een land dat hij nooit had gedacht te bezoeken maar waar hij, wat dat betrof maakte hij zich geen illusies, vrijwel zeker zou sterven. Als het zo moest zijn, dan moest het zo zijn. De zwarte rugzak hing waar hij hem de vorige nacht had achtergelaten, over het hoofdeind van het bed. Het goedkope windjack dat ze hem in Bremerhaven hadden gegeven, lag opgevouwen op een stoel. Het wapen lag op het bed.

Hij herinnerde zich maar heel weinig van de rit vanaf het wegcafé terug naar de kust. Hij had zijn uiterste best gedaan wakker te blijven, maar de vermoeidheid, en de nawerking van de adrenaline die tijdens het gevecht door zijn lichaam had gestroomd, hadden hem versuft. Daar kwam nog bij dat de auto warm was geweest en een soepele vering had.

Hij had het meisje nauwelijks opgemerkt. Ze was hem beschreven door een van de mannen die haar hadden opgeleid. Ze had het zwaar te verduren gehad in Takht-i-Suleiman, had de man gezegd, maar ze was niet gebroken, zoals de meeste weke stadsvrouwen. Ze was intelligent, een eerste vereiste in het veld van de burgerstrijd, en ze had moed. Faraj wachtte echter liever nog even voordat hij zijn oordeel velde. Iedereen kon moedig zijn in de onbehouwen, propagandistische sfeer van een mujaheddin-opleidingskamp waar je niets ergers te vrezen had dan blauwe plekken, blaren en de hoon van de instructeurs. En laten we wel wezen, iedereen die niet oerstom was kon de elementaire wapen- en communicatieleer die daar werd aangeboden bevatten. De belangrijke vragen werden pas in de strijd zelf beantwoord. Het moment waarop de strijder in zijn of haar ziel kijkt en vraagt: wat geloof ik nu echt? Nu ik de dood aan mijn zijde heb geroepen, nu ik zijn kille adem op mijn wang voel, kan ik nu doen wat er gedaan moet worden?

Hij keek om zich heen. Naast het bed stond een stoel waarop een opgevouwen ochtendjas van rode badstof lag. Aan het voeteneind van het bed lag een handdoek. Het leken uitnodigingen, die hij aanvaardde door zijn smerige kleren uit te trekken. De ochtendjas leek buitensporig weelderig, gezien de situatie. Hij trok hem een beetje verlegen aan.

Aarzelend, met zijn wapen in de hand, duwde hij de deur naar de woonkamer van de bungalow open en stapte blootsvoets over de drem-

98

pel. Het meisje, dat met haar rug naar hem toe stond, hield een waterkoker onder de kraan. Ze droeg een donkerblauwe trui waarvan ze de mouwen tot halverwege haar onderarmen had opgestroopt, een lomp duikershorloge, een spijkerbroek en veterschoenen. Toen ze zich omdraaide en hem zag, schrok ze zo dat er water uit de tuit van de ketel over de vloer gutste. Haar andere hand vloog naar haar hart.

'Sorry, je laat me zo…' Ze schudde verontschuldigend haar hoofd en vermande zich. *'Salaam aleikum.'*

'Aleikum salaam,' beantwoordde hij haar groet ernstig.

Ze namen elkaar op. Haar ogen hadden een lichte groene kleur, zag hij. Ze had een prettig gezicht, maar je was het zo weer vergeten. Ze was zo iemand die je op straat straal voorbij zou kunnen lopen.

'Badkamer?' raadde ze.

Hij knikte. De stank van braaksel, lenswater en zweet uit het ruim van de *Susanne Hanke* hing nog om hem heen. De vrouw moest het de afgelopen nacht in de auto ook hebben geroken. Ze ging hem voor naar de badkamer, gaf hem een toilettas met een rits en trok zich terug. Hij legde zijn wapen op de vloer en draaide de warmwaterkraan van het bad open. Een bulderend geluid steeg op uit de boiler aan de muur en een ongelijkmatig straaltje theekleurig water sliertte het geëmailleerde bad in.

Hij ritste de toilettas open. Afgezien van het gebruikelijke wasgerei zaten er ook een uitgebreide eerstehulpset in, compleet met steriel verbandgaas en hechtnaalden, een klein kompas op olie en een duikershorloge zoals het hare. Faraj knikte goedkeurend en ging aan de slag met het scheermes. Het bad zou voorlopig nog niet vol zijn.

Toen hij uiteindelijk weer tevoorschijn kwam, had zij eten gemaakt. Er stonden borden en dekschalen op tafel en het rook naar gekruide kip. Hij trok in de kleine kamer de kleren aan die ze de vorige middag in King's Lynn voor hem had gekocht. Ze waren van goede kwaliteit: een lichtblauw keper overhemd, een marineblauwe trui, een kakibroek en leren schoenen. Hij keerde een beetje aarzelend terug naar de woonkamer, waar de vrouw de horizon stond af te turen met een verrekijker. Toen ze hem hoorde, draaide ze zich om, liet de verrekijker zakken en bekeek hem van top tot teen.

'Je spreekt Engels, hè?' vroeg ze.

Faraj knikte en trok een stoel onder de tafel vandaan. 'Ik heb op een Engelstalige school in Pakistan gezeten.'

99

Ze keek hem verbaasd aan.

'We hebben allebei een lange reis gemaakt,' zei hij. 'Het gaat er niet om waar we vandaan komen, maar dat we nu hier zijn.'

Ze knikte en reikte, plotseling daadkrachtig, naar een opscheplepel. 'Sorry,' zei ze. 'Ik hoop dat het goed is, het is...'

'Het ziet er uitstekend uit,' zei hij. 'Zullen we beginnen?'

Ze schepte voor hem op. 'Zitten de kleren goed? Ik heb de maten genomen die ze me hadden gestuurd.'

'De kleren passen wel, maar ze zijn... te chic? De mensen zullen naar me kijken.'

'Laat ze. Ze zien een fatsoenlijke, hoogopgeleide man die met kerst-vakantie is. Een jurist of een arts of zo. Iemand van wie de kleren zeggen dat hij erbij hoort.'

Hij knikte bedachtzaam. 'Het vermaarde Engelse kastensysteem.'

Ze schokschouderde. 'Het verklaart wat je hier komt doen. Dit is een plek waar de welgestelden komen om te golfen, te zeilen en gin te drinken. Het stikt in Engeland van de geslaagde jonge mensen uit het Midden-Oosten.'

'En zo zie ik er nu uit?'

'Straks wel, als ik je haar heb geknipt.'

Hij trok zijn wenkbrauwen op, zag dat ze het meende en knikte berustend. Daar was ze voor. Om zulke beslissingen te nemen. Om hem onzichtbaar te maken.

Hij pakte zijn bestek en begon te eten. De rijst was pappig en te gaar, maar de kip was lekker. Hij nam een slok water, stak zijn hand in zijn broekzak, haalde de grote doos met munitie eruit en zette hem rechtop op tafel.

De vrouw zag het, maar zei niets.

Faraj at in stilte en kauwde met de grondigheid van iemand die eraan gewend is lang op weinig te teren. Toen hij klaar was, reikte hij naar een lucifersdoosje op tafel, spleet een lucifer over de lengte met de nagel van zijn duim en gebruikte een helft als tandenstoker. Uiteindelijk keek hij naar haar op en zei: 'Ik heb vannacht iemand gedood.'

100

18

'Wat weten we eigenlijk van Peregrine en Anne Lakeby?' vroeg Liz. 'Ze klinken vrij excentriek.'

'Dat zullen ze ook wel zijn, op hun eigen manier,' zei Whitten. 'Ik heb hen paar keer ontmoet, en zij is veel interessanter dan hij. Je kunt zelfs met haar lachen. Hij is meer zo'n feodale gemiddelde aristocraat.'

'Strafblad?' vroeg Liz hoopvol.

Goss glimlachte. 'Dat is iets te mooi om waar te zijn, hè?'

'En wat was hun connectie met Gunter ook alweer?' vroeg Liz.

'Zijn boten liggen op hun stukje strand,' zei Whitten. 'Meer weet ik niet.'

Ze stonden met hun drieën op een veranda met een gewelfd stenen dak bij Headland Hall, en Liz vond het nu nog ongenaakbaarder dan die ochtend. De ambiance van wadland en het schitteren van de zee deed denken aan een dickensiaanse hardvochtigheid, aan enorme sommen geld die over de ruggen van anderen waren verdiend en opgepot.

'Dit huis koop ik in elk geval niet als ik die tien miljoen win,' mompelde Goss met een blik op de massief eiken voordeur. 'Wat jij, chef?'

'O, nee. Ik ruil m'n vrouw in voor Foxy Deacon en koop een optrekje op de Seychellen,' zei Whitten.

'Wie is Foxy Deacon?' vroeg Goss.

'Die blonde van Mink Parfait.'

'Ze gaan uit elkaar,' zei Liz. 'Ik hoorde het vanochtend op de autoradio.'

'Zo zie je maar weer.' Whitten knipte zijn peuk in de natte struiken en reikte naar de geëmailleerde voordeurbel. Er klonk geklingel in de verte.

De deur werd geopend door een lange vrouw met een smal gezicht in een groene tweedrok en een doorgestikt vest dat eruitzag alsof het een ruzie met een rozenstruik had verloren. Toen ze hen zag, lachte ze een mond vol lange tanden bloot.

101

'Hoofdinspecteur Whitten, is het niet?'

'Je, mevrouw, van de recherche. En dit zijn brigadier Goss en een collega uit Londen.'

De brede lach ging van de een naar de ander. Achter de verfijnde manieren school een geslepen bezorgdheid. Ze weet dat ik niet van de politie ben, dacht Liz. Ze weet dat we moeilijkheden komen brengen.

'U bent hier zeker vanwege dat verschrikkelijke gedoe met Ray Gunter?'

'Ik vrees van wel,' zei Whitten. 'We praten met iedereen die hem heeft gekend en enig idee van zijn handel en wandel zou kunnen hebben.'

'Maar natuurlijk. Wilt u niet even binnenkomen?'

Ze liepen met haar mee door een lange gang met mozaïektegels. Aan de wanden hingen vossenkoppen, jachtprenten en onaantrekkelijke portretten van voorouders. Sommige waren in het duister gehuld, op andere viel flets licht door de hoge boogramen.

Peregrine Lakeby zat in een grote, met boeken beklede kamer bij het haardvuur de *Financial Times* te lezen. Liz zag dat veel van de boeken eigenlijk ingebonden jaargangen van tijdschriften waren – *Horse and Hound*, *The Field* en *The Shooting Times* – en dat er een boekenkast vol Wisdens cricketalmanakken was. Hij stond op toen ze de kamer binnenkwamen en ging pas weer zitten toen zijn vrouw hun een stoel had aangeboden. Toen vouwde hij met een hoffelijk gebaar van berusting de krant op. 'Ik neem aan dat u hier vanwege die arme meneer Gunter bent?'

Hij was heel aantrekkelijk voor zijn leeftijd, vond Liz, maar jammer genoeg wist hij het zelf te goed. Zijn grijsgroene ogen hadden een spottende, bijna hautaine blik. Waarschijnlijk vond hij zichzelf een hele charmeur als het op de vrouwtjes aankwam.

Whitten, die in een notitieboek bladerde, ving de vraag op. 'Inderdaad. We moeten u gewoon wat algemene vragen stellen. Ik heb mevrouw Lakeby al uitgelegd dat we met iedereen willen praten die Gunter heeft gekend.'

Anne Lakeby fronste haar voorhoofd. 'Feitelijk kénden we hem helemaal niet zo goed. Niet in de strikte zin des woords. Ik bedoel, hij kwam en ging, en noem maar op, en we zagen hem wel eens, maar...'

Haar man stond op, pakte een antieke stalen bajonet en porde er loom mee in het haardvuur. 'Anne, als jij nu eens een lekkere pot kof-

102

fie ging zetten, dat wordt vast op prijs...' Hij wendde zich tot Whitten en Goss. 'Of hebt u liever thee?'

'Doe geen moeite, meneer Lakeby,' zei Whitten. 'Ik heb geen dorst.'

'Ik ook niet,' zei Goss.

'Mevrouw...'

'Nee, dank u.'

Liz had eigenlijk heel veel zin in een kop sterke thee, maar ze vond dat ze solidair moest zijn met de anderen. Het was haar opgevallen dat Lakeby de mannen op een subtiele maar niet mis te verstane wijze op hun plaats wees door hen niet met hun naam aan te spreken, of in elk geval op de plaats die ze volgens Lakeby bekleedden.

'Alleen voor mij dan,' zei Peregrine luchtig. 'En als we nog sinaasappelcake hebben, zou je daar ook wat plakken van op een schaal kunnen leggen.'

Anne Lakeby's glimlach verstrakte even voordat ze de kamer uitliep.

Toen ze weg was, zakte Peregrine weer in zijn stoel. 'Zo, vertel eens, wat is er nu eigenlijk gebeurd? Ik heb gehoord dat die arme stumper is doodgeschoten, nota bene. Klopt dat?'

'Het ziet er wel naar uit, meneer,' zei Whitten.

'Hebt u enig idee waarom?'

'Daar proberen we nu achter te komen. Kunt u me vertellen hoe u meneer Gunter kende?'

'Tja, het komt erop neer dat hij, net als zijn vader en grootvader vóór hem, een paar boten op ons strand had liggen. In ruil daarvoor kregen we een aalmoes en een optie op zijn vangst, al stelde die de afgelopen jaren weinig meer voor.'

'Vond u het een goede afspraak?'

'Ik had geen reden om er een eind aan te maken. Ben Gunter, Rays vader, was een heel fatsoenlijke kerel.'

'Maar Ray was... minder fatsoenlijk?'

'Ray was meer een ruwe diamant. Hij heeft een paar akkefietjes gehad waarbij de alcohol een rol speelde, zoals u vast wel weet, maar wij hebben nooit problemen met hem gehad. En ik kan me al helemaal niet voorstellen dat iemand de moeite zou willen nemen hem te vermoorden.'

'Weet u wanneer Gunter voor het laatst uit vissen is gegaan? Of de zee op, met welk doel dan ook?'

103

De lome glimlach bleef op zijn plaats, maar de grijsgroene blik werd scherp. 'Wat bedoelt u precies? Wat voor ander doel zou er kunnen zijn?'

Whitten glimlachte welwillend. 'Ik heb geen idee, meneer. Ik ben geen varensgast.'

'Het antwoord is nee, ik heb geen idee wanneer hij voor het laatst de zee op is gegaan, of waarom. Hij had zijn eigen sleutel van het terrein en kon zijn eigen gang gaan.'

'Zou iemand anders het kunnen weten?'

'De visboer in Brancaster, waarschijnlijk. Hij heet... Anne weet het wel.'

Whitten knikte en maakte een aantekening.

'Als hij ging vissen, hoe laat vertrok hij dan doorgaans?'

Peregrine blies zijn wangen bol en liet ze peinzend leeglopen. Je liegt, dacht Liz. Je liegt de hele tijd al. Je verzwijgt iets. Waarom?

'Dat hing van het tij af, maar meestal bij het eerste ochtendlicht. In de loop van de ochtend bracht hij zijn vangst dan naar Brancaster.'

'Kocht u vis van hem?'

'Soms. Hij had een vergunning voor een stuk of vijf kreeftenfuiken, en als we mensen te eten kregen, kochten we wel eens een paar kreeften van hem. Of baarzen, als ze groot genoeg waren, maar dat kwam de afgelopen jaren nog maar zelden voor.'

'Hij was dus alleen maar visser? Was dat zijn enige bron van inkomsten?'

'Voorzover ik weet, ja. Hij had een huis bij de kerk geërfd en ik denk dat hij daar ooit een hypotheek op heeft genomen, maar hij had beslist geen ander werk.'

'Waarom denkt u dan dat iemand het nodig heeft gevonden hem dood te schieten?'

Lakeby strekte zijn armen bezitterig uit over de rug van de bank. 'Wilt u weten wat ik denk? Ik denk dat het allemaal een gruwelijk misverstand is. Ray Gunter was... nu ja, hij was niet bijster verfijnd. Hij zal een glas te veel hebben gedronken in de Trafalgar of die vreselijke tent in Dersthorpe en... wie weet? Misschien heeft hij de verkeerde uitgezocht om ruzie mee te maken.'

'Hebt u enig idee wat hij midden in de nacht bij het Fairmile Café te zoeken had?'

'Absoluut niet. Ik vind het een spuuglelijk gebouw, en daar komt

104

nog bij dat het de reputatie heeft van een oppikplek voor flikkers, zoals u vast wel weet.'

'Zou Gunter er daarom geweest kunnen zijn? Om een man te zoeken?'

Lakeby blafte een vreugdeloze lach. 'Tja, het zou kunnen, denk ik, al moet ik bekennen dat ik Gunter nooit in dat licht had bekeken. Hij was geen schoonheid, zoals u wel zult hebben opgemerkt... Anne, denk jij dat Ray Gunter van het handje was?'

Anne liet het dienblad met oosterse motieven met een zwak gekletter op een tafel voor het haardvuur zakken. 'Ik persoonlijk denk van niet, temeer daar hij met Cherisse Hogan rommelde.'

'Wie is Cherisse Hogan in vredesnaam?'

'De dochter van Elsie Hogan. Elsie, weet je wel? Onze werkster? Ze is hier net een halfuur weg.'

'Ik wist niet dat ze Hogan heette. Of dat ze getrouwd was.'

'Ze is niet getrouwd. Ze kreeg Cherisse toen ze nog op school zat. Zo is ze aan dat gemeenteflatje in Dersthorpe gekomen.'

'Had dat een vast karakter?' vroeg Whitten. 'Dat... gerommel?'

'Niet zo vast als Ray Gunter had gewild,' zei Anne. 'Cherisse heeft de nodige aanbidders, en wat men vroeger een trouweloze aard noemde.'

'Waar zou ik die jongedame kunnen vinden?'

'Ze staat bijna elke dag achter de bar van de Trafalgar.'

Liz keek steels naar Goss, maar die reageerde niet. Peregrine Lakeby daarentegen leunde verbaasd naar voren. 'Die bolle?' vroeg hij.

Anne trok haar wenkbrauwen op. 'Peregrine! Dat is niet bijster hoffelijk.'

'Hoelang had ze al iets met Gunter?' onderbrak Whitten haar.

'Nou,' antwoordde Anne, 'het was niet de zorgeloze romance die hem voor ogen stond. Volgens Elsie had Cherisse haar oog op groter wild laten vallen.'

'Namelijk?' vroeg Goss.

'De baas. Meneer Badger.'

Peregrine zette grote ogen op. 'Clive Badger? De penningmeester van de golfclub? Maar die heeft studerende kinderen en een hartkwaal!'

'Kan zijn, maar volgens Elsie worden er tedere blikken gewisseld achter de bierpompen.'

105

'Daar heb je me niets van verteld,' zei Lakeby.

'Je hebt er niet naar gevraagd,' zei Anne met een glimlach. 'Als je je oren gespitst houdt, is het hier net Gomorra aan zee. Veel spannender dan de televisie.'

Peregrine dronk zijn koffiekop leeg alsof hij het gesprek wilde afsluiten. 'Nou, ik kan alleen maar zeggen dat ik hoop dat Badger een levensverzekering heeft.' Hij zette zijn kop en schotel op het dienblad, rekte zich uit en keek veelbetekenend op zijn horloge. 'Verder nog iets? Anders zou ik namelijk graag... doorgaan met allerlei dingen.'

'Niets,' zei Whitten, die resoluut bleef zitten. 'Hartelijk bedankt voor uw tijd.' Hij richtte zich tot Anne. 'Ik vroeg me af of ik mevrouw Lakeby nog een paar vragen zou kunnen stellen voordat we gaan?'

Anne Lakeby lachte haar tanden weer bloot. 'Maar natuurlijk. Vooruit, Perry, de kamer uit.'

Lakeby aarzelde, kwam overeind, kneep zijn lippen op elkaar en liep met de houding van een onterecht verjaagde de kamer uit. Zijn voetstappen weergalmden op de tegelvloer in de hal. Anne Lakeby haalde een lange, witte ganzenveer uit haar doorgestikte vest en rolde hem tussen haar vingers heen en weer.

'Om heel eerlijk te zijn,' zei ze, 'kon ik Ray Gunter niet uitstaan, en ik kon hem niet in mijn buurt verdragen. Hij doemde als een spook uit de mist op, met een lucht van rotte vis om zich heen, en verdween dan weer zonder iets te zeggen. Ik heb vorige week nog tegen Perry gezegd dat ik hem voorgoed van het landgoed wilde zetten, maar...'

'Maar?'

'Maar Perry was op onverklaarbare wijze aan hem gehecht. Het zal deels uit loyaliteit aan de oude Ben Gunter zijn, al is die al jaren dood, en deels... Laat ik het zo stellen: als er een rechtszaak van kwam, en we die verloren...'

'Dan was het nog veel erger geworden?'

'Precies. In alle opzichten. Maar los daarvan, en ongeacht de juridische verwikkelingen: Ray Gunter voerde beslist iets in zijn schild.'

'Wat dan, denkt u?' vroeg Whitten.

'Ik weet het niet. Ik hoorde 's nachts dingen. Vrachtwagens op de zijweg. Stemmen.'

'Maar dat zou je toch ook verwachten, in aanmerking genomen dat hij een lading vis naar het dorp moest brengen?'

106

'Om drie uur 's nachts? Hoor eens, misschien ben ik maar een getikt oud wijfje, en ik zou nooit iets hebben gezegd als Gunter er nog was, maar...' Ze schudde haar hoofd en deed er het zwijgen toe.

'Heeft uw man die geluiden ook wel eens gehoord?'

'Nooit.' Ze haalde monter haar schouders op. 'Nu denken jullie natuurlijk helemaal dat ik geschift ben, seniel en in het algemeen goed voor de sloop.'

'Dat betwijfel ik sterk,' zei Whitten droog. 'Trouwens, zouden we de tuin en de plek waar Gunters boten lagen mogen zien?'

'Ja, natuurlijk. Er staat veel wind vandaag, maar als u dat niet erg vindt...'

Ze liepen gevieren door het huis naar de tuin. In de ruimte ervoor, die een stenen vloer had, stond een rek met rubberlaarzen en er hing tuin- en jachtkleding. De tuin zelf, zag Liz, was veel aangenamer dan de sobere, Victoriaanse voorkant van het huis deed vermoeden. Een lang, rechthoekig gazon met bloembedden en bomen aan weerszijden liep glooiend af naar een wal met hoog gras en vermoedelijk een soort afstapje naar de zee. Door de bomen links en rechts zag ze het wad, dat nu half onder water werd gezet door de opkomende vloed.

'Zoals u vermoedelijk weet, is de Hall de enige plaats in de verre omtrek waar je nog enigszins een boot kunt aanmeren,' verklaarde Anne Lakeby. 'Daarom hebben hier natuurlijk altijd boten gelegen. De zeilvereniging heeft een getijbaai, maar die is niet bruikbaar voor iets groters of zwaarders dan een Firefly.'

'Is dat een boot?' vroeg Whitten.

'Ja, zo'n jachtgevalletje waarmee mensen leren zeilen. Kom, dan gaan we het strand bekijken.'

Een paar minuten later stonden ze tussen de hoge zegge- en grassoorten naar de zee en de kiezels onder zich te kijken.

'Het is heel beschut, hè?' zei Liz.

'De bomen en wallen zijn net zogoed om de wind te keren,' zei Anne, 'maar u hebt gelijk, het is heel beschut.'

'Is er vandaag iemand bij het strand geweest?'

'Alleen ik. Vanochtend.'

'Is u iets bijzonders opgevallen?'

Anne dacht na. 'Niet dat ik me herinner,' zei ze.

'Hoe kwam Gunter hier?'

Anne wees naar een lage deur in de rechtertuinmuur. 'Daardoor.

107

Die deur komt uit op een laan langs de zijkant van het huis. Hij had de sleutel.'

Whitten knikte. 'Misschien laat ik de boel even snel door een paar jongens onderzoeken, als het mag.'

Anne knikte. 'Meneer Whitten, denkt u dat Ray Gunter iets illegaals deed? Drugs of zo, bedoel ik?'

'Het is nog te vroeg om er iets over te zeggen,' zei Whitten. 'Het is niet ondenkbaar.'

Anne keek peinzend. Ongerust, zelfs.

Ze maakt zich ongerust om haar man, dacht Liz, niet om Ray Gunter zaliger. En daar had ze alle reden toe, want Peregrine had onmiskenbaar gelogen.

Hadden Goss en Whitten het ook door? Hadden ze de stukjes goed aan elkaar gepast? Zo niet, dan kon zij hen niet helpen.

19

Toen ze de oprijlaan van Headland Hall afliepen, keek Liz op haar horloge. Het was drie uur. 'Ik moet terug naar Londen,' zei ze tegen Whitten, 'maar zou ik eerst het huis van Ray Gunter kunnen zien?'

'Ja, hoor. Ik zal een van mijn mensen met je mee laten lopen.' Hij zette zijn kraag op, want het regende weer. 'Wat vond je van de Lakeby's?'

'Ik geloof dat ik haar aardiger vond dan hem,' zei Liz. 'Je had gelijk.'

Hij knikte. 'Je mag de betere kringen nooit onderschatten. Ze kunnen veel aardiger zijn, maar ook veel gemener dan je voor mogelijk zou houden.'

'Vast,' zei ze met een glimlach.

Ray Gunter, zo bleek, had in een huisje met natuurstenen muren achter de garage gewoond. De voordeur was met politielint afgezet, en de agente uit het dorpshuis liet Liz met een sleutel binnen.

Van de buitenkant zag het huis er leuk uit, maar binnen was het uitgesproken naargeestig. De wanden zaten vol vetvlekken en de plafonds zagen geel van de sigarettenrook. Het gasstel in de keuken was in geen maanden schoongemaakt en in de granieten spoelbak stond een stapel afwas te verkommeren. Liz' ogen dwaalden van de laarzen en regenkleding die slordig op een hoop in een hoek lagen naar de keukentafel, waarop een gesneden wit uit de supermarkt op een opengeslagen plaatselijke krant prijkte. Ernaast stonden een kuipje margarine, een open jampot en een ongewassen verpakkingsdoos van de afhaalchinees die als asbak was gebruikt.

Ze maakte de grote, vrijstaande vriezer open. Er lag alleen ingevroren vis in, in gesealde plastic zakken die nauwgezet met de hand waren gemerkt. Pollak, hondshaai, hondsvis, guil, wijting... Als Ray Gunter ergens ijverig in was geweest, waren het wel die etiketten.

Onder aan de trap stond een tafeltje met een telefoon erop. Op de muur erboven waren tientallen telefoonnummers met pen en potlood genoteerd. Liz vond de losse naam 'Hogan' en een nummer, dat ze noteerde.

De bovenverdieping van het huis was even onappetijtelijk. Gunter had in een ijzeren eenpersoonsbed geslapen, onder een dekbed dat glom van het vuil. Er hing een muffe, schimmelige geur in de kille lucht. De andere slaapkamer was nauwelijks aantrekkelijker. Er hing een plastic bordje op de deur met de tekst 'Kayleighs kamer'.

De zus, dacht Liz. Die het huis nu wel zal erven. En verkopen, want schoongemaakt en opgeknapt kon het heel wat opbrengen. Het zou een ideaal weekendhuisje zijn, en dat moest Gunter ook geweten hebben. Waarom had hij het gehouden? Had hij een belangrijke bron van inkomsten naast het vissen gehad?

Ze liep de trap af en zocht een telefoonboek, dat ze uiteindelijk op de keukenvloer vond. Ze zocht de naam Hogan op, vond een adres bij het telefoonnummer op de muur en noteerde het.

Buiten gaf ze de sleutel terug aan de agente en keek naar de omringende huizen, die allemaal tekenen van rijke nieuwe bewoners vertoonden: keurig bijgehouden bloembedden, snuisterijen in de vensterbanken en antieke kloppers op de glanzende voordeuren. De buren van Ray Gunter zouden niet lang om hem treuren, vermoedde ze. Als Kayleigh het huis in het voorjaar te koop aanbood, zou het in juli identiek zijn aan de andere huizen.

Op de terugweg naar haar auto wipte Liz bij de Trafalgar binnen. Er zat bijna niemand en Cherisse was nergens te bekennen. Er stond alleen een man van middelbare leeftijd in een gebreid vest achter de bar, vermoedelijk Clive Badger. Een vreemd lustobject voor een meisje als Cherisse, bepeinsde ze, zeker als hij het soort baas was dat haar kasverschillen uit eigen zak liet bijpassen.

Een blik in de gelagkamer was genoeg om vast te stellen dat Cherisse daar evenmin was. De lunch en de avonden zouden de drukste tijden zijn. Ze ging 's middags waarschijnlijk naar huis.

Dersthorpe lag een stukje ten oosten van Marsh Creake. Liz minderde vaart toen ze langs Headland Hall reed, maar zag noch Peregrine, noch Anne Lakeby, alleen de donkere bomen, die bogen voor de zeewind.

Ze had de gemeenteflat waar Cherisse Hogan woonde snel gevonden. Op het met afval bezaaide parkeerterrein ervoor schopten twee

110

jongens verveeld een lekke voetbal in het rond. Dersthorpe mocht dan op een steenworp afstand van Marsh Creake liggen, dacht Liz, in cultureel opzicht was het een heel andere wereld. Hier had beslist nooit iemand een weekendhuisje gekocht.

Cherisse woonde op de tweede verdieping. Ze had haar werkkleding verwisseld voor een kreukelige zwarte trui en een spijkerbroek. In haar diepe v-hals was een tatoeage van een babyduiveltje zichtbaar.

'Ja?' vroeg ze met een nors gezicht, en tikte haar as buiten haar voordeur af.

'Ik was vanochtend in het café,' zei Liz.

Cherisse knikte bedachtzaam. 'Ik weet het nog.'

'Ik wil het over Ray Gunter hebben. Ik werk met de politie samen.'

'Wat houdt dat in, met de politie samenwerken?'

Liz tastte in haar jas en vond haar legitimatiebewijs van de overheid. 'Ik val onder Binnenlandse Zaken.'

Cherisse keek ongeïnteresseerd naar de kaart, knikte en haalde de dievenketting van de deur.

'Is dit jouw huis?' vroeg Liz terwijl ze zich door de aangeboden kier wurmde.

'Nee. Het is van mijn moe. Ze is aan het werk. M'n oma woont hier ook, maar die is met de bus naar Hunstanton.'

Liz keek om zich heen. Het was bedompt in de flat, maar de inrichting was comfortabel. Een elektrische kachel loeide onder een schoorsteenmantel met glazen snuisterijen en foto's van Cherisse. Aan de wand hing een ingelijste affiche van brekende golven in het maanlicht en er stond een breedbeeld-tv.

Cherisse kende Gunter, vertelde ze aan Liz, ze kende zo'n beetje iedereen in Marsh Creake, maar ze ontkende iets met hem te hebben gehad. Het leek haar wel heel goed mogelijk dat Gunter had rondgebazuind dat ze een verhouding hadden, voegde ze eraan toe. In de gelagzaal van de Trafalgar wekte hij graag de indruk dat hij haar om zijn vinger kon winden.

'Waarom?' vroeg Liz.

'Zo was hij,' zei Cherisse monter. Ze doofde haar sigaret in een tinnen asbak. 'Als je... fors bent, denken de mensen dat ze alles kunnen zeggen. Dat je alleen goed bent om grappen over te maken.'

'Heb je hem nooit op zijn nummer gezet voor zijn praatjes?'

'Dat had ik wel kunnen doen, maar uiteindelijk is hij een betalende

111

klant, en ik ben niet achter die bar gezet om de klanten het gevoel te geven dat het kneuzen zijn, ook al zijn ze dat soms. Ray Gunter dacht dat als hij indruk op iemand wilde maken, hij mij maar hoefde te pesten.'

'Op wie wilde Ray Gunter dan indruk maken?'

'O, allerlei gekken. Ken je dat huis van hem? Er waren altijd lui die hem wilden overhalen het te verkopen. Alsof hij debiel was en niet tot op de cent wist wat dat huis waard was. Hij ging met hen naar de Trafalgar en dan liet hij zich de hele avond trakteren.'

'Nog andere mensen?'

'Er was een vent... Staffy, noemde ik hem, omdat hij op een pitbull leek.'

'Weet je ook hoe hij echt heette?'

Ze knikte. 'Het schiet me zo wel weer te binnen. Kopje thee?'

'Graag.'

De ketel floot. De elektrische verwarming leek te zinderen in de uitgestraalde hitte. Cherisse kwam met twee mokken terug.

'Nog bedankt voor vanochtend,' zei ze bedeesd. 'Voor je hulp.'

'Het was me een genoegen,' zei Liz naar waarheid.

Cherisse grinnikte. 'Je vriend stond hem niet aan, dat was duidelijk.'

'Ik dacht dat hij bang voor mij was,' pareerde Liz.

'Tja,' zei Cherisse, 'dat kan ook.'

Er viel een korte stilte, die werd doorbroken door het manische draaien van een motor op het parkeerterrein beneden. 'Heb jij enig idee wat Ray vannacht in het Fairmile Café kwam doen?' vroeg Liz.

'Geen idee.'

'Weet je of hij in illegale zaakjes zat? Iets met zijn boten?'

Ze keek vaag, schudde haar hoofd en leefde op. 'Mitch! Zo heette hij. Ik wist wel dat het me te binnen zou schieten.'

'Wie was dat?'

'Weet ik niet. Hij was niet van hier, zoals ik al zei. Ik herinner me hem alleen omdat Ray nooit op zijn vaste plek aan de bar ging zitten als hij er was.'

'Waar zaten ze dan?'

'In een hoek. Ik vroeg een keer aan Ray wie hij was, want hij had naar me zitten staren, zeg maar, en Ray zei dat het een afnemer was. Kreeften en dergelijke.'

'Geloofde je dat?'

112

Cherisse schokschouderde. 'Hij keek niet op een prettige manier naar me.'

Liz knikte en zette haar lege mok op tafel.

Na de hitte in de flat was de zeelucht verkwikkend koud. De telefooncel rook naar pies en Liz was dankbaar dat Wetherby prompt opnam.

'Vertel,' zei hij.

'Het ziet er slecht uit,' zei Liz. 'Ik ga nu terug.'

'Ik wacht op je,' zei Wetherby.

20

Bij elke knip van de schaar viel er weer een rattenstaart van zwart haar op de vloer. De lucht buiten was donker van de onvergoten regen. Faraj Mansoor zat op een keukenstoel voor haar, met een witte handdoek om zijn schouders. Hij zag er niet uit als een moordenaar, maar dat was precies wat hij naar eigen zeggen was geworden, en dat binnen een uur nadat hij zijn eerste stap in het Verenigd Koninkrijk had gezet.

Dan was zij dus... wat? Medeplichtig aan moord? Zijn handlanger achteraf? Het deed er niet toe. Het enige wat ertoe deed, waren de operatie en de bewaking ervan. Het enige echt noodzakelijke was dat ze onzichtbaar bleven.

Er was natuurlijk veel dat ze niet wist. Dat moest wel, en ze wilde het niet anders. Als ze gevangen werd genomen, en onderworpen aan wat voor drugs en verhoortechnieken de geheime diensten tegenwoordig ook maar tot hun beschikking hadden, was het van levensbelang dat ze niets kón vertellen.

Ze huiverde en knipte bijna in zijn vel. Als ze samen werden gezien of op een of andere manier met elkaar in verband werden gebracht, was dit haar eindspel. Dan zou ze zich letterlijk nergens meer kunnen verbergen. Anderzijds had ze genoeg over Faraj Mansoor gehoord om te weten dat hij als een volleerde beroeps opereerde. Als hij de visser vannacht had doodgeschoten, was dat op dat moment de beste handelwijze geweest. Als hij er niet mee zat dat hij een mensenleven had beëindigd, moest zij er ook niet mee zitten.

Hij was best aantrekkelijk, nam ze aan. Ze had hem liever zoals hij bij het wakker worden was geweest, nog steeds de strijder met het woeste haar. Nu, zonder baard en kortgeknipt, leek hij meer op een geslaagde website-ontwerper of een reclametekstschrijver. Ze reikte hem de gehard stalen schaar aan, pakte de verrekijker, stapte op het kiezelstrand en tuurde de horizon af.

Niets. Niemand.

Het boek dat ze kort na haar vijftiende verjaardag had gelezen, was een biografie van Saladin, de twaalfde-eeuwse aanvoerder van de Saracenen in de strijd om Jeruzalem tegen de kruisvaarders.

Ze had de eerste bladzijden afwezig doorgenomen. Ze had nooit veel belangstelling voor geschiedenis gehad en de gebeurtenissen waarover ze las hadden zich in een zo ver verleden afgespeeld, en in een zo onbekende cultuur, dat het net zogoed sciencefiction had kunnen zijn.

Toen was ze echter onverwacht door het onderwerp gegrepen. Ze zag Saladin voor zich als een magere man met scherpe trekken, een zwarte baard en een helm met een scherpe punt erop. Ze leerde de naam van zijn vrouw, Asimat, in het Arabisch schrijven en verbeeldde zich dat ze op haar leek. En toen ze over de uiteindelijke overgave van Jeruzalem aan de Saraceense prins las, in 1187, wist ze heel zeker dat dit de afloop was die ze voor zichzelf had gewenst.

Het boek was de eerste stap op weg naar wat ze later haar oriëntaalse fase zou noemen. Ze las lukraak en kritiekloos over de mohammedaanse wereld, van zwijmelende liefdesverhalen die in Caïro, Lucknow en Samarkand speelden tot en met *Duizend-en-een-nacht*. In de hoop een Scheherazade-achtige mystiek te verkrijgen, verfde ze haar muizig bruine haar gitzwart, parfumeerde zichzelf met rozenwater en maakte de binnenkant van haar oogleden zwart met kohl uit de Indiase buurtwinkel. Haar ouders verwonderden zich over haar gedrag, maar waren blij dat ze een hobby had en zoveel las.

Haar eerste indrukken van de islamitische wereld, vertekend als ze werden door het prisma van tienerescapisme, zouden bij weinig moslims weerklank vinden. Binnen een paar jaar waren de romantische boeken echter geweken voor dikke boeken vol islamitische doctrine en geschiedenis en begon ze zichzelf Arabisch te leren.

In feite verlangde ze naar een metamorfose. Ze had er jaren van gedroomd haar ongelukkige, onopmerkelijke afkomst achter zich te laten en een nieuwe wereld te betreden waar ze, voor het eerst, totaal en vreugdevol aanvaard zou worden. De islam leek precies de transformatie te bieden die ze zocht. Het geloof zou de leegte in haar ziel vullen, het verschrikkelijke vacuüm in haar hart.

Ze begon het plaatselijke islamitisch centrum te bezoeken en nam, zonder het haar ouders of leraren te vertellen, koranles. Al snel was ze kind aan huis in de moskee. Ze had het gevoel dat ze daar als nooit te-

115

voren werd geaccepteerd. Haar ogen vonden die van andere gelovigen waarin ze dezelfde rustige zekerheid las die zij ook voelde: dat dit de juiste weg was, de enige weg. Dat de waarheden van de islam absoluut waren.

Ze vertelde haar leraar dat ze zich wilde laten bekeren, en hij raadde haar aan naar de imam van de moskee te gaan. Dat deed ze, en de imam nam haar geval in beraad. Hij was voorzichtig, en iets aan dat vurige meisje dat nooit lachte baarde hem zorgen. Ze had echter de noodzakelijke lessen gevolgd en hij wilde haar niet afwijzen. Hij bezocht haar ouders, die zeiden dat ze het een 'tof idee' vonden, en kort na haar achttiende verjaardag nam hij haar aan in het islamitische geloof. Later dat jaar ging ze met een gezin uit de buurt, dat familie in Karachi had, naar Pakistan. Binnen de kortste keren sprak ze niet alleen vloeiend Arabisch, maar ook Urdu. Op haar twintigste, nadat ze nog twee keer in Pakistan was geweest, werd ze als student oosterse talen op de Sorbonne in Parijs aangenomen.

In het begin van haar tweede jaar aan de universiteit begon de frustratie te knagen. Ze had het gevoel gevangen te zitten in een cultuur die haar volkomen vreemd was. De islam verbood het geloof in een andere god dan Allah, en daartoe behoorden ook de afgoden van het geld, status en commerciële macht, maar overal waar ze keek, zag ze een flagrant materialisme, en de aanbidding van juist die afgoden, bij ongelovigen zowel als moslims.

In een reactie daarop stroopte ze haar leven kaal tot op het bot en bezocht de moskeeën die de strengste, soberste vormen van de islam predikten en waar de religieuze lessen in een context van een politiek extreme theorie werden geplaatst. De imams preekten de noodzaak alles te verwerpen dat niet tot de islam behoorde, en vooral alles wat betrekking had op de grootste satan: Amerika. Haar geloof werd haar wapenrusting, en haar afschuw van de cultuur die ze om zich heen zag, een vadsig, geestloos corporatisme dat alleen oog had voor zijn eigen winstmarges, groeide uit tot een stilzwijgende, alles verterende, nooit aflatende razernij.

Op een dag toen ze na de moskee op een bank op een metroperron zat, kwam er een jonge Noord-Afrikaan met een leren jack en een slordig baardje bij haar zitten. Zijn gezicht kwam haar vaag bekend voor.

'Salaam aleikum,' prevelde hij, haar zijdelings aankijkend.

116

'*Aleikum salaam.*'

'Ik heb je bij het gebed gezien.' Hij sprak Arabisch met een Algerijnse tongval.

Ze deed haar boek halfdicht, keek veelbetekenend op haar horloge en zei niets.

'Wat lees je?' vroeg hij.

Zonder enige uitdrukking op haar gezicht hield ze het boek schuin, zodat hij de titel kon zien. Het was de autobiografie van Malcolm X.

'Onze broeder Malik Shabazz,' zei hij, de burgerrechtenstrijder bij zijn islamitische naam noemend. 'Vrede zij met hem.'

'Inderdaad.'

De jongen leunde voorover over zijn knieën. 'Sjeik Ruhallah preekt vanmiddag in de moskee.'

'O ja?' zei ze.

'Je moet komen.'

Ze keek hem verbaasd aan. Ondanks zijn slordige verschijning had hij een stil gezag.

'En wat preekt die sjeik Ruhallah dan?' vroeg ze.

De jongeman fronste zijn wenkbrauwen. 'Hij preekt de jihad,' zei hij. 'Hij preekt de oorlog.'

21

Op de terugweg naar Londen dacht Liz na over Mark. Haar woede om zijn ongelegen telefoontje was gezakt en ze wilde even afstand nemen van het ongenadig analyseren van de gebeurtenissen van die dag. Ze wist dat het geen verspilde tijd zou zijn. Als zij haar aandacht op iets anders richtte, zou haar onbewuste met de puzzelstukjes blijven schuiven, blijven peinzen over bereikbare landtongen, terrorismenetwerken en pantserdoorborende munitie. En misschien een paar antwoorden vinden.

Hoe zou het zijn als hij bij Shauna wegging? Op een roekeloos, totaal onverantwoordelijk niveau, het niveau waar Mark instinctief naartoe werd getrokken, zou het fantastisch zijn. Ze zouden onder één hoedje spelen, onuitsprekelijke dingen tegen elkaar zeggen en zich 's nachts omdraaien in de zekerheid dat de ander de begeerte beantwoordde.

Op elk realistisch niveau daarentegen was het onmogelijk. Om te beginnen zou het haar carrière binnen de Dienst geen goed doen. Ze zouden niets in haar gezicht zeggen, maar ze zou als labiel worden aangemerkt, en bij de volgende promotieronde zouden ze haar op een risicoloze, saaie plek zetten. Bij werving en selectie, misschien, of bij de bewaking, en daar zou ze moeten blijven tot de heersende machten wisten hoe het in haar privé-leven was uitgepakt.

En hoe zou een leven met Mark er echt uitzien? Zelfs als Shauna zich koest hield en geen stennis schopte, zou het leven drastisch veranderen. De vrijheid die ze nu vanzelfsprekend vond, zou aan nieuwe, slechts vaag voorstelbare beperkingen worden onderworpen. Ze zou bijvoorbeeld niet meer kunnen doen wat ze vandaag had gedaan, domweg in haar auto stappen en wegrijden zonder te weten wanneer ze terugkwam. Ze zou over uitstapjes moeten onderhandelen en verantwoording moeten afleggen aan een partner die de redelijke eis stelde te willen weten wanneer ze er was. Zoals de meeste mannen die het zelf vreselijk vinden vastgelegd te worden, kon Mark ontzettend bezitterig zijn. Haar leven zou een heel nieuwe dimensie van stress krijgen.

118

En er waren fundamentele vragen die beantwoord moesten worden. Als Mark bij Shauna wegging, was het dan omdat hun relatie van meet af aan gedoemd was geweest? Als zij, Liz, niet op het toneel was verschenen, was het huwelijk dan ook stukgelopen? Of was het koek en ei gebleven, afgezien van een enkele hapering? Was zij een verwoester van huwelijken, een fatale vrouw? Ze had zichzelf nooit in die rol gezien, maar mogelijk deed niemand dat ooit.

Het mocht niet gebeuren. Zodra ze weer in Londen was, zou ze hem bellen. Waar zat ze nu? Ergens in de buurt van Saffron Walden, dacht ze, en ze was net voorbij Audley End toen ze zich bewust werd van een vertrouwd gevoel. Een tinteling alsof er priklimonade door haar aderen joeg. Een toenemend gevoel van gejaagdheid.

Rusland. De herinnering die zich naar de oppervlakte worstelde, had iets met Rusland te maken. En met Fort Monkton, de academie van MI6 waar ze haar vuurwapenopleiding had gevolgd. Onder het rijden hoorde ze het onduidelijk brouwende, Bristolse accent van Barry Holland, de wapenmeester van Fort Monkton, en rook ze de aan flarden gereten lucht op de ondergrondse schietbaan waar haar collega's en zij de magazijnen van hun 9mm Brownings leegden op schietschijven met moffenkoppen.

Ze was bijna bij de M25 toen de herinnering eindelijk bovenkwam, en toen wist ze waarom Ray Gunter met een pantserdoorborende kogel was doodgeschoten. Die wetenschap was geen opluchting.

Kort na achten ging ze tegenover Wetherby zitten. Toen ze bij haar bureau aankwam, had er een telefoonbericht van twee woorden gelegen: Marzipan vijfsterren. Dit betekende dat Sohail Din thuis gebeld wilde worden vanwege een dringende kwestie. Ze had nooit eerder zo'n oproep van hem gekregen en voelde meteen bezorgdheid opkomen, want een vijfsterrenverzoek betekende doorgaans dat een agent voor ontdekking vreesde en het contact tijdelijk of permanent wilde verbreken. Ze hoopte dat het niet voor Marzipan gold.

Ze belde naar zijn huis en tot haar opluchting nam Sohail zelf op. Op de achtergrond hoorde ze het ingeblikte gelach van een tv-serie.

'Is Dave thuis?' vroeg Liz.

'Sorry,' zei Sohail. 'Verkeerd verbonden.'

'Wat gek,' zei Liz. 'Ken je Dave?'

'Ik ken wel zes of zeven Daves,' zei Sohail, 'maar er woont er niet één hier. Goedenavond.'

Hij zou haar dus over zes of zeven minuten vanuit een cel terugbellen. Ze had hem verboden de cel het dichtst bij zijn huis te gebruiken. Intussen belde ze Barry Holland op Fort Monkton, en tegen de tijd dat Sohail terugbelde, spuwde haar laserprinter de gevraagde informatie uit.

Wetherby zag er moe uit, vond ze. De schaduwen om zijn ogen leken zich te hebben verdicht, en zijn gezicht stond zo fatalistisch dat ze het jammer vond dat ze geen beter nieuws kwam brengen. Maar misschien kwam het alleen door het late uur. Hij gedroeg zich pijnlijk hoffelijk, zoals altijd, en terwijl ze haar relaas deed, was ze zich bewust van zijn onverdeelde aandacht. Ze had hem nog nooit aantekeningen zien maken.

'Wat Eastman betreft, ben ik het met je eens,' zei hij, en ze zag dat hij het donkergroene potlood weer in zijn vingers had. 'Hij wordt op de een of andere manier gebruikt, en het lijkt er sterk op dat de situatie hem boven het hoofd is gegroeid. Het lijkt me zeker dat er een soort Duitse connectie moet zijn, en dat die connectie in oostelijke richting wijst. We moeten ons meer specifiek op de vrachtauto op het parkeerterrein richten, en de kans dat daar iets is overgedragen.'

Liz knikte. 'De politie lijkt ervan uit te gaan dat het wapen in kwestie een soort automatisch legergeweer is.'

De allerflauwste glimlach. 'Jij denkt er kennelijk anders over.'

'Ik herinnerde me iets dat ik in Fort Monkton heb geleerd. Dat de KGB en de Russische binnenlandse troepen begin jaren negentig de oude handwapens uit de tijd van Stalin hadden afgedankt omdat ze telkens tegenover kogelwerende kleding kwamen te staan die ondoordringbaar was voor hun munitie.'

'Ga door.'

'Dus ontwikkelden ze een nieuwe generatie handwapens met een enorm zware ontsteking. Wapens als de gyurza, die meer dan een kilo woog en pantserdoorborende kogels met een kern van wolfraam kon afvuren. Barry Holland heeft ons er een paar laten zien.'

'Ook van kaliber 7.62?'

'Niet dat ik me herinner, maar de ontwikkelingen zijn snel gegaan, de afgelopen tien jaar. De FBI heeft testresultaten van iets wat nog niet eens een naam heeft, maar gewoon de PSS wordt genoemd.' Ze keek op haar uitdraai. *'Pistolet samozaryadne specialny.'*

'Speciaal pistool met geluiddemper,' vertaalde Wetherby.

120

'Exact. Het is een lelijk ding, maar in technisch opzicht een voorloper. Het heeft de laagste geluidssignatuur van alle bestaande vuurwapens. Je kunt door je jaszak heen vuren zonder dat iemand die naast je staat iets hoort, en toch is het krachtig genoeg om een doelwit in kogelwerende uitrusting te doden.'

'Ik dacht dat geluiddempers de vuurkracht verminderden.'

'De conventionele wel, ja. De Russen hebben de kwestie van een andere kant bekeken, en toen hebben ze de geluidloze munitie uitgevonden.'

Wetherby's linkerwenkbrauw kroop een millimeter of twee omhoog.

'Het heet SP-4. De werking komt erop neer dat de ontlading volledig wordt omsloten door de patroonkamer. Er komen geen gassen vrij, en dus is er geen geluid en geen flits.'

'En het kaliber van die munitie?'

'Zeven punt tweeënzestig, pantserdoorborend.'

Wetherby glimlachte niet, maar nam haar even peinzend op, liet de geslepen punt van het donkergroene potlood naar het bureau zakken en knikte. Dat hij het niet nodig vond haar te complimenteren, deed Liz in stilte genoegen, in weerwil van het akelige onderwerp.

'Maar waarom heeft onze man de moeite genomen zo'n specialistisch wapen aan te schaffen?'

'Omdat hij tegenstanders in kogelwerende vesten of uitrusting tegenover zich verwacht te krijgen. Politie. Beveiligingsmensen. Elite-eenheden. Hij heeft de technologische voorsprong nodig die een PSS hem kan geven.'

'Kunnen we nog meer conclusies trekken?'

'Dat hij, of liever zijn organisatie, over de beste middelen kan beschikken. Dit is een wapen met een beperkte oplage. Zoiets koop je niet in een kroeg in het East End, en ook niet in een wapenbazaar aan de noordwestelijke grens van Pakistan. Tot nu toe is het alleen uitgereikt aan een handjevol Russische mensen van de Russische speciale strijdkrachten, van wie de meesten momenteel bezig zijn met undercoveroperaties tegen Tsjetsjeense milities in de Kaukasus. We zullen de cijfers en feiten nooit krijgen, maar er zullen zeker slachtoffers gevallen zijn, en we mogen redelijkerwijs aannemen dat een of twee van hun wapens in handen van de opstandelingen zijn gevallen.'

'En vandaar uit in de handen van de wapenmeesters van de mujaheddin... Ja, ik zie waar je naartoe wilt.' Wetherby keek somber naar

121

het raam. Hij leek naar het onregelmatige ritme van de regen te luisteren. 'Verder nog iets?'

'Ik vrees dat het nog erger wordt,' zei Liz. 'Toen ik vanavond terugkwam, heb ik een vijfsterrenoproep van Marzipan beantwoord.'

'Ga door.'

'Zijn collega's lezen een Arabische nieuwsbrief op het net. Hij denkt dat die wordt geschreven door ITS-activisten in Saudi-Arabië, mogelijk de mensen van al Safa, die anti-westerse operaties voorbereiden. Marzipan heeft het zelf niet gezien, want de nieuwsbrief is in een soort geheimtaal geschreven, maar degenen die het weten kunnen, schijnen te denken dat er hier in het Verenigd Koninkrijk iets te gebeuren staat. Een soort symbolische actie. Geen aanwijzingen van het wat, wanneer en waar, maar de formulering die ik heb doorgekregen, is dat er "een man is aangekomen van wie de naam Wraak in het aangezicht van God luidt".'

Wetherby bleef even roerloos zitten. 'Weet je zeker dat we het over een ITS-actie hebben?' vroeg hij omzichtig. 'Niet de een of andere vlagverbranding, of de komst van een nieuwe imam?'

'Marzipan zei dat zijn collega's vrij zeker waren. Wat hen betrof, werd er in de nieuwsbrief een naderende aanslag aangekondigd.'

Wetherby vernauwde zijn ogen een paar millimeter. 'En jij denkt dat de man over wie ze het hebben onze stille schutter uit Norfolk zou kunnen zijn?'

Liz zweeg. Wetherby zette het potlood in de pot van Fortnum & Mason en reikte naar een van de onderste laden van zijn bureau. Hij haalde er een fles Laphroaig en twee glazen uit, waarin hij een duim whisky schonk. Hij schoof een glas naar Liz, stak een hand op om aan te geven dat ze moest blijven zitten, pakte een van de telefoons op zijn bureau en toetste een nummer in.

Hij belde zijn vrouw, begreep Liz al snel.

'Hoe ging het vandaag?' vroeg Wetherby zacht. 'Was het erg?'

Het antwoord leek de nodige tijd in beslag te nemen. Liz richtte haar aandacht op de rokerige smaak van de whisky, de regen die tegen het raam sloeg, het tikken van de verwarmingsbuizen... alles liever dan het gesprek te moeten horen.

'Ik moet overwerken,' zei Wetherby. 'Ja, ik ben bang dat we met een crisis zitten, en... Nee, dat zou ik je niet aandoen als het niet absoluut onvermijdelijk was. Ik weet dat je een helse dag achter de rug hebt... Ik bel je zodra ik in de auto zit. Nee, je hoeft niet voor me op te blijven.'

Hij hing op, nam een flinke teug whisky en draaide een foto op zijn bureau naar Liz toe. Ze zag een vrouw in een blauw met wit gestreept T-shirt met een koffiekop in haar hand aan een cafétafel. Ze had zwart haar en frêle, fijne trekken en keek geamuseerd met haar hoofd schuin in de lens.

Wat Liz echter vooral trof aan de vrouw was haar teint. Ze kon niet ouder dan vijfendertig zijn, en toch was haar huid ivoorwit, zo bleek en bloedeloos dat je er bijna doorheen leek te kunnen kijken. Eerst dacht ze dat het een fout van de ontwikkelcentrale was, maar een blik op de andere gasten in het café zei haar dat de kleuren min of meer klopten.

'Het wordt rode-bloedcelaplasie genoemd,' zei Wetherby zacht. 'Het is een afwijking in het beenmerg. Ze moet elke maand naar het ziekenhuis voor een bloedtransfusie.'

'Is ze vandaag geweest?'

'Vanochtend, ja.'

'Wat erg,' zei Liz. Haar kleine triomf van het identificeren van de PSS leek nu bijna kinderachtig. Ze schokschouderde. 'Het spijt me dat ik het nieuws kom brengen dat je hier houdt.'

Een miniem nee-schudden. 'Je hebt het buitengewoon goed gedaan.' Hij liet de whisky walsen en hief zijn glas op met een ontwijkende glimlach. 'Afgezien van al het andere heb jij me de middelen gegeven om Geoffrey Fanes avond te bederven.'

'Nou, dat is tenminste iets.'

De minuten daarna dronken ze zwijgend hun glas leeg. Veel kamers om hen heen waren verlaten, en uit het geluid van een stofzuiger in de verte leidde Liz af dat de schoonmakers er waren.

'Ga naar huis,' zei hij. 'Ik begin het vast aan iedereen te vertellen die het weten moet.'

'Goed, maar ik ga eerst naar mijn bureau om Peregrine Lakeby na te trekken.'

'Ga je morgen terug naar Norfolk?'

'Ik moet wel, vind ik.'

Wetherby knikte. 'Hou me op de hoogte.'

Liz stond op. De scheepstoeter van een aak liet een lange, troosteloze toon over de rivier klinken.

123

22

Na een natte nacht volgde een heldere ochtend. De weg siste onder de banden van de Audi toen Liz naar de M11 reed. Ze had slecht geslapen; eigenlijk vroeg ze zich af óf ze wel had geslapen. De vormeloze massa zorgen van het onderzoek had een verpletterend gewicht gekregen, en hoe wanhopiger ze vergetelheid zocht tussen de gekreukte lakens hoe sneller haar hart in haar borst klopte. Er stonden mensenlevens op het spel, dat wist ze zeker, en het beeld van Ray Gunters verbrijzelde hoofd bleef eindeloos voor haar geestesoog opdoemen. De trekken van de dode visser gingen af en toe over in die van Sohail Din. 'Waarom ga je niet bij het amateurtoneel?' leek hij te vragen, tot het tot haar doordrong dat ze de stem van haar moeder in haar hoofd hoorde. Toch kon ze haar moeder niet voor zich oproepen; in plaats daarvan verscheen er een ivoorbleke vrouw in een blauw met wit gestreept T-shirt die veelbetekenend naar haar glimlachte. Door haar transparante huid zag Liz het bloed weifelend door de aderen en slagaderen stromen. 'Ik ga tegen haar zeggen dat ik van je hou,' schreeuwde Mark ergens aan de rand van haar bewustzijn. 'Ik heb het over onze toekomst!'

Maar ze moest wel geslapen hebben, want op een gegeven moment was ze wakker geschrokken, dorstig, met een bonzend hoofd en de nasmaak van Wetherby's Laphroaig in haar mond. Ze had gehoopt op een vroege start en een snel vertrek uit Londen, maar jammer genoeg leek een aanzienlijk deel van de inwoners van de stad hetzelfde idee te hebben. Om elf uur zat ze op tien kilometer van Marsh Creake op een smalle weg achter een vrachtwagen vol suikerbieten. De bestuurder leek totaal geen haast te hebben, en als hij al wist dat hij bij elke kuil en hobbel een paar bieten kwijtraakte, zat het hem niet dwars. Liz maakte zich er wel degelijk zorgen om, want af en toe moest ze woest naar de berm uitwijken om de stuiterende knollen te ontwijken, die zomaar een koplamp aan scherven konden slaan of op een andere manier een schade van honderden ponden aan de Audi konden toebrengen.

Uiteindelijk stopte ze met verkrampte schouders van de spanning bij de Trafalgar, en eenmaal binnen zag ze Cherisse Hogan, die in de lege zaal glazen stond te poetsen.

'Jij weer!' zei Cherisse, en ze glimlachte met lome ogen naar Liz. Ze droeg een strak, lavendelblauw truitje en zag er op haar eigen, zigeunerachtige manier vrij spectaculair uit. Ze had zich duidelijk hersteld van het eventuele, kortstondige verdriet dat de dood van Ray Gunter haar zou kunnen hebben gedaan.

'Heb je misschien een kamer voor me?' vroeg Liz.

Cherisse trok haar wenkbrauwen op en liep ongehaast naar het beschaduwde bolwerk van de keuken, vermoedelijk om haar werkgever te raadplegen. Clive Badger mag zichzelf gelukkig prijzen, dacht Liz, als de geruchten over die twee waar zijn. En ze waren vrijwel zeker waar; vrouwen als Anne Lakeby waren er bedreven in het kaf van het koren te scheiden als het op de plaatselijke intriges aankwam.

Cherisse kwam na een paar minuten terug met een sleutel aan een messing ankertje en ging Liz voor op de smalle, met tapijt belegde trap naar een deur met het opschrift TEMERAIRE. De drie andere kamers heetten SWIFTSURE, AJAX en VICTORY.

TEMERAIRE was een lage, warme kamer met auberginekleurige vloerbedekking, een betegelde schouw en een slaapbank met een chenille sprei. Liz had binnen een paar minuten haar kleding uitgepakt. Toen ze weer beneden kwam, stond Cherisse nog steeds alleen in de grote zaal, en ze wenkte Liz door haar hoofd schuin te houden.

'Weet je nog dat ik je over die Mitch vertelde? Die met Ray dronk?'

'Degene die je aan een pitbull deed denken?' vroeg Liz.

'Ja, die. Staffy. Hij zat in de tabakshandel.'

'Het binnensmokkelen en clandestien verkopen van sigaretten, bedoel je? Zonder accijns te betalen?'

'Ja.'

'Hoe weet je dat? Heeft hij jou een paar sloffen aangeboden?'

'Nee, Ray. Hij zei dat Mitch zoveel kon krijgen als ik wilde hebben. Hij zei dat ik ze tegen de kostprijs kon kopen en ze dan voor de gewone prijs aan de klanten hier kon verkopen.'

'Wacht even, Cherisse. Dat heeft Ray namens Mitch tegen je gezegd?'

'Ja, en hij dacht echt dat hij Mitch een dienst bewees, maar die ging helemaal over de rooie. Hij zei tegen Ray dat hij uit zijn nek

125

lulde – neem me niet kwalijk – en dat hij zijn bek moest houden, anders zou hij hem ter plekke omleggen. Echt helemaal over de rooie ging hij.'

'Maar denk je dat Ray gelijk had? Dat Mitch goedkope tabak en sigaretten verkocht?'

Cherisse dacht na. 'Nou, waarom zou je zoiets zeggen als het niet waar is? En er zijn zoveel mensen die het doen. Als je in een café werkt, bieden ze je altijd goedkope drank en sigaretten aan. Vooral sigaretten. Iedereen heeft vijf sloffen in zijn kofferbak liggen.'

'En heb je ooit iets gekocht?'

'Ik? Nooit! Dat zou me mijn baan kosten.'

'Dus meneer Badger koopt ook niets van die lui?'

Cherisse schudde haar hoofd en vervolgde haar onsystematische gepoets van de glazen. 'Ik wilde het gewoon even zeggen,' zei ze. 'Het is een griezel, die Mitch.'

'Zo lijkt het in elk geval wel,' zei Liz. 'Bedankt.'

Ze staarde de lege zaal in. In de fletse winterzon die door de glas-in-loodramen viel en de snuisterijen op de gelambriseerde wanden bescheen, dansten stofjes. Als Mitch, wie hij ook was, bij de clandestiene verkoop van tabak betrokken was en dat aan Ray Gunter had verteld, waarom was hij dan zo boos geworden toen Gunter erover tegen Cherisse begon? Een groot deel van het bestaan van een tabakssmokkelaar gaat op aan het overhalen van cafébazen en barpersoneel om zijn waren te kopen.

De enige reden die Liz zich kon voorstellen, was dat Mitch van de tabakssmokkel was opgeklommen naar gevaarlijker spelletjes. Spelletjes waarbij loslippigheid fataal kon zijn. Ze bedankte Cherisse nogmaals, wisselde een biljet van tien pond voor kleingeld en belde Frankie Ferris vanuit de cel in de hal van het café. Het was er te warm en het rook er naar meubelwas en luchtverfrisser. Ferris leek zoals gewoonlijk in een toestand van opperste agitatie te verkeren.

'De bom is door die moord echt gebarsten,' fluisterde hij. 'Het is helemaal... Eastman heeft zich al sinds gisterochtend in zijn kantoor opgesloten. Gisteravond is hij gebleven tot...'

'Had de dode iets met Eastman te maken?'

'Ik weet het niet en vraag er niet naar. Ik wil me nu alleen maar gedeisd houden, en als de politie aanklopt, wil ik echt...'

'Echt wat?'

126

'Nou, bescherming, oké? Ik neem een groot risico met dit gesprek. Stel dat iemand...'

'Mitch,' zei Liz. 'Ik wil meer weten over iemand die Mitch heet.'

Een korte, geladen stilte.

'Braintree,' zei Ferris toen. 'Vanavond om acht uur, boven in de parkeertoren bij het station. Kom alleen.' De verbinding werd verbroken.

Hij voelt nattigheid, dacht Liz toen ze ophing. Hij wil Eastmans geld blijven vangen, maar wil zich ook indekken voor als het allemaal in het honderd loopt. Hij weet dat Bob Morrison hem geen geld geeft, dus komt hij weer naar mij toe.

Ze overwoog terug te gaan naar het dorpshuis, Goss en Whitten op te zoeken en te vragen of ze al verder waren met het onderzoek, maar na enig nadenken besloot ze eerst naar Headland Hall te rijden om met Peregrine Lakeby te praten. Wanneer ze weer contact had met de anderen zou ze informatie moeilijk voor zich kunnen houden.

Met een zacht geknerp van grind kwam de Audi bij Headland Hall tot stilstand. Deze keer deed Lakeby zelf open. Hij droeg een lange, Chinese ochtendjas en een sjaaltje en er hing een zwakke geur van limoen om hem heen.

Hij leek verbaasd te zijn Liz te zien, maar herstelde zich snel en ging haar door de gang met plaveuizen voor naar de keuken. Daar zat een vrouw aan een brede werktafel van geboend eiken wijnglazen te drogen op de ongehaaste manier die Liz direct herkende. Dit moest Elsie Hogan zijn, de moeder van Cherisse.

'De Aga rookt weer, meneer Lakeby,' zei de vrouw met een ongeïnteresseerde blik op Liz.

Peregrine fronste zijn wenkbrauwen, trok een ovenwant aan en maakte voorzichtig een van de deuren van de Aga open. De rook walmde naar buiten, en Lakeby pakte een houtblok uit een grote mand, slingerde het naar binnen en sloeg de deur weer dicht.

'Zo moet het goed zijn.'

De vrouw keek hem bedenkelijk aan. 'Dat hout is nog wat groen, meneer Lakeby. Ik denk dat dat het is. Komt het uit de garage?'

Peregrine keek vaag. 'Dat zou heel goed kunnen. Bespreek het maar met Anne. Ze komt over een uurtje uit King's Lynn terug.' Hij wendde zich tot Liz. 'Koffie?'

'Nee, dank u,' zei Liz, die spijtig bedacht dat je niet terwijl je zijn

127

koffie dronk tegen iemand kon zeggen wat ze tegen Peregrine Lakeby ging zeggen. Ze keek dus toe terwijl hij water kookte, gemalen arabicabonen in een cafetière schepte, er water bijgoot, de stamper naar beneden duwde en het dampende resultaat in een porseleinen Wedgwood-kop schonk.

'Zo,' zei Peregrine toen ze de rokerige keuken achter zich hadden gelaten en weer comfortabel in de met boeken beklede salon zaten, 'zeg maar wat ik voor u kan doen.'

Liz zag zijn vragende, lichtelijk vermaakte blik. 'Ik wil graag weten wat voor afspraak u met Ray Gunter had,' zei ze rustig.

Peregrine hield nadenkend zijn hoofd schuin. Liz zag dat hij zijn haar in staalgrijze vleugels over zijn oren had geborsteld. 'Welke afspraak bedoelt u precies? Ik had de indruk dat we de vorige keer dat u hier met uw collega's was al hadden besproken dat zijn boten op het strand mochten liggen.' Ze zijn dus niet terug geweest, dacht Liz.

'Nee,' zei ze. 'Ik bedoel de afspraak dat Ray Gunter 's nachts illegale ladingen aan wal bracht en dat u zich doof en blind zou houden voor overlast. Hoeveel betaalde Gunter u om hem ongestoord zijn gang te laten gaan?'

Peregrines glimlach verstrakte. Het nobele masker vertoonde minieme tekenen van spanning. 'Ik weet niet waar u uw informatie vandaan hebt, mevrouw... eh, maar het idee dat ik criminele betrekkingen met zo iemand als Ray Gunter gehad zou hebben, is eerlijk gezegd absurd. Mag ik vragen wat, of wie, u tot zo'n bizarre conclusie heeft gebracht?'

Liz pakte twee bedrukte vellen uit haar attachékoffer. 'Mag ik u een verhaal vertellen, meneer Lakeby? Een verhaal over een vrouw die Dorcas Gibb heet, maar in bepaalde kringen bekendstaat als de Marquise?'

Peregrine zei niets. Zijn gezichtsuitdrukking veranderde niet, maar hij verbleekte zienderogen.

'De Marquise is al een aantal jaren in het bezit van een discreet etablissement aan Shepherd Market in Londen, waar haar personeel en zij zich toeleggen op...' – ze raadpleegde de bedrukte vellen – '... discipline, dominantie en lijfstraffen.'

Peregrine bleef zwijgen.

'Drie jaar geleden werd het bestaan van dit etablissement onder de aandacht van de belastingdienst gebracht. Madame la Marquise bleek

128

al een jaar of tien geen inkomstenbelasting te hebben betaald. Het was haar ontschoten. De fiscus vroeg dus aan de zedenpolitie of die haar een plaagstootje wilde geven, en dat wilde de zedenpolitie best. Ze deden een inval. En raad eens wie ze daar aantroffen, nog los van een vooraanstaand aanklager en een geliefd parlementslid van New Labour, vastgebonden op een pijnbank, met een rubberen knevel in zijn mond en zijn broek om zijn enkels?'

Peregrines blik werd ijzig en zijn mond was een dunne, genepen lijn. 'Mijn privé-leven is mijn eigen zaak, jongedame, en ik laat me niet, ik herhaal níét chanteren in mijn eigen huis.' Hij verhief zich van de bank. 'Wilt u zo vriendelijk zijn te vertrekken, en wel nu?'

Liz bleef zitten. 'Ik chanteer u niet, meneer Lakeby, ik vraag alleen naar de precieze aard van uw zakelijke betrekkingen met Ray Gunter. Het kan goedschiks en het kan kwaadschiks. Als we het goedschiks doen, geeft u me alle feiten, vertrouwelijk, en als we het kwaadschiks doen, wordt u gearresteerd op verdenking van betrokkenheid bij de georganiseerde misdaad. En gezien het feit dat er, zoals we allemaal weten, regelmatig informatie van de politie naar de roddelpers uitlekt...'

Ze schokschouderde, en Peregrine staarde haar uitdrukkingsloos aan. Ze beantwoordde zijn blik, staal om staal, en langzamerhand leken de vechtlust en arrogantie uit hem weg te ebben. Hij liet zich traag terug op de bank zakken, met hangende schouders. 'Maar als u met de politie samenwerkt...'

'Ik werk niet echt met de politie samen, meneer Lakeby. Ik werk náást de politie.'

Hij kneep achterdochtig zijn ogen tot spleetjes. 'Dus...'

'Ik insinueer niet dat u iets ergers hebt gedaan dan Gunters geld aannemen,' zei Liz kalm, 'maar ik moet u zeggen dat de nationale veiligheid op het spel staat, en ik weet zeker dat u de veiligheid van de staat niet in gevaar wilt brengen.' Ze zweeg even. 'Wat was de afspraak met Gunter?'

Hij staarde ontmoedigd door het raam. 'Zoals u al vermoedde, was het idee dat ik zijn nachtelijke handel en wandel door de vingers zou zien.'

'Hoeveel kreeg u daarvoor?'

'Vijfhonderd per maand.'

'In het handje?'

'Ja.'

'En wat hield die handel en wandel in?'

Peregrine glimlachte krampachtig. 'Wat het al honderden jaren inhoudt. Dit is een smokkelkust, altijd al geweest. Thee, cognac uit Frankrijk, tabak uit de lage landen... Toen de havens aan het Kanaal en de moerassen in Kent te gevaarlijk werden, zijn ze naar hier opgeschoven.'

'En dat brachten ze aan land? Drank en tabak?'

'Dat hebben ze mij verteld.'

'Wie? Gunter?'

'Nee, ik deed geen zaken met Gunter zelf. Er was een ander. Ik ben nooit achter zijn naam gekomen.'

'Mitch? Was het zoiets als Mitch?'

'Ik heb geen idee. Zoals ik al zei...'

'Hoe werd u betaald?'

'Het geld werd in het keetje op het strand gelegd. Waar Gunter zijn visgerei bewaarde. Ik had de sleutel van het hangslot.'

'En hebt u, afgezien van die tweede man, ooit iemand anders gezien of gesproken?'

'Nooit.'

'Kunt u die tweede man beschrijven?'

Peregrine dacht na. 'Hij zag er... agressief uit. Een bleek gezicht en een kaalgeschoren kop. Net een van die honden die ze altijd moeten afschieten omdat ze kinderen doodbijten.'

'Hoe hebt u hem ontmoet?'

'Het was zo'n anderhalf jaar geleden. Anne was die dag de stad in en Ray Gunter en hij kwamen naar het huis. Hij vroeg me plompverloren of ik elke eerste van de maand vijfhonderd pond zou willen krijgen in ruil voor helemaal niets.'

'En u zei?'

'Ik zei dat ik erover wilde nadenken. Hij had me niet gevraagd iets illegaals te doen. Toen hij de volgende dag opbelde, zei ik ja, en op de eerste van de volgende maand lag het geld in het keetje, precies zoals hij had gezegd.'

'En hij zei letterlijk dat het om alcohol en tabak ging?'

'Nee. Wat hij feitelijk zei, was dat ze de plaatselijke traditie van het te slim af zijn van de douane voortzetten.'

'En daar had u geen problemen mee?'

130

Hij leunde achterover. 'Nee. Om heel eerlijk te zijn niet. De omzetbelasting is een nagel aan je doodskist als je zo'n groot landgoed moet onderhouden, en als Gunter en zijn maatje de douane het nakijken gaven, juichte ik dat van harte toe.'

'Kunt u me verder nog iets vertellen? Over hun vervoer? De schepen waarvan ze hun lading overnamen?'

'Nee, ik vrees van niet. Ik ben een man van eer, dus heb ik niets gezien of gehoord.'

Een man van eer, dacht Liz. Wat een woordkeuze.

'En uw vrouw heeft nooit iets vermoed?'

'Anne?' vroeg hij, weer bijna de oude. 'Nee, waarom zou ze in vredesnaam? Ze hoorde 's nachts wel eens wat, maar...'

Liz knikte. Die tweede man moest Mitch zijn, wie Mitch ook was, en hij was zo woedend op Gunter geweest toen die Cherisse over de tabakssmokkel had verteld omdat zij beiden iets veel ernstigers te verbergen hadden. Gunter was duidelijk een indiscrete, verre van ideale handlanger geweest, maar aangezien hij de boten had en de plaatselijke getijden en zandbanken kende, was hij ook een onmisbaar radertje van de operatie geweest.

Zou Frankie Ferris iets over Mitch kunnen vertellen? Zijn gedrag aan de telefoon had erop gewezen dat hij wist wie Mitch was, en dat wees er weer op dat Mitch een van Eastmans mensen was. Maar dat was Ferris ten voeten uit: hij deed altijd wanhopige pogingen om zijn nut te bewijzen, ook al kwam de waarheid daardoor in het gedrang.

Ze keek naar Peregrine. Zijn wellevende masker was weer zogoed als onberispelijk. Ze had hem even laten schrikken, meer niet. Op weg naar buiten kwam ze langs Elsie Hogan, die met haar armen over elkaar geslagen in de keukendeur stond. Peregrine keurde haar geen blik waardig, maar Liz wel, en ze zag het berekenend uitdrukkingsloze gezicht van de oudere vrouw. Ze vroeg zich af of Elsie zich de afgelopen tien minuten onledig had gehouden met het traditionele tijdverdrijf van de huishoudster, het luisteren aan de deur. Zouden er binnenkort wellustige verhalen over blote billen en zweepjesorgieën van de aristocratie de ronde doen in de plaatselijke rijen bij de bushalte, postkantoren en supermarkten?

131

23

In de zesendertig uur sinds zijn aankomst had Faraj Mansoor nog maar weinig gezegd. Hij had de omstandigheden rond de dood van de visser uiteengezet en zich ervan overtuigd dat hij de politie geen enkele reden had gegeven om bij de bungalow aan te kloppen, maar verder had hij zich niet blootgegeven. Op de avond na zijn aankomst had hij 's avonds van halfnegen tot tien uur over het strand gelopen. Hij had de maaltijden genuttigd die de vrouw hem voorzette, na elk maal een paar sigaretten gerookt en op de voorgeschreven tijden gebeden.

Nu leek hij echter genegen te zijn tot een gesprek. Hij noemde de vrouw Lucy omdat die naam op haar rijbewijs en andere papieren stond, en voor het eerst leek hij echt naar haar te kijken, haar aanwezigheid echt te erkennen. Ze zaten samen over de eettafel in de bungalow gebogen een stafkaart te bekijken. Als voorzorgsmaatregel wezen ze plaatsen aan met gedroogde grasstengels; ze wisten allebei dat een vingertop een bijna onzichtbaar maar gemakkelijk te traceren spoor van vet op kaartpapier achterlaat.

Weg na weg en kruispunt na kruispunt zetten ze hun route uit. Waar mogelijk kozen ze voor B-wegen. Geen landweggetjes waar elke passerende auto een gedenkwaardige gebeurtenis was, maar wegen die te onbelangrijk waren voor snelheidscamera's. Weggetjes waar de politie niet snel op jeugdige snelheidsmaniakken of dronken bestuurders zou wachten.

'Ik stel voor dat we de auto hier neerzetten,' zei ze, 'en het laatste stuk lopen.'

Hij knikte. 'Zeseneenhalve kilometer?'

'Misschien acht. Als we doorlopen, zouden we er in een paar uur moeten zijn. De eerste vijf kilometer is een wandelroute, dus daar vallen we niet uit de toon.'

'En dit? Wat is dit?'

'Een afwateringskanaal. Er zijn bruggen, maar dat is een van de dingen die we nog moeten verkennen.'

Hij knikte en staarde geconcentreerd naar het zacht glooiende platteland. 'Hoe goed is de beveiliging?'

'Het zou dom zijn om ervan uit te gaan dat die niet uitstekend is.'

'Zijn ze gewapend?'

'Ja. Met Heckler & Koch MP5's. Volledige beschermingsuitrusting.'

'Waar letten ze op?'

'Alles wat buiten het normale valt. Alles en iedereen die niet binnen het patroon past.'

'Passen wij erin?'

Ze keek van opzij naar hem en probeerde hem door de ogen van een ander te zien. Zijn getinte huid, Afghaanse trekken en groene ogen verrieden dat hij niet van Europese afkomst was, maar er waren zo langzamerhand miljoenen Britten voor wie hetzelfde gold. De conservatieve snit en persoonlijke details van zijn kleding duidden op iemand die op z'n minst zijn opleiding in Groot-Brittannië had genoten, en waarschijnlijk op particuliere scholen. Zijn Engels was onberispelijk en zijn accent beschaafd. Of hij had een dure school in Pakistan bezocht, óf hij had hier vrienden in de hoogste kringen.

'Ja.' Ze knikte. 'Wij passen erin.'

'Goed zo.' Hij zette de donkerblauwe honkbalpet van de New York Yankees op die ze in King's Lynn voor hem had gekocht. 'Ken je de locatie? Ze zeiden dat je er goed bekend was.'

'Ja. Ik ben er de laatste jaren niet meer geweest, maar er kan niet veel veranderd zijn. Dit is een nieuwe kaart, en alles staat er precies zo op als ik het me herinner.'

'En je zult niet aarzelen om te doen wat ons te doen staat? Je hebt geen twijfels?'

'Ik zal niet aarzelen en heb geen twijfels.'

Hij knikte weer en vouwde behoedzaam de kaart op. 'Ze hadden een hoge dunk van je in Takht-i-Suleiman. Ze zeiden dat je nooit klaagde. En, nog belangrijker, dat je wist wanneer je moest zwijgen.'

Ze haalde haar schouders op. 'Er waren genoeg anderen die het woord wilden doen.'

'Die zijn er altijd.' Hij tastte in zijn zak. 'Ik heb iets voor je.'

Het was een wapen. Een automatisch miniatuurpistool, zo groot als haar hand. Ze pakte het nieuwsgierig op, liet het magazijn met vijf patronen uitwerpen, haalde de slee naar achteren en probeerde het mechanisme. 'Negen millimeter?'

133

Hij knikte. 'Het komt uit Rusland. Een Malyah.'

Ze woog het in haar hand, klikte het magazijn terug en haalde de vergrendeling een paar keer over. Ze wisten allebei dat ze zich alleen gedwongen zou voelen het te gebruiken als het einde nabij was.

'Ze hebben dus besloten dat ik gewapend moest zijn?'

'Ja.'

Ze pakte haar waterdichte outdoorjack, ritste de kraag open, trok de capuchon eruit en ritste hem weer dicht, nu met de Malyah erin. De capuchon verborg de lichte bult doeltreffend.

Mansoor knikte goedkeurend.

'Mag ik je iets vragen?' zei ze aarzelend.

'Vraag maar.'

'We lijken weinig haast te hebben. Vandaag een verkenning, morgen een rustdag... Waar wachten we eigenlijk op? Kunnen we het niet gewoon... doen? Nu de visser dood is, wordt het met de dag aannemelijker dat ze...'

'Ons zullen vinden?' Hij glimlachte.

'Er wordt hier niet elke dag iemand doodgeschoten,' drong ze aan. 'Er zullen rechercheteams komen, lijkschouwers, technisch rechercheurs, ballistisch onderzoekers... Wat zouden ze bijvoorbeeld uit die kogel van jou kunnen opmaken?'

'Niets. Het is een gewoon kaliber.'

'In Pakistan misschien, maar hier niet. De veiligheidsdiensten hier zijn niet stom, Faraj. Als ze onraad ruiken, gaan ze op zoek. Ze zullen hun beste mensen sturen. En als je het idee hebt dat de Britten sportief zijn, kun je dat wel uit je hoofd zetten. Als ze ook maar het flauwste vermoeden hebben van ons plan, en als ze dit huis doorzoeken krijgen ze een heel duidelijk vermoeden, vermoorden ze ons ter plekke, bewijs of geen bewijs.'

'Wat ben je boos!' zei hij verwonderd. Ze waren zich er allebei van bewust dat ze hem voor het eerst bij zijn naam had genoemd.

Ze legde haar vuist op tafel en sloot haar ogen. 'Ik zeg alleen dat we dood niets kunnen bereiken, en dat de kans dat ze... dat ze ons vinden en doden met de dag groter wordt.'

Hij keek haar emotieloos aan. 'Er zijn dingen die je niet weet,' zei hij. 'Er zijn redenen om te wachten.'

Ze ving zijn lichtgroene blik op, de blik die soms die van een vijftigjarige leek in plaats van iemand die nog lang geen dertig was, en boog

134

berustend haar hoofd. 'Ik vraag je alleen onze tegenstanders niet te onderschatten.'

Faraj schudde zijn hoofd. 'Neem maar van mij aan dat ik dat niet doe. Ik ken de Britten en weet hoe genadeloos ze kunnen zijn.'

Ze keek even naar hem op, pakte de verrekijker, maakte de deur open, stapte het kiezelstrand op en tuurde de horizon in beide richtingen af.

'En?' vroeg hij toen ze weer binnenkwam.

'Niets,' zei ze.

Hij nam haar op en zag haar ogen naar de jas met de verborgen Malyah flitsen.

'Wat is er?' vroeg hij.

Ze schudde haar hoofd, deed onzeker een pas achteruit naar de voordeur en bleef staan.

'Wat is er?' vroeg hij nog eens, maar nu minder dwingend.

'We worden gezocht,' antwoordde ze. 'Ik voel het.'

Hij knikte bedachtzaam. 'Het zij zo.'

24

Liz trok haar jas dichter om zich heen en installeerde zich op de bank met uitzicht op zee. Het wad stond nu onder water, en de vloed sloeg stuwend tegen de dijk voor haar. Een meeuw landde zwaar naast de bank, zag dat Liz niets te eten had en zwenkte op de volgende windvlaag weg. Het was koud, en de lucht verhardde zich aan de horizon tot een dreigend leigrijs, maar voorlopig baadde Marsh Creake nog in het zonlicht.

De bewerkte bewakingsvideo zou volgens Goss rond het middaguur uit Norwich terugkomen. Het verbaasde hem Liz zo snel terug te zien, had hij haar verteld, aangezien Whittens onderzoek geen enkele aanwijzing met betrekking tot de moordenaar van Ray Gunter had opgeleverd. De hoofdinspecteur had tegen Goss gezegd dat hij voor 'achtennegentig procent zeker was' dat de moord iets met drugssmokkel te maken had. Zijn theorie was dat Gunter op het verkeerde moment op de verkeerde plaats was geweest, een lading aan land had zien komen en een kogel door zijn kop had gekregen voor zijn moeite. Whitten maakte zich niet druk over het weinig gangbare kaliber van de dodelijke kogel; Britse gangsters gebruikten naar zijn mening elk vuurwapen dat ze in hun vingers konden krijgen.

Liz bleef piekeren over wat ze van Peregrine Lakeby en Cherisse Hogan had gehoord. Op een ander bewustzijnsniveau nam ze een beslissing aangaande Mark. Wat haar betrof was de verhouding ten einde. Ze zou bij vlagen naar zijn stem en zijn aanraking verlangen, maar daar zou ze gewoon tegen moeten kunnen. Ze wist dat die momenten steeds vluchtiger zouden worden en ten slotte helemaal verdwenen, en dat de lichamelijke herinnering zou vervagen.

Het zou niet pijnloos verlopen, maar Liz kende het klappen van de zweep. De eerste keer was het ergst geweest. Een paar jaar na haar aantreden bij de Dienst had ze de vernissage bezocht van een fototentoonstelling van een studievriendin. Ze had de vrouw niet goed gekend, en die moest diverse adresboekjes hebben doorgenomen toen ze

136

de gastenlijst opstelde. Onder de aanwezigen was ook een knappe, sjofel geklede man van ongeveer haar eigen leeftijd geweest. Hij heette Ed en kende hun gastvrouw net zo oppervlakkig als zijzelf.

Ze vluchtten naar een café in Soho. Daar vertelde Ed haar dat hij freelance onderzoek deed voor tv-programma's en momenteel een documentaire samenstelde over de levenswijze van New Age-reizigers. Hij had net twee weken met een groep in een gammele bus van kamp naar kamp gereisd, en met zijn ruige, verweerde aantrekkelijkheid had hij zelf heel goed een reiziger kunnen zijn.

Ze wilde haar vingers niet branden, maar ze voelden zich zo sterk tot elkaar aangetrokken dat er geen ontkomen aan leek te zijn, en binnen de kortste keren sliep ze regelmatig in het verbouwde pakhuis in Bermondsey dat hij deelde met een wisselend gezelschap kunstenaars, schrijvers en filmmakers. Ze zei tegen hem dat ze op een personeelsafdeling van Binnenlandse Zaken werkte, dat haar baan haar voldoening schonk maar weinig spectaculair was en dat hij haar niet op kantoor mocht bellen. Ed, die op het eerste gezicht geen bezitterig type leek, deed er niet moeilijk over. Hij was dagen en soms weken achter elkaar weg voor zijn onderzoek, en ze lette erop dat ze hem nooit vroeg wat hij precies had uitgevoerd, want dan zou hij haar ook vragen kunnen gaan stellen. Ze zagen elkaar zelden, maar deelden hartstochtelijke momenten. Ed was intelligent en onderhoudend, en hij bekeek de wereld vanuit een fascinerend vertekend perspectief. De meeste weekends was er in het pakhuis wel een feest of iets wat erop leek, en na een week in de harde werkelijkheid van de afdeling Georganiseerde Misdaad bood de kunstzinnige, caleidoscopische wereld waarvan zij parttime lid was geworden een weldadige ontsnappingsmogelijkheid.

Op een zondagochtend lag ze in Bermondsey in bed, met de kranten om zich heen, naar de trage aken en kolenschepen op de Theems te kijken.

'Waar werkte je ook alweer?' zei hij terwijl hij in een kleurenbijlage bladerde.

'Westminster,' zei Liz vaag.

'Waar in Westminster exact?'

'Bij Horseferry Road. Hoezo?'

Hij reikte naar zijn koffie. 'Ik vroeg het me gewoon af.'

'Alsjeblieft,' zei ze gapend, 'ik wil nu niet aan mijn werk denken. Het is weekend.'

137

Hij nam een slok koffie en zette de kop op het kleed. 'Werk je in Horseferry House in Dean Ryle Street, of in Grenadier House aan Horseferry Road?'

'Grenadier House,' zei Liz, plotseling op haar hoede. 'Waarom?'

'Wat is het huisnummer van Grenadier House?'

Ze richtte zich langzaam op en keek hem aan. 'Ed, waarom vraag je dat allemaal?'

'Nou, wat is het nummer? Zeg op.'

'Als je me eerst vertelt waarom je dat wilt weten.'

Hij keek strak voor zich. 'Omdat ik vorige week het informatienummer van Binnenlandse Zaken aan Queen Anne's Gate heb gebeld om een boodschap voor je door te geven. Ik zei dat je bij personeelszaken werkte en kreeg het nummer van Grenadier House. Ik vroeg daar of ik een boodschap voor je kon doorgeven, maar de vrouw die ik aan de lijn had, had duidelijk nog nooit van je gehoord. Ik moest je naam twee keer spellen, en toen dacht ze dat ze me in de wacht had gezet, maar ik hoorde haar met iemand anders praten, en die ander legde uit dat je iemands bestaan nooit bevestigt of ontkent; je laat de beller gewoon een naam en nummer geven. Ik gaf dus mijn naam en nummer door, maar natuurlijk hoorde ik niets van je, dus belde ik nog een keer. Iemand anders vroeg mijn naam en nummer, maar wilde niet zeggen of je er werkte of niet, dus belde ik nog een keer, en toen werd ik met een afdelingshoofd doorverbonden. Hij zei dat mijn eerdere berichten waren doorgegeven en dat de werkneemster in kwestie me ongetwijfeld zou terugbellen wanneer ze eraan toe was. Dus nu vraag ik me af: wat heeft dit in godsnaam te betekenen? Wat verzwijg je voor me, Liz?'

Ze kruiste haar armen strak voor haar borst. Ze had zichzelf goed kwaad gemaakt. 'Luister. Het adres van Grenadier House is Horseferry Road 99. Het is het hoofdkantoor van de afdeling personeelszaken van Binnenlandse Zaken, en die afdeling heeft onder andere de taak ervoor te zorgen dat het overheidspersoneel adequate bescherming krijgt. Dat houdt in dat we zeker stellen dat mensen die beslissingen nemen over immigratie, bijvoorbeeld, of kwesties met betrekking tot gevangenisstraffen, niet telefonisch bedreigd of lastiggevallen kunnen worden door iedere Jan, Piet of Klaas die hun naam heeft opgevangen. Toevallig heb ik de hele vorige week op het kantoor in Croydon gezeten. Ik neem aan dat ik je berichten morgenochtend op mijn bureau zal vinden. Nou tevreden?'

138

Hij had er genoegen mee genomen, min of meer, maar het was een kant van hem die ze niet eerder had gezien, en ze was blij dat ze tijdens de opleiding een rollenspel met vragen en antwoorden hadden gedaan dat sterk leek op het gesprek dat ze net had gevoerd. Toch maakte ze zich geen illusies dat hij het erbij zou laten.

'Het spijt me,' had hij gezegd, 'maar dat aspect van je leven is zo'n... duister gebied. Ik verbeeld me van alles.'

'Wat dan?'

'Laat maar.'

Ze had geglimlacht, en ze hadden ontbeten, en later die dag hadden ze een wandeling over het jaagpad langs het Grand Union Canal gemaakt, van Limehouse Basin over King's Cross naar Regent's Park. Het was een winderige winterdag geweest, zoals vandaag, en de mensen met vliegers hadden zich in groten getale in het park verzameld. Het was de laatste keer geweest dat ze hem zag. Die avond had ze hem een brief gestuurd waarin ze schreef dat ze een ander had en dat ze elkaar niet meer konden ontmoeten.

De weken daarna waren echt verschrikkelijk geweest. Ze had het gevoel dat ze was gevild, dat een hele laag van haar leven, alles wat het kleurig en opwindend maakte, genadeloos was afgestroopt. Ze had zich op haar werk gestort, maar aanvankelijk hadden de onverdroten traagheid en vele frustraties alleen gemaakt dat ze zich nog ellendiger voelde. Ze was met een aantal collega's bezig inlichtingen te verzamelen over een kortgeleden opgericht verbond van misdaadclans uit het zuidoosten. Het verwerken en analyseren van observatieverslagen en afgeluisterde telefoongesprekken was ontmoedigend routineus en er waren tientallen doelwitten.

Liz was degene die uiteindelijk de piepkleine barst in het beschermende pantser van het syndicaat had gevonden die tot de doorbraak leidde. Een chauffeur van een misdaadsyndicaat in het westen van Londen had haar, in ruil voor ontslag van rechtsvervolging, informatie willen geven. Hij was de eerste agent die ze zelf had gerekruteerd, en toen de Special Branch een heel netwerk in Acton had opgerold, compleet met een wapenarsenaal en voor honderdduizenden ponden aan bolletjes crack, had ze een immense voldoening gevoeld. Het verbreken van de relatie met Ed was een foltering geweest, maar ze had geen andere keus gehad.

Op dat punt was de waarheid eindelijk tot haar doorgedrongen. Ze was geen vreemde eend in de bijt, zoals ze wel eens had gedacht, maar de juiste persoon in de juiste baan. De wervers van de Dienst hadden haar beter gekend dan ze zichzelf kende. Ze hadden gezien dat haar kalme, saliegroene blik een onwrikbare vastberadenheid maskeerde. Een hunkering naar de felle, intense concentratie van de jacht.

Het was om die reden, nam ze aan, dat ze mannen koos die weliswaar aantrekkelijk waren, maar uiteindelijk ook afgedankt konden worden. Want als puntje bij paaltje kwam, als de hartstocht die de vonk had doen oplaaien dreigde iets ingewikkelders te worden, iets wat meer van haar vergde, werden ze afgedankt. Keer op keer, en er waren misschien wel vijf van zulke verhoudingen geweest, de ene langer dan de andere, was er de belofte geweest van een betere afloop, maar achteraf gezien was het telkens op hetzelfde neergekomen: ze kon haar onafhankelijkheid niet in het gedrang laten komen om aan de emotionele behoeften van een geliefde te voldoen.

Dat die opeenvolging van verhoudingen ertoe leidde dat ze haar eigen emotionele behoeften moest ontkennen, was iets waarvan ze zich sterk bewust was. Elk afscheid was een amputatie, een haal met het scalpel waar maar één remedie voor was: zich op haar werk storten.

'De video is er,' zei Goss, die plotseling naast haar opdook.

'Dank je.' Ze dwong zichzelf terug naar het heden, naar de wind en de vloed. 'Steve, vertel eens, hoe duidelijk was het dat er videobewaking was bij het Fairmile Café?'

'Helemaal niet duidelijk. De camera hing in een boom. Als je het niet wist, had je hem nooit gezien.'

'Ik dacht dat ze juist moesten afschrikken.'

'Ja, tot op zekere hoogte wel, maar in dit geval was er meer aan de hand. Er was een aantal diefstallen uit vrachtwagens gepleegd, en de cafébazen hadden zo'n idee wie de dader was. Ze wilden vooral bewijs voor een rechtszaak verzamelen.'

'Dus iemand die er even om zich heen keek had niet kunnen zien dat er camera's waren?'

'Nee. Absoluut niet.'

'Dan is het dus een geschikte plek voor een clandestiene afspraak of louche zaakjes.'

'Dat had het geleken als je niet beter wist, ja.' Hij tuurde somber naar de betrekkende lucht. 'Laten we hopen dat we nu eindelijk iets hebben. We moeten de zaak dringend oplossen.'

140

'Laten we het hopen,' zei Liz.

Het was benauwd geworden in het dorpshuis. Er waren asbakken neergezet, er was een waterkoker geïnstalleerd en een heteluchtkanon zoemde zacht onder het podium. Terwijl de agente de video terugspoelde en Liz en Goss een stoel zochten, bleven Whitten en drie rechercheurs in burger opzettelijk rondom het scherm hangen. Er hing een zwakke geur van bij elkaar vloekende aftershaves.

'Kun je dat stukje opzoeken waar Sharon Stone haar benen wijd doet?' vroeg een van de rechercheurs aan de agente. De anderen gniffelden.

'Mocht je willen, vetklep,' repliceerde ze, en ze wendde zich tot Whitten. 'De band is teruggespoeld. Zal ik hem afspelen?'

'Ja, vooruit.'

'Ze hebben het eerste voertuig dat we gisteren op de opnamen zagen eruitgeknipt,' zei Goss zacht tegen Liz. 'Dat was gewoon een vent die zijn wagen wegzette voor de nacht.'

'Oké.'

Het politieteam ging zitten en het beeld vulde zich met een overzichtsshot van het parkeerterrein. De opgewaardeerde versie leek onderbelicht en flakkerde, en Liz kneep onwillekeurig haar ogen dicht tegen het onrustige beeld. Er was in de opnamen gesneden, en de tijdcode lichtte op bij 04.22 uur. Na een minuut hobbelde er een zilverkleurige vrachtauto het beeld in, met lichten die witte strepen trokken. De vrachtwagen keerde ongehaast in de plassen, zodat hij met zijn neus naar de uitgang kwam te staan. Toen werden de koplampen gedoofd.

Het bleef een aantal seconden stil en toen sprong er een lijvige gedaante uit de cabine. Liz, die een bleke veeg van een bovenlichaam zag die Gunters trui zou kunnen zijn, vroeg zich af of hij het was. De gedaante liep naar de achterdeuren en verdween. In de cabine lichtte even iets op, waardoor er iemand achter het stuur zichtbaar werd.

'Hij steekt een sigaret op,' mompelde Goss.

Er klauterden twee gestalten uit de laadbak van de vrachtwagen: de oorspronkelijke inzittende van de cabine en een onherkenbare vlek, mogelijk met een jas of rugzak over zijn schouders. De twee leken even naar elkaar toe te komen en gingen toen uit elkaar. Na een pauze liep de donkerste gestalte in een rechte lijn het kader uit. Er gingen vijfentwintig seconden voorbij, en toen volgde de ander hem.

Het beeld werd zwart en begon weer. Volgens de tijdcode was het nu 04.26 uur. De vrachtwagen stond er nog, maar de cabine was donker. Na een minuut kwam de donkerste gestalte terug uit de richting waar hij naartoe was gelopen en verdween achter de vrachtwagen. Veertig seconden daarna sprongen de lichten van een geparkeerde auto aan, die snel achteruit van zijn parkeerplaats reed. In de auto waren de fletse gestalten van een bestuurder en een passagier zichtbaar, maar de auto zelf was niet meer dan een zwarte, bijna vormeloze veeg, en het was overduidelijk dat het kenteken niet achterhaald kon worden. De auto reed om de truck heen, scheurde naar de uitgang en verdween uit beeld.

Het bleef lang stil.

'Heeft er iemand ideeën?' vroeg Whitten ten slotte.

25

Het in het moerasland gelegen dorpje West Ford, op zo'n vijftig kilometer ten zuidoosten van Marsh Creake en de kust, bood weinig vertier. Er was een uitdeuk- en uitlaatbedrijf, een kleine dorpswinkel met een postagentschap en een café, de Joris en de Draak. Maar jammerlijk weinig, dacht Denzil Parrish, om de fantasie te prikkelen van een seksueel gefrustreerde negentienjarige die veel tijd had. En Denzil zou de komende twee weken tijd te over hebben. De vorige avond was hij teruggekomen uit Newcastle, waar hij studeerde. Hij had overwogen tot kerstavond op de campus te blijven; er waren feesten genoeg en iedereen voorspelde dat het een ruige tijd zou worden. Maar hij had zijn moeder weinig gezien het afgelopen jaar, of eigenlijk sinds ze was hertrouwd, en hij vond dat hij moest proberen wat tijd met haar door te brengen. Hij had dus gedaan wat hem fatsoenlijk leek: zijn rugzak ingepakt en zich in een zo volle trein naar het zuiden geperst dat de conducteur zijn pogingen tussen de mensen door te komen had gestaakt (gelukkig maar, want Denzil had geen kaartje). Na een aantal vertragingen en gemiste overstappen was Denzil in het donker op station Downham Market aangekomen, toen er geen hoop meer was op een bus naar West Ford. Hij had bijna zeven kilometer door de regen gelopen en zijn duim naar elke auto opgestoken voordat er een Amerikaan van een van de luchtmachtbases voor hem was gestopt. Hij had het dorp West Ford gekend en er een biertje met Denzil in de Joris en de Draak gedronken voordat hij zich naar de USAF-basis in Lakenheath had gespoed.

Na zijn vertrek had Denzil in het café om zich heen gekeken. Er was natuurlijk weer geen vrije meid te bekennen, zodat er eigenlijk geen geldige reden was om te blijven drinken, al had hij daar wel zin in. Anderzijds kon hij zijn weinige geld niet verspillen door in zijn eentje te drinken zonder de kans dat het een kennismaking met een vrouw zou opleveren. Door zijn collegegeld en de rest stond hij al duizenden ponden in het rood. Hij had beter in het noorden kunnen blijven, dan had

143

hij nu het bier van een ander gedronken, gratis. En met een beetje geluk had hij er een dartele Schotse deerne bij gekregen. Maar het mocht niet zo zijn, en nadat de warme Volkswagen Passat van de Amerikaan in het verregende duister was verdwenen, was hij naar huis geploeterd, waar alleen een onnozel wicht had gezeten dat zei dat ze de babysitter was. Zijn moeder, had ze uitgelegd zonder haar ogen van de tv af te wenden, was naar een diner dansant. En nee, niemand had iets gezegd over iemand die uit Newcastle zou komen. Denzil had een pizza uit de vriezer opgediept en was bij de babysitter voor de tv gaan zitten. Hij was zo terneergeslagen dat hij het niet eens kon opbrengen een versierpoging te doen.

Vandaag scheen de zon tenminste. Dat was een meevaller. Zijn moeder had zich voor haar afwezigheid bij zijn aankomst verontschuldigd, hem een haastige zoen gegeven en zich naar de keuken gerept om een fles op te warmen. Wat bezielde het mens? vroeg Denzil zich af. Nog een kind krijgen, op haar leeftijd. Dat was toch onwaardig? Ach, wat donderde het ook. Het was haar leven. Haar geld.

Denzil had besloten zijn wetsuit tevoorschijn te halen en wat te gaan kanovaren. Hij had al een paar jaar, sinds de verhuizing naar West Ford eigenlijk, een vaag project in gedachten: het systematisch verkennen van het in elkaar grijpende raster van afwateringskanalen in het gebied. Het was maar tien minuten rijden naar het Methwold Fen-kanaal, dat vele kilometers verlaten maar bevaarbaar water beloofde. Hij zou zelfs zijn visgerei kunnen pakken en zien of hij een snoek kon vangen. Het enige voordeel van de postnatale toestand van zijn moeder was dat ze de auto niet zo vaak meer gebruikte. Hij zou hem uren te leen kunnen krijgen. De afgeleefde oude Honda Accord was niet wat je noemt een meidenlokkertje, maar, zo bepeinsde Denzil pessimistisch, het landelijke Norfolk werd ook niet geteisterd door een overvloed van lekkere meiden.

Dat kwam door de Amerikanen, hoe hartelijk en aardig ze ook waren. Het waren er honderden, voornamelijk jong en vrijgezel, en als ze 's avonds van de basis weg wilden, konden ze alleen maar naar de plaatselijke cafés. West Ford lag vrij ver van de dichtstbijzijnde basis, maar toch zat er meestal een handvol Amerikanen in de Joris, en hoewel het op zich prima was, betekende het wel dat een alleenstaande, verarmde geologiestudent weinig kans had, mocht er een redelijke meid verschijnen.

144

Hij gooide zijn wetsuit achter in de Honda, manoeuvreerde zijn kajak van glasvezel uit de garage en op het autorek en sjorde het met elastiek vast. De kajak was van de vorige eigenaren van het huis geweest, van de dochter om precies te zijn, die er genoeg van had en hem had laten liggen toen het gezin verhuisde. Hij lag al een paar jaar onder het stof en de zwaluwpoep toen Denzil had besloten hem schoon te maken. Hij had hem willen verkopen, maar de proefvaart op het kanaal was hem beter bevallen dan hij had gedacht. Denzil zou het niet tijdens een eerste afspraakje verklappen, maar hij was een verwoed vogelaar, en zijn geluidloze glijtochten tussen de met biezen begroeide oevers van de sloten en kanalen in het moeras hadden hem bevredigend dicht in de buurt gebracht van roerdompen, rietzangers, bruine kiekendieven en andere zeldzame soorten.

Tijdens de rit het dorp uit moest hij remmen achter een tractor met aanhanger die de weg versperde. De bestuurder probeerde de aanhanger met zakken kunstmest achteruit een veld in te rijden, maar door zijn gebrek aan ervaring bleef de aanhanger tegen het hek scharen. Denzil besefte dat het nog wel even kon duren, schakelde de motor uit en leunde berustend achterover in zijn stoel. Al wachtend zag hij een jong stel in outdoorkleding over het veld naar zich toe komen. Ze liepen snel, veel sneller dan de meeste toeristen en dagjesmensen, en hun tred was doelbewust. Die van de vrouw, tenminste. De man, een Arabisch type, was relaxter. Zijn armen zwaaiden losjes heen en weer en hij leek niet zozeer over de drassige, ongelijkmatige grond te lopen als wel erboven te zweven. Denzil had maar één keer eerder iemand zo zien lopen, en dat was de pezige, oude ex-sergeant van de Koninklijke Marine die de klimschool in Snowdon leidde waar hij na zijn einddiploma een jaar had gewerkt.

Denzil keek door het raam naar het stel en vroeg zich afwezig af of het niet van een seksuele afwijking getuigde als je op een vrouw in een dikke jas op bergschoenen viel. Ze glimlachten geen van beiden en wekten niet de indruk met vakantie te zijn. Misschien waren het van die lui met prestatiedrang uit de City waar je wel eens over hoorde. Mensen die zich nooit echt konden ontspannen en het, zelfs als ze hun werk achter zich lieten en zelfs hier, in het drassige East-Anglia, nodig vonden zich aan inspannende, competitieve bezigheden over te geven.

Van dichtbij zag hij dat de vrouw heel aantrekkelijk was, op een nuchtere, onopgemaakte manier. Het enige wat eraan ontbrak, was

145

een glimlach. Het antwoord op de vraag van de afwijking was, vermoedde hij, dat er niets aan de hand was, tenzij je alleen opgewonden kon worden van een vrouw als je haar eerst regenkleding aantrok. Dan zat je in de nesten.

De auto achter hem claxonneerde en Denzil zag dat de bestuurder van de tractor er eindelijk in was geslaagd de aanhanger door het hek te krijgen en dat de weg vrij was. Denzil startte, schoof in een wolk van uitlaatgassen en onbenoemde erotische fantasieën naar voren en was het stel in outdoorkleding prompt vergeten.

26

'En, vertel,' zei Liz toen ze weer met Goss in de gelagkamer van de Trafalgar zat.

Goss dacht na. 'Wat de aanwijzingen op de videoband betreft, tasten we volgens mij nog steeds in het duister. Ik denk dat Ray Gunter een van de twee mensen in de cabine van de vrachtwagen was, en ik denk dat hij degene die achterin zat is gevolgd naar het toiletgebouw en daar is doodgeschoten. De vraag is: wie zat er achterin? Ik weet dat Don Whitten denkt dat het een mensensmokkeloperatie is en dat degene die Gunter uit de laadruimte heeft gelaten deel uitmaakte van de lading, maar er is geen greintje bewijs voor die theorie. Er reizen zoveel mensen achter in vrachtwagens, en de meeste mensensmokkelaars brengen hun vracht naar een grote stad; ze zetten iemand niet af bij een landelijk wegcafé waar hij door iemand in een sedan wordt afgehaald.'

'Volgens mij was het een vijfdeurs,' zei Liz. Ze voelde zich een beetje schuldig omdat ze de functionaris van de Special Branch onwetend hield van 'Mitch', Peregrine Lakeby en de telefoontjes van Zander, maar tot ze Frankie Ferris had gesproken, wat die avond zou gebeuren, leek het haar niet zinvol hem te vertellen wat ze had ontdekt. Wat er was gebeurd, wist ze nu zogoed als zeker, was dat een bescheiden mensensmokkeloperatie van Melvin Eastman was overgenomen om een bepaald iemand ongezien het Verenigd Koninkrijk in te krijgen. Iemand voor wie het, om wat voor reden dan ook, te gevaarlijk was om op een vals paspoort te reizen. Eastmans tirade over 'Pakistanen' en 'voddenbalen' gaf aan dat die persoon heel goed een islamiet zou kunnen zijn, en daarvan uitgaande duidde het gebruik van het PSS-pistool op een speciaal bewapend persoon. Het was zorgwekkend, hoe je het ook bekeek.

'Twee schelvis met patat,' zei Cherisse Hogan vrolijk. Ze zette grote ovale borden voor hen neer en kwam even later terug met een schaal vol portieverpakkingen sausjes.

'Ik haat die krengen,' zei Goss, die met zijn grote vingers probeerde

147

een zakje open te scheuren tot het min of meer in zijn hand ontplofte. Liz zag het even zwijgend aan, pakte een schaar uit haar tas, knipte een zakje tartaarsaus open en kneep het leeg op de rand van haar bord.

'Niets zeggen,' waarschuwde Goss, zijn vingers afvegend. 'Wie niet sterk is, moet slim zijn.'

'Ik zou niet durven,' zei Liz, en ze reikte hem de schaar aan.

Ze aten in een gemoedelijke stilte. 'Beter dan de kantine in Norwich,' zei Goss na een paar minuten. 'Hoe is jouw vis?'

'Lekker,' zei Liz. 'Ik zat me alleen af te vragen of het er een van Ray Gunter was.'

'In dat geval heeft hij zijn wraak gekregen,' zei een bekende stem.

Ze keek op. Bruno Mackay stond met zijn autosleutels in zijn hand naast haar stoel. Hij droeg een bruinleren jas en er hing een tas met een laptop erin over zijn schouder.

'Liz,' zei hij met uitgestoken hand.

Ze nam de hand aan en glimlachte krampachtig. Betekende zijn komst wat ze dacht? Ze wierp iets te laat een blik op Goss, die in een afwachtende houding was verstijfd.

'Eh... Bruno Mackay,' zei ze, 'dit is Steve Goss. Van de Special Branch in Norfolk.'

Goss knikte, legde zijn vork neer en stak argwanend zijn hand uit.

Bruno gaf hem een hand. 'Ze hebben me gevraagd hierheen te komen om de spanning te delen,' verklaarde hij met een brede glimlach. 'Om de helpende hand te bieden.'

Liz glimlachte gekunsteld terug. 'Nou, de spanning is nog niet ondraaglijk, zoals je ziet. Heb je al gegeten?'

'Nee, ik ben uitgehongerd. Ik denk dat ik maar eens een woordje ga wisselen met die verrukkelijke dame daar. Zou je...' Hij liet bezitterig zijn sleutels op tafel vallen en beende naar de bar, waar hij al snel in een intiem menugesprek met Cherisse verwikkeld raakte.

'Iets zegt me dat je je gepasseerd voelt,' zei Goss zacht.

Liz wiste de emoties van haar gezicht. 'Nee, ik had gewoon mijn telefoon niet aan. Kennelijk heb ik het bericht dat hij op weg was gemist.'

'Jullie nog iets?' riep Bruno monter vanaf de bar.

Liz en Goss schudden allebei hun hoofd. Cherisses ogen straalden, merkte Liz geërgerd op, en Mackay leek zich op een kwajongensachtige manier op zijn gemak te voelen.

148

'Nogal een persoonlijkheid, hè, die maat van jou?' zei Goss droog.
'Inderdaad,' beaamde Liz.

De rest van de maaltijd verliep bijzonder gespannen. Er waren te veel meeluisteraars aan nabije tafels, dus konden ze de zaak niet bespreken. In plaats daarvan hoorde Mackay Goss uit over de vele genoegens die de streek bood. Alsof hij bij de plaatselijke vvv werkt, dacht Liz.

'Dus gesteld dat ik een weekendhuisje wil, waar zou ik dat dan volgens jou het best kunnen kopen?' vroeg Mackay terwijl hij de creditcard opborg waarmee hij zojuist, met een onbezorgde achteloosheid, de rekening voor hen drieën had betaald.

Goss keek hem effen aan. 'Burnham Market, misschien?' opperde hij. 'Het is erg geliefd bij de Range Rover-types.'

'Au.' Mackay lachte zijn onnatuurlijk witte tanden bloot. 'Die is raak.' Hij stond op en pakte zijn sleutels. 'Liz, zou ik je een uur of twee van Steve mogen afpakken? Zodat je me op de hoogte kunt brengen?'

'Ik moet om twee uur weer in Norwich zijn,' zei Goss, 'dus ik moet sowieso gaan.' Hij gaf Liz een zweem van een knipoog en stak zijn hand op naar Mackay. 'Bedankt voor de lunch. Volgende keer ben ik aan de beurt.'

'Tot kijk,' zei Mackay.

'Wil je me even excuseren?' prevelde Liz tegen Mackay toen Goss weg was. 'Ik kom zo terug.'

Ze belde Wetherby vanuit de cel buiten aan zee. Hij nam vrijwel meteen op en sprak vermoeid.

'Nee, hè?' zei ze.

'Het spijt me,' antwoordde hij. 'Je moet Mackay op sleeptouw nemen. Ik heb er niets over te zeggen.'

'Fane?'

'Precies. Hij wil zijn man daar hebben. Hij staat er zelfs op, en hij heeft het volste recht.'

'Moet ik alles vertellen? Alle informatie met hem delen?'

Een bijna onmerkbaar korte aarzeling. 'Dat was de afspraak tussen onze diensten.'

'Juist.'

'Zet hem aan het werk,' adviseerde Wetherby. 'Laat hem de kost verdienen.'

'Dat zal ik zeker doen. Blijft hij tot het eind?'

149

'Zolang het nodig is. Hij legt rechtstreeks verantwoording af aan Fane, net zoals jij aan mij.'

'Begrepen. Ik heb vanavond een afspraak met Zander waar ik veel van verwacht. Ik bel je daarna.'

'Doe dat. En neem onze gezamenlijke vriend mee.'

De verbinding werd verbroken en Liz staarde nog even naar de hoorn in haar hand. Het was gebruikelijk dat er maar één iemand naar een afspraak met een agent ging. Schouderophalend hing ze de hoorn terug. Strikt genomen was Zander niet langer haar agent, maar viel hij onder de Special Branch. En als ze tussen de regels door las, als ze niet op de woorden lette, maar op de stiltes, begreep ze dat Wetherby wilde dat ze haar eigen spel bleef spelen, ongeacht de afgesproken regels. Ook maakte ze zich geen illusies dat Mackay alles wat zijn dienst en hij wisten aan haar zou doorgeven. Hij zou net zogoed zijn eigen spel spelen. Om die reden was het verstandig als zijzelf het initiatief nam om gegevens uit te wisselen.

'Mijn kamer heet Victory,' zei Mackay grinnikend toen ze weer in de gelagkamer was. 'Dat wilde ik je even vertellen!'

'Fascinerend. Dus je hebt al gereserveerd?'

'Nou en of. Bij de verrukkelijke dame.'

'Plaag haar alsjeblieft niet,' zei Liz. 'Ze zou bruikbare informatie voor ons kunnen hebben, en ik wil haar graag beschikbaar houden.'

'Wees maar niet bang, ik zal haar niet afschrikken. Ik heb zelfs het gevoel dat het me niet eens zou lukken.'

'O, is ze al voor je gevallen?'

'Zo bedoelde ik het niet. Ik bedoelde dat ze niet de indruk wekt dat ze zich snel laat afschrikken.'

'O, op die manier. Wat wil je doen terwijl ik je op de hoogte breng, wandelen of boven gaan zitten? Zeebries of gashaard, met andere woorden.'

'Laten we maar gaan wandelen. Ik ben bang dat dat frituurvet al vaker was gebruikt. Ik kan wel wat frisse lucht gebruiken.'

Ze liepen naar Creake Manor in het oosten, waar Liz hem vertelde over haar eerste verkenning van het dorp en haar inschatting van de zeilvereniging. Voorbij de Manor keerden ze om en drentelden terug naar Headland Hall, dat Mackay geïnteresseerd bekeek.

Liz vertelde hem alles. Over de telefoontjes van Zander. De conclusies die ze uit de pantserdoorborende munitie had getrokken. Haar ge-

150

sprekken met Cherisse Hogan en Lakeby. De aan zekerheid grenzende waarschijnlijkheid dat de man die bij Ray Gunter in de cabine had gezeten 'Mitch' was. Haar hoop dat Mitch een handlanger van Melvin Eastman was, en dat Zander haar zou kunnen helpen hem te identificeren.

'En als het je lukt die Mitch te identificeren?' vroeg Mackay.

'Dan mag de politie hem aanhouden,' zei Liz.

Mackay tuitte zijn lippen en knikte peinzend. 'Je hebt goed werk gedaan,' zei hij zonder enige neerbuigendheid. 'Hoe zit het met Lakeby? Laat je die ook van zijn bed lichten?'

'Dat heeft weinig nut, lijkt me. Hij is maar één van de connecties met Mitch. Wanneer we Mitch eenmaal aan de praat hebben, hebben we Peregrine Lakeby niet meer nodig.'

'Denk je dat hij wist wat er op dat strand van hem gebeurde?'

'Niet echt. Ik denk dat hij liever het geld aannam zonder er verder over na te denken. Hij verschool zich achter het idee dat het eerlijke smokkelaars waren die een paar dozen drank en sigaretten aan land brachten. Hij mag dan een snob en een tiran zijn, ik geloof niet dat hij een verrader is. Ik denk dat hij er gewoon achter is gekomen dat als je eenmaal begint met geld van boeven aan te nemen, er geen weg terug meer is.'

'Wat voor snoep vind jij lekker?' vroeg Mackay vijf passen later.

'Snoep?'

Mackay grinnikte. 'Je kunt niet langs een Engelse kust lopen zonder een papieren zak met felgekleurde zoetigheid. Liefst met een plastic schep in de zak gestopt.'

'Is dat officieel MI6-beleid?'

'Absoluut. Kom, we gaan kijken wat de dorpswinkel te bieden heeft.'

In de kleine winkel zat een vrouw in een blauwe nylonoverall exemplaren van de *Sun* en de *Daily Express* te vouwen. Er waren plastic speelgoed, breipatronen en planken vol stoffige snoepflessen.

'Salmiakballen!' hoorde Liz Mackay met een eerbiedige verbazing uitroepen. 'Die heb ik niet meer gezien sinds... En hartjes!'

'Ik doe niet mee,' zei Liz. 'Ik heb genoeg aan die vis met patat.'

'Doe niet zo flauw,' zei Mackay. 'Laat me je dan tenminste een dropveter geven. Daar krijg je een zwarte tong van.'

Liz schoot in de lach. 'Jij weet echt hoe je een vrouw verovert, hè?'

'Een speen?'

'Nee!'

151

Uiteindelijk kocht hij een zak salmiakballen. 'Op school,' zei hij, toen de winkelbel achter hen rinkelde, 'haalde ik het poeder eruit en verkocht dat voor vijf pond per lijntje. Geen mooier schouwspel dan een groepje rijke kostschooljongens die salmiak snuiven en zichzelf dan proberen wijs te maken dat ze nog nooit zo'n kick hebben gehad.' Hij hield Liz de zak voor. 'Waarvoor is onze man volgens jou gekomen?'

'Onze man?'

'Onze schutter. Waarom heeft hij volgens jou zoveel moeite gedaan om juist hierheen te komen?'

Ze had het de vorige avond met Wetherby besproken, maar ze hadden geen conclusies getrokken. 'Iets sensationeels misschien?' gokte ze. 'Er zijn Amerikaanse luchtmachtbases bij Marwell, Mildenhall en Lakenheath, maar die zijn altijd in staat van paraatheid en zouden een heel moeilijk doelwit vormen voor iemand die alleen opereert of zelfs voor een groepje. Dan hebben we nog de kerncentrale bij Sizewell, denk ik, en Ely Cathedral en andere openbare gebouwen, maar ook die vormen geen gemakkelijk doelwit. Ik acht een aanslag op iemands leven waarschijnlijker: de voorzitter van het Hogerhuis heeft een woning in Aldeburgh, de minister van Financiën heeft een huis in Thorpeness en het hoofd van het departement Handel en Industrie woont in Sheringham... Geen kopstukken, internationaal gezien, maar je zou de voorpagina's zeker halen als je erin slaagde een van die mensen te vermoorden.'

'Zijn hun mensen gewaarschuwd?' vroeg Mackay.

'In algemene bewoordingen, ja. Ze hebben te horen gekregen dat ze hun beveiliging moeten aanscherpen.'

'En de koningin zal de kerstdagen wel weer op Sandringham doorbrengen.'

'Ja, maar ook daar geldt dat je heel knap zou moeten zijn om er met een wapen in de buurt te komen. De beveiliging is ondoordringbaar.'

Mackay stopte een salmiakbal in zijn mond.

'Laten we maar eens teruggaan, zien wat de werkmieren boven water hebben gekregen. Hoe laat wil jij naar Braintree gaan?'

'Uiterlijk om vijf uur?'

'Goed. We gaan terug naar de Trafalgar, bestellen een pot koffie bij de lieftallige Cherisse, vouwen wat stafkaarten uit en proberen ons in die man in te leven.'

27

'Dit is een vreemd land,' zei Faraj Mansoor terwijl hij het volle magazijn van de PSS in zijn hand liet vallen en het behoedzaam op tafel legde. 'Het is heel anders dan ik me had voorgesteld.'

De vrouw die de naam Lucy Wharmby gebruikte, zat met snelle, efficiënte halen van het mes aardappelen te schillen, zodat de slierten schil klam over haar linkerhand krulden. 'Het is niet overal zo,' zei ze. 'Het is niet overal zo kaal en naargeestig...'

Hij wachtte tot ze haar zin afmaakte. Buiten wierp de zon zijn bleke schijnsel nog over de zee, maar de wind zwiepte de koppen van de golven op tot een fijne mist.

'Ik denk dat het land de mensen maakt,' zei hij uiteindelijk. Hij controleerde het mechanisme van de PSS en klikte het magazijn terug. 'En ik denk de Britten beter te begrijpen nu ik hun land heb gezien.'

'Het is een koud land,' zei ze. 'Als kind zat ik in een kille flat met dunne muren naar het geruzie van mijn ouders te luisteren.'

Hij stak het wapen weg en trok zijn riem aan. 'Waarover hadden ze ruzie?'

'Dat begreep ik destijds niet. Mijn vader was universitair docent in Keele. Het was een goede baan voor hem, en ik denk dat hij wilde dat mijn moeder meer betrokkenheid bij het academische leven toonde.'

'En dat wilde ze niet?'

'Ze had nooit uit Londen weg gewild. Ze vond het er niet leuk en deed geen enkele moeite om mensen te leren kennen. Uiteindelijk moest ze in behandeling voor een depressie.'

Faraj fronste zijn voorhoofd. 'Waar geloofde ze in?'

'Ze geloofde in... boeken en films, vakanties in Italië en vrienden te eten vragen.'

'En je vader? Waar geloofde hij in?'

'In zichzelf. Hij geloofde in zijn carrière, het belang van zijn werk en de waardering van zijn collega's.' Ze pakte een keukenmes en begon de aardappelen met korte, boze bewegingen in vieren te snijden. 'Later, toen de depressie van mijn moeder ernstige vormen begon aan te nemen, geloofde hij dat hij het recht had om met zijn studenten te slapen.'

Faraj keek op. 'Wist je moeder ervan?'

'Ze kwam er snel genoeg achter. Ze was niet gek.'

'En jij? Wist jij het?'

'Ik vermoedde het. Ze stuurden me naar een school in Wales.' Ze veegde met de rug van haar hand het haar uit haar ogen. 'Dat is een heel andere omgeving dan hier. Er zijn heuvels, en er zijn er een paar bij die je zelfs bergen zou kunnen nemen.'

Hij keek haar met zijn hoofd schuin aan. 'Je glimlacht. Het is voor het eerst dat ik je zie lachen.'

De glimlach en de hand met het mes verstarden.

'Was je daar gelukkig? Op de school in de heuvels die bijna bergen waren?'

Ze haalde haar schouders op. 'Ik denk het wel. Zo had ik er nog nooit over nagedacht.'

Er kwam ongevraagd een herinnering boven, een die ze al jaren niet meer bewust had gezocht. Haar vriendin Megan had de hallucinerende paddestoelen in het dennenbos achter de school ontdekt. Het waren er honderden, in kluitjes bijeen op het rottende hout op de met dennennaalden bedekte bosgrond. Megan, die op haar vijftiende al een geducht biochemicus was, met name als het om harddrugs ging, had ze direct herkend.

De dag daarna hadden de vriendinnen zich afgemeld voor de lessen om een tocht door de natuur te maken, wat de school niet alleen goed vond maar zelfs aanmoedigde. Gewapend met een lunchtrommeltje en een fles verdund sinaasappelsap hadden ze zich naar het bos gespoed, allebei een stuk of vijf paddestoelen naar binnen gewerkt, een grondzeil uitgespreid en het zich gemakkelijk gemaakt in afwachting van de effecten van de psychotrope gifstoffen in de paddo's.

Er was minstens een halfuur helemaal niets gebeurd, maar toen was ze angstig en misselijk tegelijk geworden. De macht over haar reacties leek haar te ontglippen; haar armen, benen en draaiende maag waren niet langer van haar. Toen was de angst plotseling gezakt en leek ze in de ervaringen te verdrinken. De geluiden van het bos, tot dan toe een nauwelijks hoorbaar samenspel van ver verwijderd vogelgezang, krakende takken en zoemende insecten, werden tot een bijna ondraaglijke intensiteit versterkt. Tegelijkertijd werd het gedempte licht dat verspreid door de dennentakken viel een schare speren in regenboog-kleuren. Haar neus, keel en longen leken zich te vullen met de scher-pe, naar terpentine ruikende dennenhars. Na een poosje – minuten, misschien, maar het konden ook uren zijn – begonnen die verhevigde waarnemingen een subliem soort bouwwerk te vormen. Ze leek door een immens, zich continu ontwikkelend panorama van met wolken bedekte torentempels, hangende tuinen en duizelingwekkende zuilen-galerijen te dwalen. Ze leek zowel in zichzelf als buiten zichzelf te leven, als een toeschouwer van haar eigen voortgang door dit vreem-de, exotische rijk. Daarna, toen het visioen langzaam oploste, had ze zich diep neerslachtig gevoeld, en toen ze haar ervaring die avond met Megan wilde bespreken, had ze de juiste woorden niet kunnen vinden.

Diep in haar hart had ze echter geweten dat de beelden die ze had gezien niet willekeurig waren, maar voorbeschikt. Het was een teken geweest, een voorproefje van het hemelse. Het had haar bevestigd in haar pad, en in haar vastberadenheid.

'Ja,' zei ze nu, 'ik was er gelukkig.'

'En hoe liep het af?' vroeg hij. 'Het verhaal van je ouders?'

'Met een scheiding. Het gezin viel uit elkaar. Niets bijzonders.' Ze tilde het lemmet van het mes met twee vingers op en liet het vallen, zodat de punt in de natte snijplank bleef steken. 'En jouw ouders?'

Faraj liep door de kamer, pakte een van de goedkope glazen van de tafel, keek er afwezig naar en zette het terug. Toen, alsof hij de wester-se cultuur aflegde die hij had overgenomen met de kleren die ze voor hem had gekocht, zakte hij op zijn hurken.

'Mijn ouders waren Tajiks uit Dushanbe. Mijn vader was strijder, een luitenant van Ahmed Shah Massoud.'

'De leeuw van Panshir.'

'Juist. Moge hij eeuwig leven. Als jongeman was mijn vader leraar geweest. Hij sprak Frans en een mondje Engels, dat hij had geleerd van de Britse en Amerikaanse soldaten die tegen de mujaheddin kwamen vechten. Ik ging naar een goede school in Dushanbe en toen, op mijn veertiende, verhuisden we met Massoud mee naar Afghanistan en ging ik naar een Engelstalige school in Kabul. Mijn vader hoopte dat ik een beter leven zou krijgen dan hij, de ouders van mijn moeder hadden wat geld en ze zagen een opleiding allebei als een middel voor mij om hogerop te komen. Hun ideaal was dat ik een bestuurlijke functie bij de overheid zou krijgen.'

155

'En toen?'

'In 1996 kwamen de Taliban. Ze hadden geld van de Verenigde Staten en Saudi-Arabië, en ze belegerden Kabul. We slaagden erin 's nachts aan het bombardement te ontkomen, en mijn vader ging naar het noorden om zich weer bij Massoud te voegen. Ik wilde met hem mee, maar hij stuurde me met mijn moeder en mijn zusje mee naar het zuiden, naar het grensgebied. We hoopten vandaar uit Pakistan binnen te komen om helemaal van de Taliban af te zijn, maar veel anderen hadden hetzelfde plan, en na maanden zwerven vestigden we ons uiteindelijk samen met andere Tajiks en Pathans die tegen de Taliban waren in Daranj, een dorp ten oosten van Kandahar.'

'Wat deden jullie daar?'

'Van een ontsnapping dromen. Van een beter leven in Pakistan.'

Hij zweeg en leek in gemijmer op te gaan. Zijn ogen waren open, maar leken niets te zien. Toen leek hij zichzelf wakker te schudden. 'Uiteindelijk werd duidelijk dat we de grens nooit legaal zouden kunnen oversteken. We hadden er wel door kunnen komen, want er waren gidsen die je tegen beloning door de bergen loodsten, maar we wilden geen statenloze vluchtelingen worden. Daar vonden we onszelf te goed voor.

Na een aantal jaren onafgebroken in de oorlog te hebben gevochten, kwam mijn vader terug. Hij was gewond geraakt en kon niet meer vechten. Maar hij had ook iemand bij zich. Een man die zich door mijn vader had laten overhalen mij mee te nemen de grens over naar Pakistan. Een invloedrijke man die me zou inschrijven bij een *madrassah*, een islamitische hogeschool, in Peshawar.'

'En is het zo gegaan?'

'Zo is het gegaan. Ik nam afscheid van mijn ouders en mijn zusje, stak met die man de grens bij Chaman over en trok met hem naar het noorden. Na een week kwamen we in Mardan, ten noordoosten van Peshawar, en daar werd ik naar de madrassah gebracht. Net als aan de grens werd ik onvoorwaardelijk toegelaten.'

'Wie was die man? Die man met zoveel invloed?'

Hij glimlachte en schudde zijn hoofd. 'Zoveel vragen, zo weinig tijd. Wat had jij met je leven gedaan als het anders was gelopen?'

'Het is nooit anders gelopen,' antwoordde ze. 'Voor mij is er nooit een andere weg geweest.'

28

Liz stond erop dat Mackay met haar meereed. De ontmoeting met Zander was haar operatie, en ze wilde dat Mackay besefte dat hij een passagier was, dat hij alleen werd gedoogd.

Mackay, die voelde dat ze het meende, maakte geen bezwaar, maar voegde zich nadrukkelijk naar haar wensen en ging zelfs zover haar te vragen of zijn kleding ermee door kon. Ze vond van wel. Het was niet zijn kleding op zich die de aandacht zou trekken, al waren het bruine leren jack en de broek van zichtbaar goede kwaliteit; het ging om de kleren in combinatie met de persoonlijkheid. Hij was zo iemand die er in een volle kamer meteen uitsprong. Hij was een opvallende verschijning.

In Pakistan was een Europeaan een Europeaan, vermoedde Liz, en per definitie anders. In Essex daarentegen bestonden er oneindig veel subtiele verschillen in de manier waarop iemand zich presenteerde. Liz, die haar werkgarderobe had meegebracht, had haar leren jack en spijkerbroek aangetrokken. Vooral het jack zag er goedkoop en ouderwets uit. Alleenstaande moeder die boodschappen doet. Vleugje makeup, sluik haar, boze blik. Onzichtbaar in elke winkelstraat.

Al snel naderden ze het stadje Swaffham. Liz reed voorzichtig en hield zich nauwgezet aan de maximumsnelheid.

'Leg nog eens uit waarom die Zander zich zo voor je zou willen uitsloven,' zei Mackay terwijl hij achter zich reikte om zijn neksteun te verstellen. 'Wat heeft hij te winnen, afgezien van jouw goedkeuring?'

'Vind je dat niet genoeg?'

Hij glimlachte quasi-zielig. 'Tja, die zul je wel niet zo snel verdienen; ik zit er in elk geval naar te snakken. Maar afgezien daarvan?'

'Ik ben zijn verzekeringspolis. Hij weet dat als hij me iets goeds levert, ik mijn best voor hem zal doen als de narcoticabrigade of de recherche hem voor het een of ander komt arresteren. Daarom wilde hij niet met Bob Morrison praten. Morrison is zo'n onvermurwbare Special Branch-man die de Zanders van deze wereld per definitie veracht, en dat weet Zander.'

'Is dat niet een beetje kortzichtig van Morrison?'

'Tja, het is een standpunt, neem ik aan. Ik vermoed dat de politie Melvin Eastman vroeg of laat gaat oppakken, en als ze een goede zaak willen hebben, moeten ze iemand als Zander hebben die tegen hem wil getuigen.'

'Ik maak uit je woorden op dat Eastman daar niet blij mee zou zijn. Hij zou een contract op Zanders hoofd zetten, en dat moet Zander weten.'

'Dat weet hij beslist. Maar als hij me vertrouwt, en ik ben altijd eerlijk tegen hem geweest, kan ik hem misschien toch overhalen te getuigen.'

Ze waren om tien voor halfacht in Braintree en volgden de borden naar het station.

'Kunnen we nog eens doornemen hoe je dit wilt spelen?' vroeg Mackay.

'Ja, hoor. Hij verwacht alleen mij op de bovenste verdieping van de parkeertoren, dus ik zet jou buiten af, op een paar minuten lopen. Ik rijd naar de bovenste verdieping en parkeer daar; jij volgt te voet, stelt je bij het trappenhuis op en houdt de binnenkomende auto's in de gaten. Zodra ik Zander zie, bel ik je op om zijn auto te beschrijven. Zodra jij zeker weet dat hij niet is gevolgd, bel je me terug en dan ga ik naar hem toe.'

Mackay knikte. Het was de standaardprocedure. Frankie Ferris was van nature waakzaam, maar het zou kunnen, gezien de gebeurtenissen van de afgelopen dagen, dat Eastman hem liet volgen.

Liz stopte langs de weg voor het station. Ze zetten hun mobieltjes op de trilfunctie en voerden elkaars nummer in. Toen ritste Mackay zijn jack dicht en gleed de schaduw in, terwijl Liz naar de bovenste verdieping van de parkeertoren reed.

In de loop van het halve uur dat ze daar zat te wachten, reden er drie auto's weg van de bovenste verdieping. Er kwamen nieuwe auto's binnen, maar die parkeerden allemaal op de halflege lagere verdiepingen. Om vijf voor acht klom er ten slotte een zilverkleurige Nissan Almira naar boven, en Liz herkende Frankie Ferris' bleke gezicht achter het stuur. Ze drukte gehaast de sneltoets in.

'Geef me nog een paar minuten,' klonk Mackays gedempte stem. Frankie zette zijn auto in de hoek het verst bij haar vandaan en ze zag hem op zijn horloge kijken voordat hij de motor en de verlichting van de Nissan uitschakelde.

158

Om drie over acht trilde haar mobieltje.

'Hij is gevolgd,' zei Mackay.

'Dan stop ik,' zei Liz prompt. 'Ik zie je over vijf minuten buiten.'

'Waarom? Zet de afspraak maar gewoon door.'

'Nee, er is gevaar. Maak dat je wegkomt.'

'Zanders achtervolger zit met een probleem. Hij zit klem in het trappenhuis. Zet de afspraak door.'

'Wat heb je gedaan?' siste Liz.

'De situatie veilig gesteld. Kom op. Je hebt drie minuten.' Hij verbrak de verbinding.

Liz keek om zich heen. Er was geen teken van leven te bekennen. Vol angstige voorgevoelens stapte ze uit de Audi en liep over de betonnen vloer. Toen ze vlak bij de zilverkleurige Nissan was, gleed het raampje aan de bestuurderskant naar beneden. Frankie zat mager en bang in het luxueuze interieur van de auto.

'Pak aan,' zei hij beverig, ' en doe alsof je me betaalt.' Hij gaf haar een papieren zakje en Liz tastte in haar zak en deed alsof ze hem geld gaf.

'Mitch,' zei ze gejaagd. 'Vertel.'

'Kieran Mitchell. Chauffeur, ritselaar, krachtpatser, je zegt het maar. Hij heeft een groot huis buiten Chelmsford in zo'n beveiligde wijk.'

'Werkt hij voor Eastman?'

'Nee, mét hem. Hij heeft zijn eigen mensen.'

'Ken je hem?'

'Van gezicht. Hij drinkt met Eastman. Een gemene lelijkerd. Met witte varkenswimpers.'

'Nog meer?'

'Ja, hij heeft een blaffer. En ga nu weg, alsjeblieft.'

Liz liep snel terug naar de auto en reed naar de hellingbaan. Een verdieping lager pikte ze Mackay op, die tegen een reling geleund stond. 'Wat is er in godsnaam aan de hand?' vroeg ze kwaad.

Hij sprong op de stoel naast haar. 'Heb je Mitch geïdentificeerd?'

'Ja.' Ze draaide uit alle macht aan het stuur om de spiraal naar beneden te maken. 'Maar wat heb jij verdomme gedaan?'

'Zander werd gevolgd. Eastman vermoedt duidelijk dat er iets gaande is. De achtervolger parkeerde hier. Hij kwam ongeveer een minuut nadat jouw man boven was gekomen.'

'Hoe weet je dat het een achtervolger was?'

'Ik ben hem naar het trappenhuis gevolgd en hij ging naar boven in plaats van naar beneden. Ik heb hem dus weggeflitst.'

Ze remde met kracht en de banden van de Audi gierden op de hellingbaan. 'Hoe bedoel je, weggeflitst?'

Mackay haalde een smal, zwart plastic kastje uit zijn zak. Het leek op een mobiele telefoon. 'De Oregon Industries C6 stun-gun, ook wel de kleine vriend genoemd. Jaagt zeshonderdduizend volt regelrecht het centrale zenuwstelsel in. Gevolg: doelwit drie tot zes minuten uitgeschakeld, afhankelijk van zijn gestel. Ideaal voor celontruiming, aanhoudingen met verzet of het in bedwang houden van gewelddadige gestoorden.'

'En streng verboden in het Verenigd Koninkrijk,' repliceerde Liz woest.

'Op dit moment doet Scotland Yard er proeven mee, maar laten we niet moeilijk doen. Waar het om gaat, is dat stun-guns gangbare criminele accessoires zijn, en daarom heb ik onze man van zijn horloge en portefeuille ontdaan. Ik denk niet dat hij zijn beklag zal doen. Hij zou vrij stom overkomen als hij Eastman bekende dat hij zijn werk niet had gedaan omdat hij in een trappenhuis was beroofd.'

'Dat hoop je.'

'Hoor eens, Zander is verlinkt,' zei Mackay. 'Het feit dat hij werd gevolgd, zegt genoeg. Het ging erom Mitch te identificeren. We hadden zeker geen tweede kans gekregen. Ik stel voor dat we nu maken dat we wegkomen, voordat onze slaper weer bijkomt.'

Liz gaf opzettelijk een dot gas die de Audi naar voren liet springen. 'Als jij een burger hebt geëlektrocuteerd...'

'Als dat zo is, komt het wel weer goed,' zei Mackay. 'Die dingen richten absoluut geen blijvende schade aan. De politie van Los Angeles heeft ze getest. Ik geef toe dat dat niet de hoogst ontwikkelde levensvorm is, maar...'

'En wat wil je doen met dat horloge en die portefeuille die je hebt gejat?'

'De eigenaar natrekken en zien of hij voor Eastman werkt,' zei Mackay. 'En als je wilt, kunnen we ze terugsturen met een anoniem briefje erbij dat we ze in de parkeertoren hebben gevonden. Hoe lijkt je dat?'

Ze bleef strak voor zich kijken.

'Hoor eens, Liz, ik weet dat je de pest in hebt omdat ik ook op deze

160

zaak ben gezet, zeker nadat jij al het basiswerk al had gedaan. Daar kan ik echt inkomen, maar uiteindelijk willen we allebei hetzelfde, en dat is die klootzak pakken voordat hij meer mensen vermoordt, ja toch?'

Ze haalde diep adem. 'Even voor de duidelijkheid,' zei ze ten slotte. 'Als wij gaan samenwerken, wil ik nu de basisregels vaststellen, en de eerste is dat we ons aan de voorgeschreven procedures houden. Geen dingen op eigen houtje doen, geen verboden wapentuig. Je hebt het leven van mijn agent daarnet op het spel gezet, en daarmee de hele operatie.'

Mackay wilde iets zeggen, maar ze praatte door hem heen. 'Als deze zaak met een arrestatie eindigt, maar wij buiten ons boekje zijn gegaan, zal de advocaat van de beklaagde zijn lol niet op kunnen. We zijn hier in het Verenigd Koninkrijk en niet in Islamabad, begrepen?'

Hij schokschouderde. 'Zander is er hoe dan ook geweest, dat weet je.' Hij keek haar aan. 'Je denkt dat Bob Morrison zich door Eastman laat omkopen, hè?'

'O, dat heb je dus ook uitgeknobbeld.'

'Ik vroeg me af waarom je erop stond Mitch door Zander te laten identificeren, terwijl je het veel gemakkelijker aan de Special Branch in Essex had kunnen vragen. Maar je was bang dat Morrison Eastman zou waarschuwen en dat Mitch zou vluchten.'

'Ik dacht dat er een kleine kans was,' gaf Liz toe. 'Een kans van minder dan een procent. Ik heb geen enkel bewijs tegen Morrison, helemaal niets. Ik ga zuiver op mijn intuïtie af.'

'Mag ik in de toekomst ook van jouw intuïtie profiteren?'

'Zullen we maar zien hoe het loopt?' Liz haalde een hand van het stuur, pakte het zakje dat Frankie Ferris haar had gegeven en hield het Mackay voor. 'Zander was heel schichtig,' zei ze. 'Ik moest van hem doen alsof hij mijn dealer was, dus hij moet het vermoeden hebben dat Eastman hem in de gaten laat houden. Kijk eens wat ik heb?'

'Smarties!' zei Mackay. 'Lekker!'

161

29

Tegen de tijd dat Kieran Mitchell bij de Brentwood Sporting Club aankwam, wist hij dat dit voorlopig zijn laatste avond als vrij man was. Zijn vrouw Debbie had hem opgebeld, over haar toeren van bezorgdheid en van de Stolichnaya-wodka, om te zeggen dat er een arrestatieteam aan de deur was geweest, en de voicemails van zijn contactpersonen waren uit zeker vijf cafés en disco's binnengestroomd. Ze zochten hem en werkten al zijn vaste plekken systematisch af. Het was alleen nog maar een kwestie van tijd.

Hij nam de vertrouwde omgeving in zich op – de klanten op de ossenbloedkleurige leren bankjes, de croupiers in hun strakke rode kleding, de sigarettenrook die in het licht boven de blackjacktafels zweefde – en probeerde het allemaal in zijn geheugen te prenten. Hij zou de komende maanden op zijn herinneringen moeten teren. Hij hief cynisch zijn glas Johnnie Walker Black Label op naar zijn eigen gezicht in de spiegel achter de bar. Hij was een lelijkerd, zeker weten, altijd al geweest, maar wel iemand die de boel bij elkaar kon houden als dat nodig was.

'Ben je alleen, schat?'

Ze was zo rond de veertig, schatte hij. Blonde strepen in haar haar, een glittertopje, radeloze ogen. Ze zaten in elk casino, de vrouwen die alles wat ze die dag bij elkaar hadden geschraapt weer hadden vergokt en dan als loodsvisjes om de mannen heen kwamen hangen. Mitch wist dat hij haar voor een handjevol fiches tien minuten kon meenemen naar zijn auto, maar vanavond was hij er niet voor in de stemming.

'Ik zit op mensen te wachten,' zei hij. 'Sorry.'

'Leuke mensen?'

Hij lachte erom en zei niets, en ten slotte liep ze weg. Zodra hij de wc bij het Fairmile binnen was gelopen en Ray Gunter in elkaar gezakt tegen de tegelwand had zien zitten, had hij geweten dat de mensensmokkel van alle kanten was mislukt. De politie zou geen keus hebben; ze zou dit helemaal moeten ontrafelen, het spoor tot het eind toe vol-

162

gen. En het spoor leidde uiteraard regelrecht naar hem. Hij was met Gunter gezien, hij stond bekend als kompaan van Eastman... Hij nam een grote slok whisky en schonk het gegraveerde bekerglas weer vol uit zijn eigen fles. Het kwam erop neer dat hij in de val zat.

Hoe was Eastman in godsnaam op het idee gekomen met die moffen in zee te gaan? Voordat zij waren gekomen, had hij een leuk handeltje gehad aan het binnenbrengen van illegalen voor de Karavaan. Aziaten, Afrikanen, hoertjes uit Albanië en Kosovo, allemaal even geïntimideerd en eerbiedig, zoals het hoorde. Geen problemen, geen gezeur, iedereen blij.

Zodra hij echter die Pakistaan had gezien, had hij geweten dat er moeilijkheden zouden komen. Na een oversteek bij slecht weer hielden de meesten zich wel koest, maar deze niet. Dit was een psychopaat geweest, een keiharde. Mitchell schudde zijn hoofd. Hij had hem moeten verzuipen toen het nog kon. Hem met rugzak en al overboord duwen. Hij had gehoord dat de meeste Arabieren niet konden zwemmen.

Ray Gunter, grote idioot die hij was, had die rugzak natuurlijk gezien en besloten de Pakistaan ervan te ontdoen. Hij had niet gezegd dat hij hem wilde stelen, maar achteraf gezien was het zo duidelijk als wat. En dus had die Pakistaan, grote psychopaat die híj was, Gunter omgelegd.

Al die gebeurtenissen hadden hem, Kieran Mitchell, in zijn leigrijze pak en nachtblauwe Versace-overhemd, naar dit moment geleid. Naar dit glas whisky dat zijn laatste in jaren zou kunnen zijn. Ze konden hem beschuldigen van samenzwering, delicten tegen de immigratiewet en zelfs van terrorisme. Hij overwoog, en niet voor het eerst die avond, ervandoor te gaan, maar als hij vluchtte en ze hem vonden (en ze zouden hem zeker vinden) zou hij er nog slechter voor staan. Dan zou hij zijn laatste troef kwijt zijn, de troef die, als hij hem goed speelde...

Hij zag in de spiegel wat hij al bijna een uur verwachtte: mensen bij de ingang. Doelgerichte mannen in goedkope pakken. Gasten die voor hen opzijgingen. Hij dronk zijn glas in drie zorgvuldig afgemeten slokken leeg en haalde zijn garderobenummer uit zijn zak. Het was koud buiten, dus had hij zijn donkerblauwe jas van kasjmier meegebracht.

163

30

Liz voelde de ingehouden opwinding zodra ze het politiebureau van Norwich binnenliep. Het onderzoek naar de moord van Gunter was niets opgeschoten, maar nu was er plotseling een degelijke aanwijzing opgedoken in de vorm van een van Melvin Eastmans hoogste medewerkers. Ze hadden Kieran Mitchell eerst naar Chelmsford willen brengen, waar alle dossiers over Eastman lagen, maar Don Whitten had erop gestaan dat hij naar Norwich werd gebracht. Dit was zíjn klopjacht, en elk aspect van het onderzoek zou onder zijn jurisdictie vallen.

Liz en Mackay liepen naar de recherchezaal, waar het wemelde van de potige politiemannen in hemdsmouwen die in de rij stonden om een bedeesde Steve Goss te feliciteren. Onder hen ook Bob Morrison van de Special Branch, door de regio Essex als waarnemer afgevaardigd. Don Whitten overzag de drukte met een piepschuim bekertje koffie in zijn hand.

Goss zag Liz, zwaaide naar haar en bevrijdde zich uit de kring. 'Ze denken dat ik de arrestatie heb voorgekookt,' mompelde hij. Hij haalde een hand door zijn rode borstelkop. 'Ik voel me een grote charlatan.'

'Geniet ervan,' raadde Mackay hem aan.

'En laten we hopen dat het geen doodlopend spoor is,' viel Liz hem bij.

Zodra Mackay en zij Braintree uit waren, had ze Goss gebeld om de informatie over Kieran Michell door te geven. Toen waren ze naar Norwich gereden, en onderweg hadden ze een pizza en twee flessen Italiaans bier gekocht om het te vieren. Mackay speelde even niet de versierder, misschien bij wijze van erkenning van Liz' eerdere woede, en hij bleek verbazend onderhoudend gezelschap te kunnen zijn. Hij beschikte over een vrijwel onuitputtelijke bron van anekdoten, de meeste over het extreme gedrag, of liever gezegd wangedrag, van zijn collega's bij de Dienst. En toch, merkte Liz, nam hij nooit iemand rechtstreeks op de hak, al deed ze nog zo haar best hem zover te krijgen. Als er al namen werden genoemd, waren het nooit die van de feitelijke schuldigen aan de piratenacties die hij beschreef. Hij noemde alleen hun vrienden, collega's of chef. Het leek of hij heel indiscreet was, maar in feite gaf hij nauwelijks iets prijs wat niet als algemeen bekend mocht worden verondersteld binnen de inlichtingengemeenschap.

Hij heeft me door, dacht Liz, die van het spel genoot. Hij weet dat ik hem in de gaten houd, dat ik zit te wachten tot hij in de fout gaat. En hij speelt in op mijn beeld van hem als onbezonnen vrijbuiter, want als hij me ervan kan overtuigen dat hij dat ook echt is, neem ik hem niet meer serieus. En zodra ik hem niet meer serieus neem, vindt hij een manier om me te slim af te zijn. Het had zelfs een zekere elegantie, vond ze.

Ze had Goss telefonisch op de hoogte gesteld van de gesprekken met Cherisse Hogan en Peregrine Lakeby die haar naar de naam van Kieran Mitchell hadden geleid, en hem geadviseerd tot arrestatie over te gaan. Hij was onder de indruk van haar recherchewerk en begreep dat zijzelf niet mocht opvallen, en dus had hij ingestemd.

Liz had overwogen Goss ook te vertellen dat ze Bob Morrison niet vertrouwde, maar besloten het te laten rusten. Het was alleen haar gevoel dat haar zei dat hij op de loonlijst van Eastman zou kunnen staan; ze had geen enkel bewijs, afgezien van zijn lakse houding en een algemene indruk van corruptie. Bovendien zou Eastman ook zonder Morrison te weten komen dat Kieran Mitchell was aangehouden en zijn maatregelen treffen. En als Mitchell bruikbare informatie had en bereid was alles voor de rechtbank te vertellen, was Eastman hoe dan ook uitgeschakeld.

Toen Mitchells advocaat uit de cel terugkwam, daalde er weer een gevoel van orde en beheersing neer over de recherchezaal. De advocaat, een zijige, verfijnde man met de gevestigde reputatie van een gangsterpleiter, heette Honan. Hij bedankte de bewaarder die hem van en naar de cel had begeleid en vroeg of hij hoofdinspecteur Whitten onder vier ogen kon spreken.

Whitten en Honan liepen naar een verhoorkamer en Goss loodste Liz en Mackay naar de aangrenzende observatieruimte, waar een stuk of zes plastic stoelen voor een groot raam stonden dat alleen van die kant doorzichtig was. Even later voegde Bob Morrison zich met een miniem knikje bij hen.

165

De verhoorkamer aan de andere kant van het glas werd oververlicht door felle tl-buizen. Het gebroken witte formicatafelblad zat vol brandplekken van sigaretten. Er waren geen ramen.

'Wilt u herhalen wat u zojuist tegen me hebt gezegd?' vroeg Whitten aan Honan. Zijn stem, die versterkt door de boxen in de observatieruimte doordrong, leek scherper en duidelijker dan anders.

'Kort en goed, en onder voorbehoud: mijn cliënt wil niet zitten,' zei Honan. 'Hij is echter wel bereid om, in ruil voor de garantie van ontslag van rechtsvervolging, een getuigenverklaring af te leggen waarmee Melvin Eastman opgesloten kan worden wegens delicten met betrekking tot narcotica, immorele verdiensten en samenzwering tot moord.'

Hij zweeg om het aanbod te laten bezinken. Liz zag uit haar ooghoek dat Bob Morrison naast haar ongelovig zijn hoofd schudde.

'Mijn cliënt beschikt ook over informatie met betrekking tot de moord op Ray Gunter die hij volledig wil onthullen aan de belanghebbende partijen. Uiteraard wil hij zichzelf daarbij niet belasten.'

Whitten, log in zijn verfomfaaide grijze pak, knikte en er verscheen een plooi in zijn stoppelnek. 'Mag ik vragen in welk opzicht hij zichzelf niet wil belasten als hij de feiten met betrekking tot de zaak-Ray Gunter onthult?'

Honan keek naar zijn handen. 'Zoals ik al zei, spreek ik onder voorbehoud, maar ik heb begrepen dat de strafbare feiten verband zouden kunnen houden met immigratie.'

'Mensensmokkel, bedoelt u?'

Honan perste zijn lippen op elkaar. 'Mijn cliënt wil geen vrijheidsstraf krijgen, zoals ik al zei. Hij vermoedt, en mijn inziens niet ten onrechte, dat hij, als hij tegen Melvin Eastman getuigt, in het huis van bewaring zal worden vermoord. Of hij nu vastzit of niet, Melvin Eastmans macht reikt ver. Mijn cliënt wil ontslag van rechtsvervolging en een nieuwe identiteit, het complete getuigenbeschermingspakket. In ruil daarvoor geeft hij u de middelen in handen om Melvin Eastmans bende op te rollen.'

'Dat is de makke van Britse criminelen,' mompelde Morrison. 'Ze denken allemaal dat ze in een Amerikaanse maffiafilm zitten.'

Aan de andere kant van het glas begon Whittens geduld met Honan duidelijk op te raken. En toch, dacht Liz, zit hij dringend verlegen om elk beetje hulp dat Mitchell hem kan geven. Volgens Goss had Whitten

166

de media voorlopig op afstand weten te houden, maar hij zou snel een degelijke aanwijzing in de zaak-Gunter moeten melden, wilde hij niet van onbekwaamheid beticht worden.

'Laat me een tegenvoorstel doen,' zei hij. 'Uw cliënt vertelt on-middellijk en onvoorwaardelijk alles wat hij weet over de moord op Ray Gunter. En dan ook echt álles, zoals de wet voorschrijft. En als wij helemaal tevreden zijn over zijn medewerking, kunnen we...' – hij haalde zijn schouders hoog op – '... kunnen we de nodige... voorzie-ningen treffen.'

'Dat kunnen we níét!' siste Liz, en ze keek vragend van Goss naar Mackay. 'Als ik daarmee naar het OM en Binnenlandse Zaken ga, moe-ten we dagen op antwoord wachten. We moeten Mitchell nu meteen aan de praat zien te krijgen.'

'Kun jij niet met Whitten praten?' vroeg Mackay aan Goss. 'Hem uitleggen dat...'

'Geen paniek,' zei Goss. 'Don Whitten weet wat hij doet. Al dat ge-steggel over ontslag van rechtsvervolging draait alleen om het honora-rium van de advocaat. Hij moet straks tegen zijn cliënt kunnen zeggen dat hij zijn best heeft gedaan.'

'Mag ik dat als een bevestiging opvatten?' vroeg Honan. 'De belofte dat u...'

Whitten leunde over het tafelblad. Zijn ogen flitsten even naar de cassetterecorder en de videocamera, die geen van beide liepen. Toen hij weer iets zei, was het zo zacht dat Liz naar de luidspreker aan de wand moest reikhalzen om hem te kunnen verstaan.

'Hoor eens, meneer Honan, niemand hier heeft de bevoegdheid Kieran Mitchell enige garantie te bieden. Als hij meewerkt, zal ik er-voor zorgen dat de juiste personen daarvan op de hoogte worden ge-steld. Houdt hij daarentegen informatie achter, en denk erom dat het niet alleen om een moordzaak gaat, maar om een kwestie van nationa-le veiligheid, dan geef ik u op een briefje dat ik mijn uiterste best zal doen om zeker te stellen dat hij het daglicht nooit meer zal zien. Zegt u maar tegen hem dat ik niet meer te bieden heb.'

Het bleef even stil, waarna Honan knikte, zijn attachékoffer pakte en de verhoorkamer uitliep. Kort daarna verscheen Whitten in de deur-opening van de observatiekamer. Er parelde zweet op zijn brede, rode voorhoofd.

'Goed gedaan,' zei Bob Morrison.

167

Whitten schokschouderde. 'Ze proberen het allemaal. Zij weten dat het nergens toe leidt, wij weten dat het nergens toe leidt...'

'Loopt hij echt gevaar?' vroeg Liz.

'Vast wel,' zei Whitten opgewekt. 'Ik zal tegen hem zeggen dat als hij moet zitten, wij de aanbeveling kunnen doen dat hij wordt geïsoleerd van het ergste tuig.'

'Komt hij dan bij de pedo's?' vroeg Morrison grinnikend.

'Zoiets.'

Toen Honan vijf minuten later naar de verhoorkamer terugkeerde, had hij de wachtmeester en Kieran Mitchell bij zich. Het was middernacht.

31

De vrouw zat in het halfdonker achter het stuur van de Opel Astra, die bij de bungalow geparkeerd stond. Ze leunde behaaglijk met haar hoofd tegen de neksteun en haar gezicht werd zwak van onderaf belicht door de speldenprikjes blauw en oranje van de geluidsinstallatie. Het laatste journaal van de plaatselijke radiozender was net afgelopen, en het enige nieuws over de moord op Gunter was een opgenomen verklaring van een zekere hoofdinspecteur Whitten die erop neerkwam dat het onderzoek nog liep en dat de politie hoopte de dader of daders zo snel mogelijk aan te houden. Op het nieuws volgde een cocktail van muzikaal behang.

De politie weet niets, hield ze zichzelf voor, en zette het gekweel van Frank en Nancy Sinatra uit. Ze hebben geen samenhangende aanwijzingen. Voorzover zij wist, was er geen videobewaking bij het Fairmile Café, en zelfs als die er was geweest, zouden ze de Astra moeilijk kunnen identificeren. Zwarte auto's waren berucht om hun slechte zichtbaarheid in het donker; daarom hadden degenen die de operatie hadden voorbereid ook tegen haar gezegd dat ze per se een zwarte auto moest huren. Maar ze was er vrij zeker van dat er geen videobewaking was geweest, en ze vermoedde dat dat een van de belangrijkste redenen was geweest om de overdracht daar te laten plaatsvinden.

De enige mogelijke zwakke schakels van de keten waren de kogel uit de PSS en de vrachtwagenchauffeur die betrokken was geweest bij het overnemen van de lading van het Duitse schip. En de bron van inkomsten van de vrachtwagenchauffeur moest wel afhankelijk zijn van zijn uiterste geheimhouding; als hij zijn vracht verraadde, zou hij zichzelf verraden. Al met al hadden ze niets te duchten van de vrachtwagenchauffeur, stelde ze vast. De kogel zat haar dwars, en ze was ervan overtuigd dat de politie er ook over zou tobben, en ongetwijfeld ook de antiterrorismediensten.

Ze had het Faraj uitgelegd, maar die had fatalistisch zijn schouders opgehaald en herhaald dat ze hun taak op de afgesproken dag moesten

169

volbrengen. Als het wachten de kans op mislukking vergrootte, en de kans dat ze door de SAS of een sluipschuttersteam om het leven werden gebracht, dan was dat maar zo. De taak stond vast en ze mochten van geen enkel onderdeel afwijken. Hij had haar niet meer dan het strikt noodzakelijke verteld, wist ze. Niet uit wantrouwen, maar voor het geval ze werd gepakt.

Aanvaarding, hield ze zichzelf voor. In aanvaarding school kracht. Ze stapte uit, sloot de Astra achter zich af met een gedempt elektronisch piepje van de afstandsbediening en liep geluidloos terug naar de bungalow. Door de half openstaande badkamerdeur zag ze Faraj, die zich met ontbloot bovenlijf stond te wassen.

Ze bleef even midden in de kamer naar hem staan kijken. Hij was zo smal en soepel als een slang, maar had spieren als kabeltouwen, en er liep een lang, wit litteken schuin van zijn rechterschouderblad naar zijn linkerheup. Waar had hij dat opgelopen? Beslist niet in een operatiekamer; het leek meer op een houw van een sabel. Zonder de dure Britse kleding die ze voor hem had gekocht, leek hij de Tajik die hij ook was. De zoon van een krijger en mogelijk de vader van krijgers. Was hij getrouwd? Bad er op dit moment nu een bergvrouw met vurige ogen voor zijn behouden thuiskomst?

Hij draaide zich om en beantwoordde haar blik met die lichte, onverschillige sluipmoordenaarsogen van hem. Ze voelde zich er naakt, verlegen en een beetje beschaamd onder. Ze was tot het inzicht gekomen dat ze niets liever wilde dan zijn respect verdienen. Dat zijn oordeel haar niet volkomen koud liet. Dat, als dit het laatste menselijke contact was dat haar op deze aarde werd vergund, ze niet wilde dat het iets met neergeslagen ogen en zelfverloochenende stiltes werd.

Ze stak haar kin een millimeter of twee naar voren en keek hem recht aan, zijn blik beantwoordend met iets wat op woede leek. Zij was nu ook een strijder, net als hij. Ze had recht op de erkenning van een strijder. Ze wist van geen wijken.

Hij draaide zich ongehaast terug naar de spiegel en haalde zijn natte handen door zijn kortgeknipte haar. Toen liep hij naar haar toe, nog steeds met een uitdrukkingsloos gezicht, en bleef zo dicht bij haar staan dat ze de zeep die hij had gebruikt kon ruiken en hem hoorde ademen. Toch sloeg ze haar ogen niet neer en bleef ze staan waar ze stond.

'Vertel me je moslimnaam,' zei hij in het Urdu.

170

'Asimat,' zei ze, hoewel ze zeker wist dat hij haar naam al kende.

Hij knikte. 'Net als de gemalin van Salah-ud-din.'

Ze zei niets, maar keek alleen over zijn schouder voor zich uit. Het verweerde bruin van zijn gezicht, hals en handen stak donker af tegen zijn romp, die beenderwit was.

Iets aan die bleekheid maakte dat ze verstijfde. We zijn al dood, dacht ze. We kijken naar elkaar en zien de toekomst. Geen lusthoven, geen gouden minaretten, geen begeerte. Alleen het duister van het graf en de kille, genadeloze windvlagen van de eeuwigheid.

Hij hief zijn arm op, pakte een lok van haar haar en streek hem behoedzaam achter haar oor.

'Het duurt niet lang meer, Asimat,' beloofde hij. 'Ga nu slapen.'

32

'Vertel nog eens over de Duitsers,' zei hoofdinspecteur Don Whitten, en hij streek zijn snor glad. Nu zat Bob Morrison naast hem in de verhoorkamer. Zowel Whitten als Kieran Mitchell had zich kettingrokend door de ondervraging van het afgelopen uur gewerkt en er hing inmiddels een blauwbruine walm in het tl-licht boven de tafel.

Mitchell keek vragend naar zijn raadsman, die knikte. Mitchells oogleden hingen, en tegen de sobere achtergrond van de verhoorkamer zag hij er goedkoop en gangsterachtig uit in zijn dure kleding. Liz, die door het eenzijdige glas keek, zag duidelijk dat hij wanhopig zijn best deed om de boel te redden, om zich gedienstig en geduldig te tonen terwijl hij snauwerig was van uitputting.

'Ik weet niks van de Duitsers, dat heb ik toch gezegd? Ik weet alleen dat de organisatie de Karavaan heette. Ik denk dat de trawler een Duitse bemanning had en dat de Duitsers de oversteek van de reizigers van het vasteland van Europa regelden tot aan de kust van Norfolk, waar ze door Gunter en mij werden opgepikt.'

'Met de reizigers bedoel je de illegalen?' vroeg Whitten. Hij keek in zijn piepschuim koffiebekertje, dat leeg bleek te zijn.

'Met de reizigers bedoel ik de illegalen,' bevestigde Mitchell.

'En waar kwam de boot vandaan?'

'Daar heb ik nooit naar gevraagd. Er waren er twee, allebei omgebouwde vistrawlers. Ik geloof dat de ene de *Albertina Q* heette, geregistreerd in Cuxhaven, en de andere de *Susanne* zus of zo, geregistreerd in Bremen... Breminger...'

'Bremerhaven,' prevelde Liz. Steve Goss, die naast haar in de observatiekamer zat, wikkelde het vetvrije papier van een stapel broodjes kaas. Hij hield haar het pakket voor en ze koos het kleinste broodje. Ze had eigenlijk geen honger, maar ze voelde aan dat Goss zich opgelaten zou voelen als hij alle vier de broodjes opslokte waar Mackay bij zat. Zou er een mevrouw Goss zijn?

172

'Eerlijk gezegd,' vervolgde Mitchell, 'was de naam van het schip wel het laatste waar ik me druk om maakte. En het was Eastman die het altijd over de Duitsers had, of de moffen. Als het Hollanders of Belgen waren geweest, had ik het ook geloofd. Maar ik weet zeker dat de organisatie de Karavaan heette.'

'En de Karavaan betaalde Eastman?' vroeg Whitten.

'Ik neem aan van wel. Hij was verantwoordelijk vanaf de overdracht op zee tot aan het afzetpunt in Ilford.'

'Het pakhuis?'

'Ja, het pakhuis,' zei Mitchell vermoeid. 'Ik reed erheen, de koppen werden geteld en ik tekende voor de aflevering. Er stonden daar nieuwe begeleiders klaar met papieren, en die brachten de mensen naar... weet ik veel.'

'En hoeveel illegalen zaten er ook alweer in een lading?'

Whitten herhaalde eerdere vragen en controleerde of de antwoorden klopten met zijn aantekeningen. Tot nog toe leken Mitchells antwoorden consequent.

'Als het meiden waren, gingen we tot achtentwintig. Met mannen tot hooguit vijfentwintig. Gunters boten konden niet meer hebben, zeker niet bij stormachtig weer.'

'En Eastman betaalde jou, en jij betaalde Gunter?'

'Ja.'

'Zeg nog eens hoeveel?'

Mitchells hoofd leek op zijn borst te zakken. 'Ik kreeg een duizendje voor meiden, anderhalf voor reizigers en tweeduizend voor een speciale.'

'Dus in een goede nacht haalde je zo'n veertig mille binnen?'

'Zoiets.'

'En hoeveel betaalde je Gunter?'

'Een vast bedrag. Vijf mille per vracht.'

'En Lakeby?'

'Vijfhonderd per maand.'

'Leuke winstmarge!'

Mitchell haalde zijn schouders op en keek stoïcijns om zich heen. 'Het was link werk. Kan ik even pissen?'

Whitten knikte, stond op, sprak de tijd in op de cassetterecorder, zette hem uit en riep de bewaarder. Toen Mitchell de kamer uit was, weer vergezeld van Honan, bleef het even stil.

173

'Geloven we hem?' vroeg Mackay, die in zijn ogen wreef en in de zak van zijn Barbour-jas naar zijn mobiele telefoon tastte.

'Waarom zou hij tegen ons liegen?' vroeg Goss. 'Dan zou hij alleen degene de hand boven het hoofd houden die zijn compagnon heeft vermoord, een leuke bijverdienste van veertig mille per maand heeft verziekt en er in feite voor heeft gezorgd dat hij is gepakt.'

'Eastman zou hem gevraagd kunnen hebben ons valse informatie te geven om de schade in te dammen,' zei Mackay. Hij drukte de voicemailtoets in en hield het mobieltje bij zijn oor. 'Mitchell zou niet de eerste beroepscrimineel zijn die de kastanjes uit het vuur haalt voor zijn baas.'

Liz drukte op de toets van de intercom tussen de beide kamers. 'Zou je hem nog eens over het Fairmile Café kunnen laten vertellen?'

'Zodra hij terug is,' zei Whitten. Hij knikte naar de thermoskan op tafel. 'Wil iemand de laatste kop koffie?'

Liz keek naar de anderen. Het was kwart voor twee 's nachts en ze zagen er allemaal grauw en afgemat uit in de indirecte gloed van de tl-buizen. Ze wist zeker dat de koffie koud was.

'Vertel nog eens over Gunter,' begon Whitten toen Mitchell weer tegenover hen zat. 'Waarom reed hij met je mee in de vrachtwagen?'

'Zijn auto was kapot, of hij kreeg een beurt of zoiets. Ik zei dat ik hem wel in King's Lynn kon afzetten. Ik geloof dat zijn zus daar woont.'

'Ga door.'

'Hij stapte dus in en we reden naar het Fairmile Café om de speciale af te zetten.'

'Vertel eens over de speciale?'

'Eastman had me verteld dat het de een of andere Pakistaanse ritselaar was die uit Europa overkwam. Hij was geen illegaal, zoals de anderen, hij had voor een retourtje betaald en zou na een maand teruggaan.'

'Een maand?' onderbrak Whitten hem. 'Weet je dat zeker?'

'Ja, dat zei Eastman. Hij zou naar Duitsland teruggaan met de trawler die de reizigers van januari kwam brengen.'

'Was dat al eerder voorgekomen?' vroeg Whitten.

'Nee. Het hele idee van een speciale was nieuw voor me.'

'Ga door,' zei Whitten.

'Ray en ik pikten de reizigers bij de landtong op...'

'Wacht even. Zetten de boten uit Duitsland hun vracht altijd daar af of waren er meer plekken?'

174

'Nee. Ik denk dat ze wel andere plekken hebben overwogen, maar uiteindelijk besloten het bij de landtong te houden.'

'Oké. Ga door.'

'We pikten de reizigers op, laadden hen achter in de vrachtauto en ik reed naar het Fairmile Café, waar de speciale uitstapte. Ray maakte de achterdeur voor hem open, voor de speciale, bedoel ik, en liep achter hem aan naar het wc-gebouw.'

'Weet je waarom Gunter hem volgde?' vroeg Whitten. 'Had hij tegen je gezegd dat hij naar de wc moest?'

'Nee, maar die Pakistaan, die speciale, had een zware rugzak. Klein, maar van goede kwaliteit, en er zat iets zwaars in. Hij verloor hem geen moment uit het oog.'

'Dus je hebt hem van dichtbij gezien, die Pakistaan? De speciale?'

'Ja. Ik bedoel, het was pikdonker op het strand en er waren veel mensen en ze zagen er allemaal hetzelfde uit, weet je? Pakistanen en Arabische types, smalle gezichten, goedkope kleren. Ze zagen er... verslagen uit.'

'Maar de speciale was anders?'

'Ja. Hij had een andere houding. Alsof hij ooit belangrijk was geweest en niet van plan was zich door iemand te laten koeioneren. Hij was niet groot, absoluut niet, maar het was een harde. Dat zag je zo.'

'En hoe zag hij er verder uit... zijn uiterlijk? Heb je zijn gezicht gezien?'

'Een paar keer, ja. Hij had een vrij lichte huid. Scherpe trekken. Een baardje.'

'Zou je hem nu nog herkennen?'

'Ik denk van wel, ja. Al moeten jullie erom denken dat het donker was, iedereen was nerveus en er liepen veel van die kereltjes rond... Ik durf het niet te zweren, maar als jullie me een foto laten zien... Ik zou waarschijnlijk kunnen zeggen of hij het níét was, laten we het zo stellen.'

Liz had achter het glas het gevoel dat ze aan een adrenaline-infuus hing en voelde zich gewichtloos. Ze wierp een blik op Goss en Mackay en zag dat zij net zo gefascineerd waren, net zo geconcentreerd.

'Waarom zou Gunter hem gevolgd zijn?' vroeg Whitten weer.

'Volgens mij dacht hij dat er iets waardevols in de rugzak zat – de rijke illegalen hebben gouden sieraden bij zich, staven goud, van alles – en hem, nou ja, wilde stelen, eigenlijk.'

175

'Dus Gunter had niet door dat het een harde was, zoals jij? Hij dacht dat hij die Pakistaan makkelijk kon beroven?'

'Ik weet niet wat hij dacht. Waarschijnlijk had hij hem minder goed gezien dan ik. Ik had hem aan land gebracht.'

'Oké. Dus Gunter volgt hem naar de wc's. Je hoort niks. Geen schot...'

'Nee, helemaal niks. Een paar minuten later zag ik de Pakistaan naar een auto lopen en instappen, en toen reed de auto weg.'

'Heb je de auto goed gezien?'

'Ja. Het was een zwarte Opel Astra 1.4 LS. Ik kon niet zien of er een man of een vrouw achter het stuur zat. Maar ik heb het kenteken opgeschreven.'

'En dat was?'

Mitchell las het nummer op van een gekreukt vodje papier dat zijn advocaat hem aanreikte.

'Waarom heb je het kenteken genoteerd?'

'Omdat ik helemaal geen reçu voor die gast had gekregen. Ik had hem niet laten aftekenen, en als er later heibel van kwam, wilde ik kunnen bewijzen dat ik hem aan land had gebracht. Hij was me twee mille waard, weten jullie nog?'

'Ga door,' zei Whitten.

'Nou, ik wachtte nog tien minuten, maar Ray kwam niet opdagen. Toen ben ik uitgestapt en naar de wc's gelopen en...'

'En?'

'En daar zag ik Ray, dood. Neergeschoten, en zijn hersens waren verspreid over de hele muur.'

'Hoe wist je dat hij neergeschoten was?'

'Nou, door het gat in zijn kop, nog los van al het andere. En het gat in de muur achter hem ter hoogte van zijn hoofd.'

'Wat dacht je toen?'

'Ik dacht... Het is niet logisch, want ik had die gast zien wegrijden, maar ik dacht dat ik de volgende was. Dat die Pakistaan Ray had omgelegd omdat hij zijn gezicht in het licht had gezien en dat hij mij ook van kant wilde maken. Ik scheet in mijn broek, eerlijk gezegd. Ik wilde alleen maar weg.'

'En dus reed je weg.'

'Ja, als een speer. Regelrecht naar Ilford, zonder te stoppen, en daar heb ik de andere reizigers afgezet.'

176

'Wanneer heb je Eastman dan gebeld?'

'Zodra ik klaar was in Ilford.'

'Waarom heb je hem niet meteen gebeld? Zodra je het lijk had gevonden?'

'Ik wilde zo snel mogelijk weg, zoals ik al zei, het hele gedoe achter de rug hebben.'

'Hoe reageerde Eastman toen je het hem vertelde?'

'Hij ging helemaal door het lint, zoals ik al had verwacht. Ik belde hem op kantoor op en hij... hij werd gewoon gek.'

'En daarna? Wat heb je in de tussentijd uitgevoerd?'

'Eigenlijk heb ik alleen op jullie gewacht. De dingen thuis geregeld. Ik wist dat het alleen maar een kwestie van tijd was.'

'Waarom heb je jezelf dan niet meteen aangegeven?'

Mitchell schokschouderde. 'Ik moest nog dingen doen, mensen spreken.'

Er viel een stilte. Whitten knikte en liep naar de deur om de bewaarder te roepen. Honan legde zijn hand op Mitchells elleboog en het paar stond op. Bob Morrison keek op zijn horloge en repte zich met een nors gezicht de kamer uit.

'Gaat hij Eastman bellen, denk je?' zei Mackay zacht, en hij drukte zijn voorhoofd tegen het glas.

Liz haalde haar schouders op. 'Het is niet ondenkbaar, hè?'

Don Whitten liep met zware tred de observatiekamer binnen. 'En?' vroeg hij. 'Slikken we zijn verhaal?'

Goss, die zijn aantekeningen had zitten bestuderen, keek op. 'Het is logisch, en het stemt beslist overeen met de feiten die we al hadden.'

'Ik ben hier de nieuweling,' zei Mackay, 'maar ik zou zeggen dat hij de waarheid sprak, en ik zou morgen graag een paar uur foto's van bekende ITS-spelers met hem willen doornemen voordat de plaatselijke politie hem onderhanden neemt. Misschien kunnen we een voorlopige identificatie van de schutter krijgen.'

'Ik ben het met je eens,' zei Liz. 'En ik vind dat we zo snel mogelijk achter die zwarte Astra aan moeten; opsporingsverzoek naar alle korpsen, landelijke veiligheidsprioriteit, noem maar op.'

'Mee eens, maar wat zeggen we?' vroeg Whitten. 'Zeggen we dat er een verband is tussen de auto en de Fairmile-moord?'

'Ja. Geef een landelijke waarschuwing dat de auto moet worden opgespoord en geobserveerd, maar dat de bestuurder of andere inzittenden onder geen beding aangesproken mogen worden. In plaats daarvan moeten ze onmiddellijk contact opnemen met de politie van Norfolk.' Ze trok vragend een wenkbrauw op naar Goss, die knikte, en wendde zich weer tot Whitten. 'Weet je waar Bob Morrison naartoe is?'

Whitten schudde onverschillig zijn hoofd, gaapte en duwde zijn handen diep in zijn broekzakken. 'Ik houd het erop dat de schutter nog vlakbij is. Waarom zou hij zich anders bij dat wegcafé hebben laten afzetten in plaats van met de anderen mee te gaan naar Londen?'

'Hij kan overal naartoe zijn gegaan met die auto,' zei Goss. 'Misschien naar het noorden.'

Mackay leunde voorover. 'Vóór alles moeten we meer over die Karavaan te weten komen. Die Duitsers over wie Mitchell het had. Is er een reden waarom we Eastman niet nu direct kunnen ophalen en vierentwintig uur laten zweten?'

'Hij zou ons uitlachen,' zei Liz. 'Ik heb meneer Eastman in de loop der jaren vrij goed leren kennen, en juridisch gesproken is hij bijzonder goed op de hoogte. De enige manier waarop we hem aan de praat kunnen krijgen is, net als in het geval van Mitchell, met hem te onderhandelen vanuit een machtspositie. Zodra we genoeg tegen hem hebben om hem te laten opsluiten, kunnen we hem ophalen en afbreken tot hij doorslaat, maar tot het zover is...'

Mackay nam haar schattend op. 'Ik vind het heerlijk als je schunnige taal uitslaat,' zei hij zacht.

Goss keek verbijsterd naar Mackay, en Whitten gniffelde.

'Dank je,' zei Liz met een geforceerde glimlach. 'Dat lijkt me een gepaste noot om mee te besluiten.'

Ze hield de glimlach vast tot ze met Mackay in de Audi zat. Toen, terwijl ze hun veiligheidsgordels over hun schouders trokken, stortte ze zich op hem, wit van woede.

'Als je ooit, óóit mijn gezag nog eens op zo'n manier ondermijnt, laat ik je van de zaak halen, al moet ik door ruiten en roeien gaan om het voor elkaar te krijgen. Jij bent hier de leerling, Mackay. Je wordt alleen maar gedoogd, door míj, en heb het lef niet dat te vergeten.'

Hij strekte onaangedaan zijn benen voor zich. 'Liz, relax. Het is een lange nacht geweest, en het was maar een grapje. Niet zo'n goed grapje, ik geef het toe, maar...'

178

Ze gaf een dot gas, wipte haar voet van de koppeling, zodat Mackay achterover in zijn stoel werd gedrukt, en scheurde het politieparkeerterrein af. 'Geen gemaar, Mackay. Dit is míjn operatie en je doet wat ík zeg, begrepen?'

'Dat is toevallig niet helemaal waar,' zei hij goedmoedig. 'Dit is een gezamenlijke operatie, ingesteld door onze beide diensten, en met alle respect voor je prestaties tot nu toe, maar in feite ben ik hoger in rang dan jij. Kunnen we dus alsjeblieft iets minder stijf doen? Je kunt die mensen echt niet in je eentje vangen, en zelfs als het je lukt, zul je de eer nog met mij moeten delen.'

'Denk je echt dat het daarom gaat? Wie er met de eer gaat strijken?'

'Waar zou het anders om moeten gaan? En je reed door rood, overigens.'

'Het was nog oranje. En ik geef geen moer om jouw rang. Wat ik je duidelijk wil maken, is dat als we ook maar een tiende procent kans willen maken de schutter te pakken, we de plaatselijke politie en de Special Branch voor honderd procent achter ons moeten zien te houden. Daarvoor moeten we hun respect winnen en vast zien te houden, en dat houdt weer in dat jij mij niet als een snol kunt behandelen.'

Hij stak zijn handen op ten teken van overgave. 'Ik heb toch gezegd dat het me speet, Liz? Het was een grapje.'

Zonder enige waarschuwing gierde de Audi scherp naar links, hotste over twee kraters vol regenwater en stopte abrupt.

'Jezus christus!' hijgde Mackay, vechtend tegen zijn veiligheidsgordel, die muurvast zat. 'Wat doe je nou?'

'Sorry,' zei Liz luchtig. 'Het was een grapje. Toevallig stop ik op deze parkeerhaven om een paar telefoontjes te plegen. Ik wil weten wie die zwarte Astra heeft gehuurd.'

179

33

Iets meer dan zeventig minuten later stopte er een donkergroene Rover bij een klein rijtjeshuis in Bethnal Green in het oosten van Londen. De portieren gingen open en er stapten twee onopvallende mannen van in de dertig uit, die de treden naar het souterrain afliepen. De langste van de twee drukte drie keer dwingend op de bel. Het was koud en er lag een bleek randje rijp op de treden. Even later werd de voordeur opengemaakt door een slaperige, zorgelijk kijkende jongeman met een badhanddoek om zijn middel. Achter hem stond een vrouw, misschien een paar jaar ouder, in een citroengele kimono.

'Claude Legendre?' vroeg de langste man.

'Oui?'

'We hebben een probleem op het Avis-kantoor op Waterloo. Wilt u de sleutels pakken en met ons meegaan?'

Legendre keek naar de rozige gloed van de nachthemel achter de mannen, pakte de knoop in de handdoek en begon te rillen. 'Maar... wie bent u? Hoe bedoelt u, een probleem? Wat voor probleem?'

De langste man, die een dikke zwarte trui en een spijkerjack droeg, liet een gelamineerd legitimatiebewijs zien. 'Politie, meneer. Special Branch.'

'Laat zien,' zei de vrouw, die langs Legendre heen reikte en probeerde de kaart uit de hand van de man te grissen. 'Jullie zien er niet uit alsof jullie van de politie zijn. Ik heb geen...'

'Ik heb de situatie zojuist aan de Londense vestigingsdirecteur uitgelegd, meneer,' onderbrak de andere man haar. 'Adrian Pocock. Zal ik hem voor u bellen?'

'Eh, ja, alstublieft.'

De man haalde geduldig een telefoon uit de zak van zijn olijfgroene Husky-jas, toetste een nummer in en gaf het toestel aan Legendre. Tijdens het gesprek, dat een aantal minuten duurde, haalde de vrouw een deken die ze om Legendres smalle schouders drapeerde.

Ten slotte knikte de jonge Fransman, klikte de telefoon dicht en gaf hem terug.

'Claude, wat is er aan de hand?' vroeg de vrouw met een schrille stem van ongerustheid. 'Wie zijn die mensen?'

'Een beveiligingsprobleem, *chérie. J'expliquerai plus tard.*' Hij richtte zich tot de twee mannen. 'Oké. Twee minuten. Ik kom eraan.'

Liz werd om kwart voor acht door de telefoon gewekt. Ze rolde zich onwillig om, met een mond die droog was van de sigarettenrook van die nacht, die ze nog in haar haar kon ruiken, en nam op.

Na een grotendeels in stilte doorgebrachte rit waren Mackay en zij kort na halfvier die nacht in Marsh Creake teruggekomen. Net toen ze in Temeraire in bed wilde stappen, had er een lid van de afdeling Research gebeld om te zeggen dat ze de bedrijfsleider van het autoverhuurbedrijf op het Eurostar-station Waterloo hadden gevonden en dat ze er nu heen gingen om paspoortgegevens en opnamen van de bewakingscamera's na te trekken.

'We hebben de Astra getraceerd,' vertelde hij nu. 'Hij is afgelopen maandag gehuurd door een Engelssprekende vrouw die vooruit heeft betaald, contant. Ze heeft ook een Brits rijbewijs laten zien. De bedrijfsleider, die Frans is, zoals het merendeel van zijn klanten, heeft de transactie zelf afgehandeld en herinnert zich haar nog vaag, omdat Britse klanten vrijwel altijd met een creditcard betalen. Het geld is maandagavond in de kluis gestopt, in de loop van dinsdag naar de bank gebracht en nu niet meer te traceren.'

'Wat stond er op het rijbewijs?' zei Liz terwijl ze naar de pen en het notitieblok naast het bed reikte.

'Het staat op naam van Lucy Wharmby, drieëntwintig jaar oud, geboren in het Verenigd Koninkrijk, adres Avisford Road 17A, Yapton, West Sussex. Op de foto staat een blanke vrouw met bruin haar en een ovaal gezicht, geen bijzondere kenmerken.'

'Ga door,' zei Liz fatalistisch, want ze wist al wat er zou komen.

'Afgelopen augustus is er op het Britse consulaat in Karachi in Pakistan aangifte gedaan van diefstal van het rijbewijs, samen met creditcards, contant geld, een paspoort en andere papieren. Lucy Wharmby studeert aan de kunst- en ontwerpacademie in Worthing. Kort na het begin van het nieuwe studiejaar heeft ze een vervangend rijbewijs gekregen, en dat heeft ze nu nog in haar bezit.'

'Heb je haar gesproken?'

'Ik heb haar gebeld. Ze was thuis in Yapton, waar ze bij haar ouders

181

woont. Het telefoonnummer staat in de gids. Ze zei dat ze nog nooit van haar leven in Norfolk was geweest.'

'En de bewakingsvideo van Avis?' vroeg Liz.

'Nou, het heeft ons de nodige tijd gekost, maar uiteindelijk hebben we gevonden wie we zochten. De klant was een vrouw van ongeveer de juiste leeftijd, voorzover ik het kon zien, en ze was erop gekleed de camera te slim af te zijn. Ze had een zonnebril op en een pet met een over haar gezicht getrokken klep, zodat je niets van haar gezicht kunt zien, en ze droeg een lange, dikke jas die haar figuur verhulde. Ze had een kleine rugzak en een weekendtas bij zich. Ik kan alleen met zekerheid zeggen dat ze blank is en tussen de een meter zeventig en een meter vijfenzeventig lang.'

'De onzichtbare,' prevelde Liz.

'Pardon?'

'Niets... Ik dacht gewoon hardop. We moeten hier een heel team op houden, kun jij dat met Wetherby regelen?'

'Natuurlijk. Ga door.'

'Ik wil dat je de passagierslijst opvraagt van de Eurostar van die maandagochtend, vlak voor de vrouw bij Avis aankwam. Kijk of de naam Lucy Wharmby erop staat en zo niet, zoek dan uit onder welke naam ze heeft gereisd. Ik denk dat degene die we zoeken een Brits ingezetene met een paspoort is van tussen de zeventien en dertig jaar oud, en dat ze op haar eigen paspoort heeft gereisd. Zoek dus in eerste instantie naar Engelse namen van vrouwen tussen de zeventien en dertig. Dat zal nog een vrij lange lijst zijn, want de trein zat waarschijnlijk vol mensen die de kerstdagen thuis wilden doorbrengen, maar alle namen moeten nagetrokken worden. Pak de telefoon erbij en laat zo nodig plaatselijke politiekorpsen aanbellen. Waar waren die vrouwen maandagnacht? Wat hebben ze sindsdien gedaan? Waar zijn ze nu?'

'Ik snap het.'

'Bel me zodra je iets vindt wat niet klopt. Als iemand er niet goed uitziet of lijkt te liegen. Iedereen die om welke reden dan ook niet was waar ze hoorde te zijn. Iedereen die geen waterdicht alibi voor die nacht heeft.'

'Het kan even gaan duren.'

'Ik weet het. Zet er nu meteen iedereen op die je te pakken kunt krijgen.'

'Doe ik. Ik hou je op de hoogte.'

'Graag.'

Ze liet zich weer in de kussens zakken, vechtend tegen de vermoeidheid die aan haar trok. Een tijdje onder de onbetrouwbaar ogende douche van Temeraire, een paar koppen koffie beneden en misschien zag alles er dan iets helderder uit. De klopjacht begon nu vorm te krijgen. Ze hadden de schutter en de onzichtbare, de man en de vrouw, en ze waren beiden in levenden lijve gezien. Ze hadden de auto, de zwarte Astra die duidelijk was uitgekozen vanwege zijn onduidelijke signatuur op een bewakingsvideo, zoals de vrouw ook kleding had uitgekozen die haar uiterlijk verhulde.

Ze tastte naar haar pen en notitieblok op het nachtkastje, sloeg het blok open en noteerde: wat, wie, wanneer, waar, waarom?

De vijf essentiële vragen.

Ze kon ze geen van alle beantwoorden.

34

Op nog geen kilometer van de cel waarin Kieran Mitchell die nacht had geslapen, stopte een zwarte Opel Astra op een parkeerterrein in Bishopsgate in Norwich. Faraj Mansoor stapte aan de passagierskant uit, keek naar de rijen auto's, de classicistische daken en de toren van de kathedraal, en pakte een met de hand geschreven boodschappenlijstje uit de binnenzak van zijn jas. De bestuurder sloot met de afstandsbediening de Astra af, klopte zoekend naar kleingeld op haar zakken en liep naar de betaalautomaat.

Naast Faraj tilde een man met een groen-gele sjaal van Norwich City een klein meisje uit een gehavende Volvo-stationcar en gespte haar in een Maclaren-buggy. 'Zaterdagochtend,' zei hij grinnikend, en hij knikte naar Farajs boodschappenlijst. 'Heb je er ook zo de pest aan?'

Faraj, die hem niet begreep, glimlachte krampachtig.

'De zaterdagse boodschappen,' verklaarde de man terwijl hij het portier van de Volvo dichtsloeg en met de neus van zijn schoen de buggy van de rem haalde. 'Maar goed, vanmiddag spelen we tegen Villa, dus...'

'Absoluut,' zei Faraj, zich sterk bewust van het gewicht van de PSS in zijn linkeroksel. 'Trouwens,' vervolgde hij, 'weet u hier ook een goede speelgoedwinkel?'

De man keek peinzend. 'Hangt ervan af wat je wilt. Er zit een goede in St.-Benedict's Street, ongeveer vijf minuten lopen hiervandaan.' Hij gaf een uitgebreide routebeschrijving en wees naar links.

De vrouw kwam erbij staan, gaf Faraj een arm, nam de boodschappenlijst van hem over en luisterde naar het laatste deel van de aanwijzingen. 'Dank u wel.' Ze glimlachte naar de man met de voetbalsjaal en bukte zich om de speelgoedmuis op te rapen die het meisje uit de buggy had laten vallen.

'Dat is Angelina Ballerina,' zei het meisje.

'Echt waar? Hemeltje!'

'En ik heb de video van *Barbie en de notenkraker*.'

184

'Goh!'

Even later kwamen ze, nog steeds gearmd, bij een etalage aan waarin een flonkerende kerstman met een wattenbaard op een feeëriek verlichte slee zat met stapels videospellen, lichtgevende Star Wars-sabels en de nieuwste Harry Potter-koopwaar.

'Wat is er?' vroeg Faraj.

'Niets,' zei de vrouw. 'Hoezo?'

'Je bent zo stil. Is er iets? Je moet het zeggen.'

'Er is niets.'

'Geen probleem, dus?'

'Er is niets, oké?'

In de winkel, die klein, benauwd en vol was, moesten ze bijna een kwartier op hun beurt wachten.

'Silly Putty, alstublieft,' zei de vrouw uiteindelijk.

De jonge verkoper, die een rode plastic neus en een kerstmuts op had, reikte achter de toonbank en gaf haar een plastic ei.

'Ik, eh, ik wil er eigenlijk twintig,' zei ze.

'O, de gevreesde verjaardagszak! We verkopen ook complete pakketjes voor verjaardagsfeesten, mocht het u interesseren. Met groen slijm, walviseieren...'

'Ze hebben... Nee, ze willen alleen Silly Putty.'

'Geen punt. Dat worden er twintig Putty van Silly. *Uno, dos, tres...*'

Toen ze achter Faraj aan de winkel uitliep, met een tas in haar hand, riep de verkoper haar na. 'Mevrouw, u vergeet uw...'

Haar hart sloeg over. Hij wuifde met de boodschappenlijst naar haar.

Ze baande zich verontschuldigend een weg terug naar de toonbank en nam de lijst van hem aan. De woorden *kleurloze gelatine, isopropol, kaarsen* en *pijpenragers* waren zichtbaar; haar vingers bedekten de rest.

Toen ze buiten stond, met de lijst en de plastic tas tegen zich aan geklemd, keek Faraj haar met een beheerste woede van onder de klep van zijn Yankees-honkbalpet aan.

'Het spijt me,' zei ze, met tranende ogen van de plotselinge kou. 'Ik denk dat ze ons zo weer vergeten zijn. Ze hebben het erg druk.'

Toch bonsde haar hart nog in haar keel. De lijst zag er onschuldig genoeg uit, maar iedereen die een bepaald soort militaire ervaring had, zou er een onmiskenbare boodschap in zien. Maar zo iemand zou waarschijnlijk niet...

185

'Denk erom wie je bent,' zei hij zacht in het Urdu. 'Denk erom wat we hier komen doen.'

'Ik weet wie ik ben,' katte ze in dezelfde taal terug. 'En ik denk om alles waar ik om moet denken.'

Ze keek voor zich uit. Aan het eind van een steeg tussen twee huizen zag ze de koude rivier stromen. Ze wierp een blik op de boodschappenlijst en zei kortaf: 'En nu een drogist zoeken.'

35

Liz tuurde vertwijfeld naar het scherm van haar laptop, waarop de vrouw te zien was die de Astra had gehuurd. Het was een beeld uit de opname van de bewakingscamera van Avis op Waterloo Station. Haarkleur, ogen, postuur, alles was aan het oog onttrokken. Zelfs de enkels en polsen, die een indruk van haar lichaamsbouw hadden kunnen geven, werden door kleding bedekt. Alleen de onderste vlakken van het gezicht waren te zien, en die waren strak, wat op een slank iemand duidde.

Ze is fit, schatte Liz in. Iemand die zo nodig kan rennen. En zo te zien heeft ze een gemiddelde lengte, maar ze zou iets langer kunnen zijn. Afgezien daarvan was er niets te zien. Het beeld was te vaag om iets zinnigs prijs te geven over de kleding, behalve dat het jack een overslag naar links had en er een kleine, donkergroene rechthoek op de ene verschoten schouder zat.

De afdeling Research had kort voor negen uur die ochtend een dumpgroothandelaar aan Mile End Road bezocht, die had uitgelegd dat er vrijwel zeker een Duitse vlag op de donkergroene plek had gezeten. Het was een jack van de Bundeswehr van een type dat op markten en in dumpzaken door heel Europa werd verkocht. Over de wandelschoenen had hij minder kunnen zeggen, en het team had personeelsleden van Timberland en andere merkschoenen benaderd. De schoenen zouden van een merk blijken te zijn dat over de hele wereld werd verkocht, daar twijfelde Liz niet aan. Hun doelwit was een beroeps, en ze zou het hen in geen enkel opzicht gemakkelijk maken.

Ze wierp een blik op haar horloge, zag dat het tien voor elf was en klikte de laptop dicht. Het was koud buiten, en er ratelde al de hele ochtend een natte wind aan de glas-in-loodramen van Temeraire, maar ze moest eruit. Voorlopig kon ze niets doen. Die ochtend waren de beschrijving en het kenteken van de Astra naar alle landelijke korpsen gegaan, en Whittens team ging alle garages binnen een straal van tachtig kilometer rondom Marsh Creake af. Had iemand de auto gezien? Had iemand een aanzienlijke betaling in contanten aangenomen in het etmaal voorafgaande aan de moord op Ray Gunter?

Liz zelf had de afdeling Research een paar keer gebeld om te horen hoe het met het natrekken van de passagierslijst van de Eurostar ging. Het team stond onder leiding van Judith Spratt, die tien jaar geleden bij dezelfde nieuwe lichting had gezeten als Liz.

'Het gaat tijd kosten,' had Judith gezegd. 'Die trein was voor meer dan de helft vol, en er zaten tweehonderddrie vrouwen in.'

Liz liet de informatie tot zich doordringen. 'Hoeveel Britse vrouwen?' vroeg ze.

'Ongeveer de helft, denk ik.'

'Goed. Claude Legendre herinnerde zich heel duidelijk een Engelse vrouw van voor in de twintig, en Lucy Wharmby, de vrouw van wie het gestolen rijbewijs door ons doelwit heeft gebruikt, is drieëntwintig en Brits. Zou je je eerst kunnen concentreren op vrouwelijke passagiers van tussen de zeventien en dertig met een Brits paspoort?'

'Goed. Dan houden we er... even zien... eenenvijftig over, wat iets hanteerbaarder is.'

'En kun je ook aan Lucy Wharmby vragen of ze een stuk of vijf recente foto's wil mailen? Waarschijnlijk lijkt ze op ons doelwit.'

'Denk je dat het rijbewijs op bestelling in Pakistan is gestolen?' vroeg Judith.

'Volgens mij wel.'

Toen de foto's een uur later binnen waren, stuurde de afdeling Research Liz een set. Ze bevestigden de gegevens op het rijbewijs en toonden een aantrekkelijke maar niet opvallende jonge vrouw. Ze had een ovaal gezicht en haar ogen en tot op de schouders vallende haar waren bruin. Ze was een meter zeventig lang.

Het team liet er geen gras over groeien. Van de eenenvijftig vrouwelijke passagiers die nagetrokken moesten worden, woonden er dertig in of rondom Londen; de rest was over het hele land verspreid. Om de politie te helpen degenen te elimineren die duidelijk niet werden gezocht, zoals zwarte en oosterse, extreem grote, kleine en dikke vrouwen, werden er beelden van de bewakingscamera van Avis naar de desbetreffende korpsen gestuurd.

De politie begreep dat het verzoek dringend was en riep zoveel mogelijk mensen op om de telefoons te bemannen en de deuren af te gaan, maar het bleef een tijdrovend proces. De verhalen en alibi's van

188

alle vrouwen moesten worden gecontroleerd. Wachten was een onvermijdelijk deel van elk onderzoek, maar Liz had het altijd hoogst frustrerend gevonden. Zo gespannen als een veer en met een lijf dat klaar was om in actie te komen ijsbeerde ze door de wind over het strand, wachtend op nieuws.

Mackay zat intussen met Steve Goss en het politieteam in het dorpshuis, waar ze de hoofden van alle belangrijke militaire en burgerinstanties in East-Anglia die een mogelijk doelwit zouden kunnen zijn van islamitische terroristen persoonlijk opbelden. Het waren er veel, van politiehondenscholen en plaatselijke afdelingen van het nationale reserveleger tot en met kazernes en Amerikaanse luchtmachtbases. Die laatste stelde Mackay voor de bewakingspatrouilles te verdubbelen en kwetsbare toegangswegen voor het publiek af te sluiten. Elders verhoogde Binnenlandse Zaken de beveiligingsstatus van alle regeringsgebouwen van zwart naar rood.

Om twaalf uur kreeg Liz het verzoek Judith Spratt terug te bellen, en ze dook de cel aan zee weer in. Inmiddels kende ze alle ingekraste schuttingwoorden en verbleekte graffiti als haar broekzak.

Van de eenenvijftig vrouwen op de politielijst, hoorde ze, hadden er achtentwintig een geldig alibi voor de nacht van de moord. Vijf vrouwen waren zwart en konden dus niet de gezochte zijn, en zeven hadden een 'lichamelijke omvang die niet compatibel is met bestaande subjectgegevens'.

Dan bleven er nog elf vrouwen over, van wie er vijf alleen woonden en zes in meerpersoonshuishoudens. Negen van hen waren de hele ochtend niet thuis geweest en niet telefonisch te bereiken, een was niet teruggekomen van een feest in Runcorn en een was op weg naar een ziekenhuis in Chertsey om iemand te bezoeken.

'Die uit Runcorn,' zei Liz.

'Stephanie Patch, negentien jaar oud. Volgt een cateringopleiding en loopt stage bij Hotel Crown and Thistle in Warrington. Woont nog thuis, ook in Warrington. We hebben haar moeder gesproken, die zegt dat ze op de avond van de moord in het hotel werkte en voor middernacht thuis was.'

'Wat deed Stephanie in Parijs?'

'Popconcert,' zei Judith. 'The Foo Fighters. Ze was met een vriendin van haar werk.'

'Klopt dat?'

189

'The Foo Fighters speelden die avond in het Palais de Bercy, ja.'

'Heeft iemand de vriendin gesproken?'

'Die schijnt ook naar dat feest in Runcorn gegaan te zijn en is evenmin thuisgekomen. De moeder van Stephanie denkt dat ze niet thuis zijn gekomen omdat een van beiden een tatoeage heeft laten zetten, want daar dreigden ze mee. Ze heeft de politie verteld dat haar dochter in totaal veertien gaatjes in haar oren heeft. En ze kan niet rijden.'

'Dat schakelt haar min of meer uit. En die van het ziekenhuis?'

'Lavinia Phelps, negenentwintig. Ze werkt als restaurateur van schilderijlijsten voor Monumentenzorg en woont in Stockbridge in Hampshire. Ze bezoekt haar getrouwde zus die in Surrey woont en vannacht is bevallen.'

'Heeft de politie haar gesproken?'

'Nee, haar man, die een antiekzaak in Stockbridge heeft. Lavinia heeft de auto meegenomen, een vw Passat-station, maar haar telefoon staat niet aan. De politie van Surrey wacht haar bij het ziekenhuis in Chertsey op.'

'Dat zal een leuke verrassing voor haar zijn. Zijn er anderen die ook maar in de verste verte tot de mogelijkheden behoren?'

'We hebben een kunstacademiestudente uit Bath. Sally Madden, zesentwintig, ongehuwd. Ze woont in een eenkamerflat in een multifunctioneel gebouw in South Stoke. Ze heeft wel een rijbewijs, maar geen auto, volgens haar benedenburen.'

'Wat deed ze in Parijs?'

'Weten we niet. Ze is al de hele ochtend weg.'

'Zij zou het kunnen zijn.'

'Ik ben het met je eens. De politie van Somerset heeft een arrestatieteam klaarstaan.'

'Nog iets over de anderen?'

'Er hebben er vijf tegen gezinsleden gezegd dat ze kerstinkopen gingen doen. Meer hebben we op dit moment niet.'

'Bedankt, Jude. Bel me zodra je meer weet.'

'Doe ik.'

Om halfeen ging Liz, nadat ze door Steve Goss was gebeld, naar het dorpshuis, waar een sfeer van niet gehaaste bedrijvigheid hing. Er waren meer tafels en stoelen opgesteld en een stuk of vijf computerschermen wierpen hun fletse schijnsel op de gespannen gezichten van

190

politiemensen die Liz niet herkende. Er klonk een gedempt maar compact geroezemoes van telefonerende mensen. Goss, in hemdsmouwen, wenkte haar.

'Een kleine garage bij Hawfield, ten noorden van King's Lynn.'

'Ga door.'

'Op de avond van de schietpartij heeft een jonge vrouw kort na zessen met twee biljetten van vijftig pond betaald voor een volle tank en een jerrycan loodvrije benzine. De pompbediende herinnert zich nog dat ze benzine over haar handen en jas morste, waarschijnlijk toen ze de jerrycan vulde, en ze zou een groen ski- of outdoorjack hebben gedragen. Hij maakt er een vriendelijke opmerking over, maar ze negeert hem en geeft hem het geld alsof ze niets heeft gehoord, en hij vraagt zich af of ze doof is. En nu moet je opletten: ze koopt ook een gids met plattegronden van Norfolk.'

'Dat is ze. Dat móét ze zijn. Videobeelden?'

'Nee, daarom heeft ze dat pompstation waarschijnlijk uitgezocht, maar de bediende kon een goede beschrijving geven. Begin twintig, wijd uit elkaar staande ogen, middelbruin haar met een paardenstaart. Heel aantrekkelijk, zegt hij, en met een accent dat hij "gematigd kak" noemt.'

'Hebben ze die briefjes van vijftig nog?'

'Nee, die zijn een paar dagen geleden al naar de bank gebracht, maar Whitten heeft een Identifit-tekenaar op de zaak gezet. De pompbediende en hij zijn op dit moment een portret aan het samenstellen.'

'Wanneer kunnen we het zien?'

'We krijgen het binnen een uur op het scherm.'

'Ze zit vlak onder onze neus, Steve. Ik kan haar bijna ruiken.'

'Ja, ik ook, met benzine en al. Die gids duidt erop dat ze haar plan hier ten uitvoer gaat brengen, wát het ook is. Heeft Londen nog iets boven water gekregen?'

'Er zijn nog een stuk of tien mogelijkheden over. De Astra is zeker nergens gezien?'

'Nee, en ik zou er niet op rekenen als ik jou was. We hebben de beschrijving rondgestuurd, en hopelijk zit het kenteken op het dashboard van alle surveillanceauto's in het land geplakt, maar... tja, je moet nu eenmaal veel geluk hebben met auto's. Meestal vinden we ze pas als ze zijn geloosd.'

'Kunnen we Norfolk nog eens op die Astra attenderen? Zodat alle

191

politiemensen daar weten dat ze hem bovenaan hun prioriteitenlijstje moeten zetten?'

'Goed.'

'En zet spotters in burgerauto's op de wegen naar de Amerikaanse luchtmachtbases.'

'Dat had meneer Mackay ook al voorgesteld, en Whitten is ermee bezig.'

Liz keek om zich heen. 'Waar is Mackay?'

'Hij zei tegen Whitten dat hij naar Lakenheath ging om de commandant daar te spreken.'

'Oké,' zei Liz. Fijn dat hij mij erbij betrekt, dacht ze.

'Ik heb gehoord dat ze lekkere hamburgers bakken op die bases,' zei Goss.

Liz keek op haar horloge. 'Kun je je behelpen met een boerenlunch in de Trafalgar?'

'Vast wel,' knikte hij.

36

Op de terugweg vanuit Norwich zagen ze twee politieauto's. Ze stonden bij het kruispunt van de A1067 en de rondweg te wachten toen er een rode Rover met een lange antenne voorbijzoefde, net onder de snelheidslimiet. De gespannen gezichten van de bestuurder en degene naast hem, en ook de strakke, beheerste rijstijl hadden onmiskenbaar iets politieachtigs, en ze voelde de angst in haar maag.

'Rijden,' zei Faraj, die de ware aard van de Rover waarschijnlijk niet had herkend. 'Wat is er?'

De weg voor hen was vrij, maar nu naderde er verkeer van rechts. Ze moest wachten. In de spiegel zag ze het ongeduldige gezicht van de automobilist achter zich, en toen de weg eindelijk vrij was, liet ze de koppeling met een ruk opkomen.

'Van nu af aan rijd je soepel, oké?' zei Faraj kortaf. 'Wanneer het zover is, vervoeren we heel instabiel materiaal. Begrepen?'

'Begrepen,' zei ze, diep ademhalend in een poging het restje angst in bedwang te krijgen.

'Zodra je kunt stoppen, wisselen we van plaats, oké?'

Ze knikte. Ze nam aan dat hij zich vertrouwd moest maken met de auto. Als zij werd uitgeschakeld...

Als zij werd uitgeschakeld...

Ze zag de waarheid onder ogen, en tot haar verbazing werd de last van de angst iets minder zwaar. Ze zou vermoord kunnen worden, hield ze zichzelf voor. Zo simpel lag dat. Als het tot een vuurgevecht kwam, zou ze de allerbesten tegenover zich vinden. Een gewapende eenheid van de antiterrorismebrigade of een SAS-team. Anderzijds had ze op de allerhardste leerschool die er bestond ontdekt dat ze zelf ook goed was. Dat wapens haar gehoorzaamden en vloeiend in haar handen bewogen. Dat het gevecht van man tegen man haar talent was, haar laat ontwikkelde gave.

Als zij werd uitgeschakeld...

Ze reed een kwartier zwijgend door en stopte toen bij een bushalte in Bawdeswell. Toen ze van plaats waren verwisseld en ze haar veiligheidsgordel omdeed, zag ze het zwaailicht van een surveillanceauto op de rotonde een halve kilometer voor hen. De politieauto zette de sirene even aan, sloeg linksaf en verdween.

'Ik denk dat het tijd is dat we deze auto dumpen,' zei ze. 'Hij stond op het parkeerterrein toen jij de dief doodde. Iemand zou een verband kunnen hebben gezien.'

Hij dacht even na en knikte toen. Ze wist dat hij de politieauto ook had gezien en gehoord. 'We moeten een andere hebben.'

'Dat was ingecalculeerd,' zei ze. 'Ik huur hem op mijn eigen naam.'

'Wat doen we met deze?'

'We laten hem verdwijnen.'

'Waar?'

'Ik weet wel een plek.'

Hij knikte en reed weg bij de bushalte, de Astra met een soepele, hautaine behendigheid beheersend. Ze zagen geen politiewagens meer.

Eenmaal terug in de bungalow, nadat ze hadden gegeten en zij een aantal minuten de kust links en rechts met de verrekijker had afgezocht, legde hij hun aankopen van die ochtend op de keukentafel. Zwijgend rolden ze hun mouwen op. Ze kende het klappen van de zweep; het kader stedelijke oorlogsvoering had het in zijn geheugen moeten prenten in Takht-i-Suleiman. Toch was het vreemd het hier te zien.

Faraj pakte een vuurvaste schaal en bracht water aan de kook. Hij voegde er twee pakjes gelatine aan toe en roerde behoedzaam met een roestvrijstalen dessertlepel. Toen trok hij de door Diane Munday verschafte ovenwanten aan, die blauw met wit gestreept waren, als een koksschort, en nam het mengsel van het vuur. Hij gaf haar de wanten, liet het mengsel een paar minuten afkoelen, schonk er een halve kop bakolie bij en roerde weer. Terwijl ze keken, ontstond er een dunne korst. Hij schraapte de korrels met de lepel af en deed ze in een kleine Tupperware-doos, die ze in het vriesvak van de koelkast zette. Ze werkten beiden zonder iets te zeggen. De sfeer was bijna huiselijk.

Faraj schonk de schaal leeg en waste hem om, waarna hij de Silly Putty-eieren openmaakte. Toen hij een grote bal stopverf had, legde hij die in de schaal, trok de gele huishoudhandschoenen aan die over het aanrecht hingen en begon de andere ingrediënten erin te kneden. Na een paar minuten hing hij de rubberhandschoenen over de rand van de schaal en liep naar de rugzak in zijn kamer.

194

De elektronische hydrometer die hij pakte, zat nog in de fabrieks-verpakking. De gebruiksaanwijzing, waarop hij een vluchtige blik wierp, was in het Russisch gedrukt. Uit een andere tas pakte hij een aantal in vetvrij papier gewikkelde batterijen. Hij klikte er een in de hydrometer, testte de dichtheid van het grijzig roze mengsel in de schaal en mengde verder. Eerst met de hand, toen met de lepel.

Het was een vermoeiend, knoeierig werkje, maar uiteindelijk had het mengsel de vereiste gesmolten-karameltextuur, en de hydrometer gaf de juiste waarde aan. Ze wisten allebei dat het volgende stadium, het mengen van de twee bijzonder instabiele substanties, het gevaar-lijkste was. Faraj legde met een effen gezicht de hydrometer op tafel.

'Ik maak het wel af,' zei ze zacht, en legde een hand op zijn pols.

Hij staarde naar de hand.

'Pak de wapens, de papieren en het geld,' vervolgde ze, 'en rijd een paar honderd meter de weg af. Als... als het misgaat, maak dan dat je zo snel mogelijk wegkomt. Vecht door zonder mij.'

Hij keek van haar hand naar haar ogen.

'Jij moet blijven leven,' zei ze. Ze verstevigde haar greep op zijn pols, wat op een of andere manier meer moed vereiste dan alles wat er tot nu toe van haar was gevergd.

'Je weet...'

'Ik weet het,' zei ze. 'Ga nu. Zodra ik klaar ben, zie je me naar de zee lopen.'

Hij draaide zich bruusk om. Binnen een minuut had hij alles gepakt wat hij nodig had. Bij de voordeur aarzelde hij en draaide zich naar haar om. 'Asimat?'

Ze keek in zijn vlakke, uitdrukkingsloze ogen.

'Ze hebben goed gekozen in Takht-i-Suleiman.'

'Ga,' zei ze.

Ze wachtte tot ze het grind niet meer onder de banden van de Astra hoorde knarsen en liep naar de koelkast. Ze tilde de gekoelde Tupper-ware-doos behoedzaam uit het vriesvak en voegde de broze korstjes bij het mengsel in de schaal. Voorzichtig maar vastberaden, een gebed pre-velend om het beven van haar handen te bedwingen, werkte ze de in-grediënten door elkaar tot ze de textuur van slagroom hadden.

'C4,' mompelde ze in zichzelf. De vier windstreken van de jihad. Compositie Vier-springstof.

Ze pakte een van Diane Mundays goedkope supermarktmessen uit

195

de bestekla, nog steeds biddend, en sneed de romige pasta in drie even grote parten. Met een theelepel vormde ze drie bollen ter grootte van een tennisbal uit de parten. Een ronde lading, hadden ze haar verteld, garandeert de hoogste ontploffingssnelheid.

Terwijl ze een paar kaarsen in de gekraste teflonsteelpan smolt, liet ze zichzelf op adem komen. Het ergste was achter de rug, maar er kwam nog een laatste test. 'De was te heet,' herinnerde ze zich de stem van hun instructeur in Takht-i-Suleiman met zijn twinkelende ogen, 'en kla-bám!' Hij had zijn hoofd geschud, zo hilarisch vond hij het idee.

Maar als de was te koud was, zou de springstof niet goed bedekt zijn. Niet doelmatig afgeschermd van vocht en plotselinge verschillen in temperatuur of barometrische druk. Ze haalde de pan van het vuur en wachtte tot er een wit laagje op de was ontstond. Toen legde ze de drie bollen er met de theelepel in en keerde ze voorzichtig om en om. Toen ze gelijkmatig met was waren bedekt, duwde ze ze met de theelepel tegen elkaar aan, zodat er een rups met drie segmenten ontstond. De was hardde uit en werd ondoorzichtig. De springladingen leken nu op reusachtige witte bonbons, uit België misschien, de bonbons die haar moeder...

Niet doen, vermaande ze zichzelf. Dat leven is dood.

Maar het was niet helemaal dood, en het gebed dat ze had gepreveld was ongemerkt overgegaan in 'Bohemian Rhapsody' van Queen, dat haar ouders voor de scheiding altijd in de auto hadden gedraaid. En daar waren ze zelf; hun schimmen zweefden achteloos door de keuken van de bungalow, en ze lachten samen en noemden haar bij haar oude naam, de naam die zij haar hadden gegeven. Ze deed woedend een pas achteruit, kneep haar ogen een paar seconden stijf dicht en sloeg zó hard op haar zak dat het pijn deed aan haar hand toen ze de geladen Malyah raakte.

'Asimat. Ik heet Asimat. *Ik heet Asimat.*'

Het intense genoegen dat Farajs goedkeuring haar had gedaan, ging in rook op. In plaats daarvan dreigde ze opgeslokt te worden door haar twijfels aan zichzelf, die zich als donderwolken aan de rand van haar bewustzijn konden opstapelen. Ze voelde een steek achter haar borstbeen en het harde, verbitterde bonzen van haar hart.

Ze vermande zich bars en richtte haar aandacht weer op de explosieven. Ze pakte drie pijpenragers die ze dwars door de afkoelende was van de middelste bol stak, nu hardop biddend, en draaide de ein-

196

den samen om ze aan de ontsteking te kunnen bevestigen. Ze deed een pas achteruit en keek kritisch naar het resultaat. Het zag eruit zoals ze had gewild, en het gerimpelde, vrolijke gezicht van de instructeur in Takht-i-Suleiman leek goedkeurend te knikken. De drievoudige C4-bom was altijd favoriet geweest bij de Hemelse Kinderen. Je zou kunnen zeggen dat het hun signatuur was en dat zij, de strijder Asimat, haar laatste handtekening zette.

Ze had de donderwolken in haar geest bedwongen en iets evenwichtiger nu droeg ze de rups met de pijpenragerpootjes naar de koelkast. Hij was heel licht; het meeste gewicht zat in de was, en ze legde hem eerbiedig op de bovenste plank. Toen ze dat had gedaan, liep ze door de achterdeur het kiezelstrand op. Aan de rand van de zee bleef ze uitdrukkingsloos en roerloos met haar armen langs haar zij staan terwijl de wind haar haar in haar gezicht striemde.

37

'Vertel,' zei Liz. De wind rammelde aan de deur van de telefoon-cel en ze trok haar jas om zich heen. Het was de zevende keer dat ze Judith Spratt collect belde.

'Zoals de zaken er nu voorstaan, hebben we bot gevangen.'

'Die vrouw uit Bath?'

'Sally Madden? Die zat de avond en de nacht van de moord in Frome met een vriendin die een zieke hond had.'

'Klopt dat wel?'

'De vriendin heeft het verhaal bevestigd, en de dierenarts in Frome herinnerde zich dat ze rond vijf uur met de hond bij zijn praktijk waren geweest. En volgens jouw eerdere telefoontje heeft degene die wij zoeken om zes uur ergens in Norfolk getankt.'

'Verdomme. Verdómme. En geen van de anderen... de vrouwen die alleen wonen, bijvoorbeeld, hoe zit het daarmee?

'Die zijn allemaal controleerbaar die avond of nacht elders geweest. Of ze zijn van het station afgehaald door iemand die kan garanderen dat ze geen auto hebben gehuurd. Of beide.'

'Oké. Voordat je verdergaat met de Franse vrouwen en niet-Euro-peanen wil ik je nog iets vragen. Heb je de passagierslijst bij de hand?'

'Ja.'

'Goed. Streep alle passagiers in de goede leeftijdsklasse door die zijn afgevallen.'

'Had ik al gedaan.'

'Hoeveel vrouwen heb je nu nog over?'

'In de groep van zeventien- tot dertigjarigen een stuk of twintig niet-Europeanen, Amerikanen en Australiërs en zo, en zo rond de vijftig Françaises.'

'Hoe weet je dat het Françaises zijn?'

'Hoe bedoel je?'

'Hoe heb je de Fransen van de Britten gescheiden toen je de passa-gierslijst voor het eerst doornam?'

198

'Op grond van de namen, eigenlijk.'

'Niet op grond van het paspoort?'

'Nee, want de Britten en Fransen staan alleen als EU-ingezetenen vermeld.'

'Oké. Neem de Franse namen door en zie of je een naam kunt vinden die niet specifiek Frans is. Die ook Engels zou kunnen zijn. Kun je dat nu doen?'

'Goed, daar gaan we... Ik heb een Michelle Altaraz... Claire Dazat... Adrienne Fantoni-Brizeart... Michelle Gilabert... Michelle Gravat... dat zijn al drie Michelles... Sophie Lecoq... Sophie Lemasson... Olivia Limousin... Lucy Reynaud... Rita Sauvajon... en, eh... Anne Mathieu. Dat zijn ze.'

'Verdomme. Ze klinken allemaal heel Frans. Zou er een vergissing gemaakt kunnen zijn, zou iemand van dat stelletje Engels kunnen zijn?'

'Het klinkt allemaal niet echt Engels.'

Liz zweeg. Het idee dat ze de politie via de afdeling Research zou moeten vragen nog eens vijftig namen na te trekken, mogelijk met een tolk erbij, vervulde haar met iets wat aan wanhoop grensde. 'De niet-EU'ers,' zei ze ten slotte. 'Hoeveel vrouwen hebben we in de juiste leeftijdsgroep?'

'Negen Australiërs, zeven Amerikanen, vijf Japansen, twee Zuid-Afrikaansen, twee Colombiaansen en een Indiase.'

'Vergeet die Japansen maar, maar laat je team de rest lokaliseren en opbellen. Ze zouden allemaal bij de immigratiebalie op Waterloo moeten hebben verklaard waar ze hier verblijven. We zoeken naar een Engels accent, oké? Een "gematigd kak"-accent, zoals ik al zei. De vrouwen die daaraan voldoen – laat die zo snel mogelijk door de politie natrekken. En wil je nog iets voor me doen? Mail me de hele passagierslijst, in code, in rubrieken naar leeftijd, geslacht en nationaliteit. En hou vannacht een team paraat.'

'Komt voor elkaar.'

Tien minuten later zat ze met de lijst op haar laptop in haar kamer in de Trafalgar. Het was halfdrie 's middags. Wat hebben we over het hoofd gezien? vroeg ze zich af, turend naar het scherm. Wát hebben we gemist? Een van die zwarte namen tegen een witte achtergrond was die van de onzichtbare.

Denk na. Analyseer. Waarom was ze onder haar eigen naam het land ingekomen?

199

Omdat degene voor wie ze werkte, een cel of een netwerk, dat had geëist. De leiders zouden niet het risico nemen dat een operatie door valse papieren in het honderd liep als het niet per se moest. Omdat transparantie een essentieel element van onzichtbaarheid was.

Waarom dan wel op een vals rijbewijs een auto huren?

Omdat er, zodra ze voorbij de douane en in het land was, niets meer was wat haar in verband kon brengen met de huurauto. Het was een ontsnapping. Zelfs als de auto werd gesignaleerd, zou de huurder onvindbaar blijven; de vrouw kon wanneer ze maar wilde haar eigen papieren gebruiken. Een perfect plan, als Gunter er niet was geweest. Gunter was echter vermoord, en vanaf dat moment was de ontmaskering nabij geweest.

Maar niet nabij genoeg. Wat de terreurcel ook van plan was, het zou nog steeds kunnen gebeuren. Had Mackay gelijk? Wilden ze een aanslag plegen op een van de Amerikaanse luchtmachtbases, op Marwell, Lakenheath of Mildenhall? Oppervlakkig gezien waren het, als symbolen van het gehate militaire verbond van Amerika en het Verenigd Koninkrijk, de voor de hand liggende doelwitten hier in de omgeving, maar ze had kaarten van de bases gezien en die waren immens. Je kon er niet bij in de buurt komen, want ze werden door het leger en de politie bewaakt, en de beveiligingsstatus was ook nog eens naar rood opgewaardeerd. Wat voor aanslag konden twee mensen nou helemaal plegen? Een paar bewakers van lange afstand met een sluipschuttersgeweer doodschieten? Een door een raket aangedreven granaat op een schildwachthuisje afschieten? Ze vermoedde dat zelfs dat nog heel moeilijk zou zijn. Je overleefde het niet en de pers zou absoluut geen lucht van het verhaal mogen krijgen, wat het effect van de aanslag tot bijna nul reduceerde.

Een bom, wellicht? Maar hoe kreeg je die binnen? Elke inkomende vracht, of het nu om honkbalballen, auto-onderdelen of hamburgerbroodjes ging, werd doorgelicht of met de hand doorzocht. Geen voertuig dat zich uit een basis waagde werd onbewaakt achtergelaten, opdat er geen apparatuur aan bevestigd kon worden. Dergelijke scenario's waren allemaal uitputtend behandeld door de RAF, de militaire politie en de veiligheidsplanners van de USAF.

Nee, dacht Liz. Ze kon het probleem beter van de andere kant benaderen. De vrouw zoeken. Haar pakken. Haar tegenhouden.

Ze keek weer naar het beeldscherm en kreeg een inval. Had Claude

200

Legendre zich vergist? Was de vrouw eigenlijk een Française die vloeiend Engels sprak?

Haar intuïtie zei nee. Legendre deed dag in, dag uit, maand na maand en jaar na jaar zaken met Britse en Franse klanten, en hij zou onbewust alle minieme verschillen tussen beide nationaliteiten kennen. Accent, stembuiging, houding, stijl... Als zijn geheugen zei dat de vrouw Engels was, was Liz bereid daarop te vertrouwen. En als dezelfde vrouw 'gematigd kak' was genoemd door een pompbediende uit Norfolk...

De vrouw zag er Engels uit. Op de wazige beelden van de bewakingscamera van Avis waren geen details te zien, maar op een vreemde manier zag je wel de hele mens. Iets in de timide houding van het bovenlichaam en de schouders deed Liz denken aan een uitgesproken Engelse combinatie van intellectuele arrogantie en ingehouden fysieke schutterigheid.

De kleren dienden op meer niveaus als een vermomming, dacht ze. Ze waren gewoon, zodat geen mens op haar lette, en vormeloos, zodat ze niet aan de hand van haar figuur geïdentificeerd kon worden. Het waren bewust op bescherming gekozen kleren. Maar in Liz' ogen waren het ook de kleren van een vrouw die kritiek bij voorbaat wilde uitsluiten. Je kunt mij niet voor de voeten gooien dat ik niet aantrekkelijk ben, zeiden die kleren, want ik zal nooit proberen aantrekkelijk te zíjn. Ik verafschuw zulke trucjes.

En toch had de pompbediende volgens Steve Goss spontaan opgemerkt dat de vrouw aantrekkelijk was. Bedoelde hij aantrekkelijk in de gewone zin, vroeg Liz zich af, of was er meer aan de hand? Sommige mannen voelden zich onbewust aangetrokken tot vrouwen bij wie ze een minderwaardigheidscomplex bespeurden, of angst. Was die vrouw bang? Hoorde ze Liz' zachte maar gestage voetstappen achter zich? Zodra ze van Gunters dood hoorde, moest ze hebben geweten dat de operatie gevaar liep.

Nee, stelde Liz vast, ze was nog niet echt bang. De arrogantie versluierde de angst nog. Arrogantie en vertrouwen in haar leiders, aan wie ze geestelijk of heel concreet nog steeds gebonden was. Maar de spanning moest al voelbaar zijn. De spanning van het binnen de hermetisch afgesloten cocon blijven die ze voor zichzelf had gesponnen, de cocon waarbinnen bloedvergieten gerechtvaardigd leek. De realiteit en de buitenwereld moesten inmiddels tot haar beginnen door te dringen. Engeland moest naar binnen sijpelen.

201

Om vijf uur was de schemering gevallen en de middag in de avond overgegaan. Na de aanvankelijke hoop die de pompbediende in Hawfield had gewekt, was het Identifit-portret teleurstellend algemeen en nietszeggend uitgevallen. De vrouw met het blauwzwarte honkbalpetje en de olijfkleurige pilotenbril leek vaag op Lucy Wharmby, al stonden haar ogen iets wijder uiteen.

Het portret werd direct naar de afdeling Research en alle betrokken politiekorpsen gemaild. Naar aanleiding daarvan vroeg Judith Spratt een gesprek aan, en toen Liz weer in de telefooncel stond die zo ongeveer haar tweede huis was geworden, vertelde Judith haar dat de politie alle niet-Europese vrouwen van tussen de zeventien en dertig had nagetrokken, zonder resultaat.

Er waren meer dan tachtig vrouwen nagetrokken. En niet één van hen was het doelwit.

'Wat wil je me nu nog laten doen?' vroeg Judith. 'De chefs van de regiokorpsen willen weten of ze vanavond aflossingsteams paraat moeten houden. Wil je dat ik doorga met de Franse vrouwen?'

'Ik denk dat er niets anders op zit.'

'Je bent onzeker.'

'Ik geloof gewoon niet dat ze Frans is. Ik vóél gewoon dat ze Engels is. Toch moet het maar, denk ik.'

'Zal ik dan maar aan de slag gaan?'

'Ja. Aan de slag.'

Toen Liz in de Trafalgar terugkwam, zat Mackay aan de bar met een glas whisky dat hij tegen het licht hield.

'Liz, wat wil je drinken?'

'Hetzelfde als jij.'

'Ik heb een maltwhisky. Talisker.'

'Klinkt goed.' En misschien helpt het me het raadsel van onze mysterieuze Eurostar-passagier op te lossen, dacht ze mat. In plaats van Cherisse stond er deze keer een meisje met een geblondeerde borstelkop achter de bar. Ze kon niet ouder dan achttien zijn. Er hing een zwakke maar voelbare spanning tussen haar en Mackay.

'En, hoe was je dag?' vroeg hij toen ze in een stille hoek zaten.

'Voornamelijk slecht. Ik heb de tijd van een stuk of vijf politiekorpsen verspild en de telefoonrekening van de Dienst opgevoerd, om maar een paar dingen te noemen. En nog steeds de onzichtbare niet

202

geïdentificeerd. Het goede nieuws is dat ik tussen de middag een lekkere tosti heb gegeten met Steve Goss.'

Hij glimlachte. 'Wil je me jaloers maken?'

Ze stak haar kin vooruit. 'Je hebt geen schijn van kans. Steve is attent. Hij is niet arrogant en houdt me op de hoogte.'

'O, dus dát is het.' Hij nam een slokje whisky. 'Ik dacht dat ik een boodschap voor je had achtergelaten.'

'Wat een rotsmoes. Bel me de volgende keer van tevoren, Bruno, oké? Hou me op de hoogte. Ga er niet zomaar vandoor.'

Hij keek haar strak aan, en ze vermoedde dat ze dat maar als een verontschuldiging moest opvatten.

'Dan praat ik je nu bij,' zei hij. 'Ik had een onderonsje met onze vrienden van Lakenheath, die allemaal heel goed bij de tijd, alert en paráát leken te zijn... en ik heb nadrukkelijk gezegd dat ze dat moeten blijven. Einde verhaal, eigenlijk, en ik kan je wel zeggen dat je, als je zo'n basis ziet, hoe gróót zo'n vliegveld is, je begint af te vragen hoe een jongen en een meid daar schade zouden moeten aanrichten. Heb je ooit een biefstuk van een pond gegeten?'

'Voorzover ik weet niet. Steve Goss dacht dat de luchtmacht je hamburgers zou voeren.'

'Goed geraden. Er stonden inderdaad hamburgers op het menu. Maar die biefstuk van Lakenheath... Ongelooflijk. Ik heb vriendinnen gehad aan wie minder vlees zat. En eerlijk gezegd zou een stelletje opportunisten zoals die twee van ons, nou ja, ze zouden bergen moeten verzetten om dicht genoeg in de buurt te komen om een Stinger of zoiets af te vuren, laat staan dat ze een vliegtuig zouden raken. Ik bedoel, misschien kunnen ze een paar bewakers bij de poort doodschieten, maar zelfs dat zou al heel moeilijk zijn.'

'Ik heb die bases gezien, en ik denk er net zo over. Mijn gevoel zegt me dat ze een simpeler doelwit hebben gekozen.'

'Zoals?'

'Geen idee. Iets.' Ze schudde haar hoofd. 'Verdómme!'

'Rustig, Liz.'

'Ik kan niet rustig zijn, niet nu, want ik weet iets over het hoofd te hebben gezien. Als we die whisky ophebben, wil ik dat jij eens naar die passagierslijst kijkt. Misschien zie jij iets.'

'Met plezier. We gaan ervan uit dat het meisje tot Gunter werd vermoord geen enkele reden had om zich schuil te houden, hè?'

203

'Precies. Het enige wat ze hoefde te doen, was zorgen dat ze niet door de politie werd aangehouden vanwege een verkeersovertreding. Zolang ze zich in dat opzicht goed gedroeg, was er niets aan de hand: haar enige zwakke punt was dat gestolen rijbewijs. Ze moet dus ergens op die lijst staan. Maar ze hebben alle Britse vrouwen tussen de zeventien en dertig op die lijst nagetrokken en ze was er niet bij.'

'Het is dus een Française. Een Française die Engels klinkt. Daar zijn er genoeg van.'

'Je zult wel gelijk hebben,' zei Liz schouderophalend, niet overtuigd.

'Hé, voorlopig kunnen we niets doen. Zullen we Bethany vragen een maaltijd voor ons in elkaar te draaien, een fles fatsoenlijke wijn erbij...'

'Ik dacht dat jij nog vol biefstuk zat. En wie is Bethany nou weer? Die chagrijnige puber achter de bar?'

'Ze is toevallig drieëntwintig, en de herinnering aan de lunch zakt snel.'

Waarom ook niet? dacht Liz. Hij had gelijk; tot de Franse vrouwen waren nagetrokken, konden ze in feite niets ondernemen. En ze zou echt moeten proberen iets minder gestresst te doen.

'Goed dan,' zei ze met een glimlach. 'Laten we maar eens zien wat meneer Badger en zijn koksploeg in hun mars hebben.'

'Doen we. Laten we in de tussentijd naar jouw boudoir gaan om die passagierslijst te bekijken.'

'Moet je niet tegen je vriendinnetje Bethany zeggen dat we van plan zijn hier te eten?'

'O, dat weet ze al,' prevelde Mackay, en hij sloeg de laatste slok whisky achterover. 'Ik heb het gezegd toen ik binnenkwam.'

Opeens rinkelden de ramen in hun sponningen. De wind stak op en de regen die tegen het glas-in-lood striemde, maakte de gele straatverlichting wazig. Onder het licht zag Liz een witte vijfdeurs auto met een politie-embleem langs de zee kruipen om alle geparkeerde auto's te controleren.

38

Twintig minuten later stopte de witte auto op het parkeerterrein bij de gemeenteflat in Dersthorpe, waar Elsie en Cherisse Hogan woonden. Brigadier Brian Mudie ritste zijn druipende politieregenjack dicht en tastte onder zijn stoel naar de zware Maglite-zaklamp.

Agente Wendy Clissold tuurde langs de door regen doorsneden bundel van de koplampen. 'Zo te zien staan alle auto's binnen,' zei ze. 'Ik zou in zo'n achterbuurt ook geen auto buiten laten staan. Als je terugkomt, ben je je wielen kwijt.'

Mudie overwoog in de auto te blijven en alleen met de zaklamp naar buiten te schijnen terwijl Wendy Clissold de ronde deed. Don Whitten had echter gezegd dat ze moesten uitstappen en door garageramen en achter muren kijken; het kwam erop neer dat ze moesten snuffelen en zich onmogelijk maken. Dus zette hij zijn natte pet maar weer op. Het regendekje met elastiek lag in het handschoenenvak, maar Mudie liet het liggen omdat hij het achterlijk vond staan. Het leek wel een douchemuts.

Hij wriemelde verkennend met zijn tenen in zijn doorweekte Doc-Martens en stapte de regen in. Er stond een harde zeewind en hij moest zijn pet vasthouden. In zijn andere hand hield hij de zaklamp. Hij duwde het portier met zijn knie dicht en zag Wendy's gezicht in de auto oplichten toen ze een sigaret opstak. God, wat een beeldschone vrouw was het toch.

Het kostte hem vijf minuten om het parkeerterrein te inspecteren en nog eens acht om met de zaklamp langs de rij auto's voor de Lazy 'W' te schijnen, zich ervan te verzekeren dat geen van de aftandse gevaartes bij de buurtsuper een zogoed als nieuwe Opel Astra was en twee jongens die in een bij de zee geparkeerde Ford Capri zaten te blowen de stuipen op het lijf te jagen.

Toen hij terugkwam, had Wendy de verwarming aangezet. De surveillanceauto rook naar verhit stof en de pepermuntgeur van haar mondspray.

'En?' vroeg ze toen hij zijn natte jack en pet op de achterbank legde.

'Niks natuurlijk. Geef mij eens een saffie.'

Terwijl hij rookte, reed Wendy Clissold langzaam van Dersthorpe terug naar Marsh Creake. Halverwege stopte ze op een parkeerhaven, draaide de contactsleutel om en deed de lichten uit. Alleen het zwakke sissen van de mobilofoon was nog hoorbaar. Aan de zeekant van de weg zagen ze de golven geluidloos opspatten.

Ze zwegen tot hij zijn sigaret had opgerookt.

'Weet je zeker dat je vrouw niets door heeft?' vroeg Clissold toen.

'Doreen? Nee, die heeft het te druk met haar soapseries en haar krasloten. Eerlijk gezegd zou het me niks kunnen schelen als ze het wist.'

'En Noelle?' vroeg Clissold zacht. 'Je zei dat ze net op die nieuwe school was begonnen.'

'Vroeg of laat komt ze er toch achter, niet?' zei Mudie berustend. Hij deed zijn raampje open, knipte zijn peuk naar buiten en reikte naar Clissold.

Een paar minuten later maakte ze zich van hem los.

Mudie knipperde met zijn ogen. 'Wat is er, schat?'

'Die vakantiebungalows aan de Strand? Ik zag licht branden.'

'Brancaster, Marsh Creake en Dersthorpe, heeft Whitten gezegd. Geen woord over de Strand.'

'Ik vind dat we toch moeten gaan kijken.'

'Wanneer zij ons extra geld geven, gaan wij extra ons best doen. Tot die tijd kunnen ze m'n reet likken.'

Ze aarzelde. De regen sloeg tegen de ramen. Dode lucht schraapte door de mobilofoon.

'En trouwens,' zei hij, terwijl hij met zijn hand het warme vlees boven de band van haar uniformbroek kneedde, 'we moeten om halfzes terug zijn in Fakenham. Dan hebben we dus nog... wát, een kwartier?'

Ze schoof weifelend maar genoeglijk naar hem toe. 'Je bent een slecht mens, brigadier Mudie, en je geeft mij het slechte voorbeeld.'

'Wat wil je eraan doen, agent Clissold?' fluisterde hij met zijn gezicht in haar haar. 'Me arresteren?'

39

'Hoe is je vis?' vroeg Bruno Mackay.
'Veel graat, weinig smaak,' zei Liz. 'Alsof je watten uit een haarborstel peutert. Die wijn daarentegen is echt schitterend.'

'In die negorijen hebben ze wel eens iets goeds in de kelder liggen,' zei Mackay. 'Geen mens die het bestelt, dus kunnen de flessen jaren blijven liggen.'

'In afwachting van iemand met smaak, zoals jij?' zei Liz schalks.

'Daar komt het op neer, ja,' zei Mackay. 'Ha, daar komt Bethany met de tartaarsaus.'

'Die net als de wijn stilletjes in de kelder heeft liggen rijpen...'

'Weet je?' zei Mackay. 'Jij bent een bijzonder bevooroordeelde vrouw.'

Liz zocht nog naar een repliek toen haar telefoon ging. Het was Goss.

'Ik bel alleen even om te zeggen dat we een naam bij onze schutter zouden kunnen hebben. Mitchell heeft de hele dag foto's bekeken en hij heeft iemand aangewezen. Zal ik je de gegevens mailen?'

'Uiteraard.'

'Wat is je adres?'

'Wacht even.'

Ze gaf het toestel aan Mackay. 'Geef Steve Goss je e-mailadres. De schutter is geïdentificeerd.'

Hij knikte en ze legde haar mes en vork naast elkaar op haar bord om aan te geven dat ze de vis liet winnen.

Toen de foto's tien minuten later doorkwamen, zaten ze in Victory, Mackays kamer. Hij had de fles en hun glazen meegebracht, maar de penetrante geur van goedkope luchtverfrisser benam Liz de trek in wijn.

'Om misselijk van te worden,' beaamde Mackay terwijl de foto's binnenkwamen. 'Jammer dat Ray Gunter zich niet op het strand in Aldeburgh heeft laten afmaken. Daar zijn fantastische hotels en restaurants.'

Ze knikte naar de computer op de toilettafel. 'Je weet wie we te zien gaan krijgen, hè?'

Hij fronste zijn voorhoofd. 'Nee, jij?'

'Ik heb zo'n donkerbruin vermoeden,' zei ze terwijl er een zandkleurig portret van een man met een mujaheddin-hoofddeksel op het scherm verscheen.

'Faraj Mansoor,' las hij. 'Wie is Faraj Mansoor in vredesnaam?'

'Een automonteur uit Peshawar. Heeft connecties met Dawood al Safa en bezit een vervalst Brits rijbewijs uit Bremerhaven.'

Hij staarde naar de foto. 'Hoe weet je dat? Wat heb je voor me achtergehouden?'

'Wat heeft Geoffrey Fane voor je achtergehouden? Hij is degene die die vent op het spoor is gekomen nadat een Duitse verbindingsman ons had getipt over het rijbewijs. Wil je zeggen dat je nooit van hem hebt gehoord? Jij bent tenslotte onze man uit Pakistan.'

'Dat wil ik zeggen, ja. Wie is het?'

Ze vertelde hem het weinige dat ze wist.

'Uiteindelijk hebben we dus alleen een naam en een gezicht,' zei Mackay. 'Meer niet. Geen bekende contactpersonen, geen...'

'Niet dat ik weet, nee.'

'Godver!' Hij zakte op de verschoten groene chenille sprei op het bed. 'Gódver!'

'We weten tenminste hoe hij eruitziet,' zei Liz met een blik op de tengere gestalte met de scherpe trekken. 'Heel aantrekkelijk, dunkt me. Wat zou er tussen hem en het meisje spelen?'

'Ik vraag het me af,' zei Mackay droog. 'De politie verspreidt zijn signalement, neem ik aan?'

'Ik denk het wel. Het is een begin.'

Hij knikte. 'Er kunnen niet veel mensen met zo'n uiterlijk in East-Anglia rondlopen.'

'Daar ben ik niet zo zeker van. Hij heeft een lichte huid. Scheer hem, geef hem een trendy kapsel, trek hem een spijkerbroek en een donsjack aan en hij zou onopgemerkt door elke winkelstraat kunnen lopen. Mijn gevoel blijft zeggen dat we de vrouw moeten vinden. Als we haar kunnen identificeren en haar leven onder de microscoop leggen, moeten we hen volgens mij allebei kunnen vinden. Heb je nog een idee gekregen van die passagierslijst, wat dan ook?'

'Alleen de bevestiging dat het leven niet eerlijk is.'

'Wat bedoel je in hemelsnaam?'

'Kun je je voorstellen hoe groot je voorsprong in het leven is als je

208

Adrienne Fantoni-Brizeart of Jean d'Alvéydre heet?' vroeg Mackay. 'Elke kennismaking zou een liefdesverklaring zijn.'

'Stonden die namen op de lijst?' vroeg Liz. *Er was iets, een idee dat boven wilde komen...*

'Voorzover ik me herinner, ja.'

'Zeg het nog eens,' zei Liz toonloos. 'Zeg die namen nog eens.'

'Nou, er was een vrouw die Adrienne Fantoni-Brizeart heette, geloof ik, en een man die Jean d'Alvéydre heette, of iets wat erop lijkt. Hoezo?'

'Ik weet het niet. Er is iets...' Ze kneep haar ogen dicht. *Verdomme.* 'Nee. Het is me weer ontschoten.'

'Ik ken dat gevoel,' zei Bruno meelevend. 'Zet het op de sudderpit en vergeet het. Je geheugen geeft het je wanneer het eraan toe is.'

Ze knikte. 'Ik weet dat je vandaag naar Lakenheath bent geweest; heb je de andere bases ook bezocht? Mildenhall en Marwell?'

'Nee. Ik had gehoopt Mildenhall aan te doen, maar de commandant was er niet. Ze verwachten me morgenochtend. Wil je mee?'

'Nee, ik blijf maar hier, geloof ik. Vroeg of laat signaleert iemand die gehuurde auto. Whitten laat zijn mensen er overal...'

Er klonk een gesmoorde piep en ze griste de telefoon van haar riem zonder te kijken wie er belde. 'Jude?'

'Nee, niet Jude, wie hij of zij ook is. Met mij. Mark. Hé, je weet toch dat ik met Shauna zou gaan praten? Nou, dat heb ik gedaan. Ik heb...'

Ze hoorde hem al niet meer. Ze kon het zich niet permitteren te luisteren, kon het zich niet permitteren de gedachte los te laten die net op dat moment, volkomen onverwacht...

'Mark, ik zit in een bespreking, oké? Ik bel je morgen.'

'Liz, toe nou...'

Ze verbrak de verbinding zonder zijn bezwaren aan te horen.

Mackay grinnikte. 'Wie was dat?'

Maar Liz stond al. 'Wacht hier op me,' zei ze. 'Ik wil die lijst op de laptop bekijken. Ik kom zo terug.'

Ze liep van Mackays kamer naar Temeraire, zette haar laptop aan, tikte haar wachtwoord in en vroeg haar ingekomen berichten op. Ze vond binnen een minuut wat ze zocht.

'Je had gelijk,' zei ze toen ze weer in Victory bij Mackay zat. 'Er is een Jean d'Alvéydre.'

'Eh, goed.'

Ze raadpleegde een handgeschreven lijst. 'En een Jean Boissevin, en een Jean Béhar, een Jean Fauvet, een Jean d'Aubigny en een Jean Sou-stelle.'

'Aha.'

'En ik wil wedden dat een van hen geen Jan is, maar een Jannie.'

Mackay dacht na. 'Die op de mannenlijst is gezet omdat ze een Frans klinkende achternaam heeft, bedoel je?'

'Precies.'

'Mijn god,' verzuchtte hij. 'Je zou gelijk kunnen hebben. Je zou ver-domd goed gelijk kunnen hebben.' Hij nam de lijst namen van haar over. 'Deze, zou ik zeggen.'

'Ja,' zei Liz. 'Die had ik ook gekozen.'

Ze pakte snel haar tas. 'Wacht hier. Ik ben binnen vijf minuten terug.'

De telefooncel aan zee was overdag al geen pretje, maar 's avonds was het er nog erger. Hij was ijskoud, de betonnen vloer lag bezaaid met peuken en de hoorn stonk naar de kegel van de vorige bezoeker.

'Jude...' begon Liz.

'Ik vrees dat het antwoord nog steeds nee is,' zei Judith Spratt. 'We hebben ongeveer zestig procent van de Franse namen binnen, en ze zit er niet bij.'

'Jean d'Aubigny,' zei Liz kalm. 'Tweede bladzij, tussen de Franse mannen.'

Het bleef even stil. 'O, mijn gód. Ja. Ik begrijp wat je bedoelt. Dat zou heel goed een oude Engelse achternaam kunnen zijn. Ik...'

'Bel me terug,' zei Liz.

Mackay en zij hadden nog tijd om de fles wijn leeg te maken en een kop koffie te drinken. Toen Judith Spratt eindelijk terugbelde, hoorde Liz aan haar stem dat ze gelijk had gehad. Ze stond met haar rug tegen Mackays borst geperst in de telefooncel, maar ze merkte het niet eens.

'Jean d'Aubigny, vierentwintig,' zei Spratt. 'Britse nationaliteit, hui-dige adres Passage de l'Ouled Naîl 17, *deuxième étage à gauche*, Coren-tin-Cariou, Parijs. Geregistreerd als collegegeld betalende student aan het Dauphine-instituut van de Sorbonne, waar ze Urdu-literatuur stu-deert. Gefeliciteerd!'

'Dank je,' zei Liz. Ze draaide haar hoofd om en knikte naar Mackay, die breed naar haar grijnsde en met zijn vuist in de lucht stompte. Nou heb ik je, dacht ze. Hebbes!

'Haar ouders zijn gescheiden en wonen in Newcastle under Lyme; ze verwachtten Jean geen van beiden met de kerstdagen, en ze had tegen hen gezegd dat ze met vrienden van de universiteit in Parijs bleef. We hebben net haar docent van het Dauphine gesproken, een doctor Hussein. Hij zei dat hij Jean al een heel semester niet meer had gezien en aannam dat ze ermee was opgehouden.'

'Hebben de ouders foto's voor ons?'

'Daar wordt al aan gewerkt, en we mailen ze je zodra we ze krijgen. Jean schijnt al een aantal jaren uit huis te zijn, maar we hebben er toch een paar mensen naartoe gestuurd. We gaan de Fransen ook vragen voorzichtig een kijkje te nemen op die etage in Corentin-Cariou.'

'We moeten alles hebben,' zei Liz. 'Vrienden, kennissen, mensen met wie ze op school heeft gezeten... Haar hele leven.'

'Weet ik,' zei Judith. 'En dat krijgen we ook. Blijf op je e-mail letten. Blijf je nog in Norfolk?'

'Ja. Ze moet hier ergens zijn, ik weet het zeker.'

'Tot horens dan maar.'

Liz hing op en aarzelde met haar vinger boven de kiesschijf. Eerst Steve Goss, besloot ze, en dan Whitten. *Yes!*

211

40

Wat de mensen toch in die bungalows aan de Strand zagen, daar kon Elsie Hogan met haar verstand niet bij. Ze waren hokkerig, ze waren koud, voor zoiets gewoons als theezakjes moest je al helemaal naar Dersthorpe rijden en ze hadden niet eens tv en telefoon! Toch moest Diane Munday wel weten wat ze deed. Als ze er niet op verdiende, zou zij ze wel van de hand doen.

Elsie 'deed' de Mundays op de dagen dat ze de Lakeby's niet 'deed'. Ze was niet weg van Diane Munday, die de neiging had beschuldigend een vinger over een stoffige plint te halen en dwars te liggen als het op het aantal gewerkte uren aankwam, maar geld was geld, en ze kon niet van de Lakeby's alleen leven. Als Cherisse ook nog eens zwanger werd... Ze moest er niet aan dénken.

Op zondagochtend deed Elsie de bungalows altijd. Ze gaf ze niet elke week een grote beurt, zeker niet als ze leegstonden, maar ze hield een oogje in het zeil. Toen ze langzaam over de oneffen weg omhoogklom in haar tien jaar oude Ford Fiësta, zag ze door de ruitenwissers die tegen de gestage regen in klikten nog net de neus van de zwarte auto van de huurster van nummer 1. Een studente, had mevrouw Munday gezegd. Nou, hier kon ze studeren tot ze erbij neerviel, zeker op een ochtend als deze.

Jean d'Aubigny zag vanuit de Astra de Fiësta door haar verrekijker langzaam naderen. Ze was tot vlak bij de weg gereden om een onbelemmerd uitzicht naar beide kanten te hebben, en het afgelopen uur had ze de wacht gehouden en naar de plaatselijke radiozender geluisterd, in de hoop meer over de moord op Gunter te horen. Er was echter niets over gezegd, en nu kon ze alleen nog maar door de zwiependende regensluiers turen en proberen haar toenemende agitatie te bedwingen. De laatste keer dat ze had gekeken hoe laat het was, een paar minuten geleden, was het tien voor halfelf geweest.

Wanneer gingen ze nu eens op hun doel af? vroeg ze zich voor de zoveelste keer af. Waar wachtten ze nog op? De C4 was instabiel, zoals

212

Faraj ook wist, en niet lang houdbaar, maar hij was onverzettelijk. 'We gaan als de tijd daar is,' had hij gezegd, en ze was wel zo verstandig niet door te vragen.

Ze knipperde met haar ogen en keek weer door de verrekijker, die op het halfopen raampje van de Astra rustte. Langzaam, als een luchtspiegeling, kroop de andere auto naar haar toe. Hij was oud, zag Jean nu, en te aftands voor rechercheurs of andere wetsdienaren. Anderzijds zouden die opzettelijk een goedkope oude auto kunnen nemen om dicht bij haar te komen. Voor de zekerheid trok ze de Malyah en legde hem op haar schoot.

De Fiësta was nu bijna bij haar, en Jean kon de bestuurder zien: een degelijk uitziende vrouw van middelbare leeftijd. Ze startte de auto om achteruit terug naar het huis te rijden, bij de andere auto vandaan, maar op de een of andere manier schakelde ze niet in de achteruit maar in de eerste of tweede versnelling. De auto schoot naar voren en ramde de zijkant van de aanrijdende Ford Fiësta. Er klonk een geknars, de Astra sloeg met een langgerekt gerochel af en er spatte glas door de lucht. De Fiësta draaide tegen de klok in over het natte wegdek en kwam slingerend tot stilstand.

Shit, dacht Jean. Shít! Ze stak de Malyah in haar broeksband en sprong met bonzend hart uit de auto. De Astra had niet meer dan een gedeukte bumper en een versplinterde koplamp, maar de hele zijkant van de Fiësta was onherstelbaar beschadigd en de vrouw achter het stuur zat bewegingloos voor zich uit te staren.

'Gaat het?' riep Jean door het dichte raampje van de Fiësta. De stromende regen roffelde op het dak van de auto en doorweekte haar haar.

Het raampje ging een paar centimeter naar beneden, maar de vrouw bleef recht voor zich uit kijken. Ze had de motor afgezet en hield de sleutels in haar hevig trillende hand. 'Ik heb mijn nek bezeerd,' kermde ze klaaglijk. 'Whiplash.'

Maak dat de kat wijs, dacht Jean driftig. Ze boog zich over naar het raampje en voelde de regen ijzig over haar rug stromen. 'Hoor eens, zo hard hebben we elkaar niet geraakt,' zei ze smekend. 'Kunnen we niet...'

'Ik heb niemand geraakt,' zei de vrouw iets krachtiger. 'Jij hebt míj geraakt.'

'Oké, ook goed. Ik heb u geraakt. Het spijt me. Als ik u nu eens honderdvijftig pond geef, contant, dan kunnen we...'

213

Tot haar afgrijzen zag Jean echter dat er een telefoon in de hand van de vrouw was verschenen en dat de kier van het raampje zich sloot. Ze wilde het portier van de Fiësta opentrekken, maar terwijl ze ernaar reikte, werd het roestige slot vergrendeld. Door het beregende glas zag ze de vrouw van zich af schuiven en beverig van wantrouwen een nummer intoetsen.

Jean had geen tijd om na te denken. Ze rukte de Malyah uit haar broeksband, ontgrendelde hem en riep: 'Nee! Laat die telefoon vallen!'

De voorruit zei twee keer *pling*, nauwelijks harder dan het geluid van de regen, en de vrouw leek onderuit te zakken in haar gordel en naar voren te klappen. Jean dacht even dat ze zonder het zelf te beseffen had gevuurd, en toen kwam Faraj met de PSS aanrennen, duwde haar opzij en schoot nog twee keer gericht door het zijraampje. Het lichaam van de vrouw veerde bij elk schot op en zakte toen nog verder naar voren.

Faraj raapte een grote steen van de grond, sloeg het verbrijzelde zijraampje uit de sponningen, maakte het portier van binnenuit open en wroette onder het bovenlichaam van de vrouw. Zijn arm kwam tot aan de elleboog onder het bloed terug. Hij veegde de telefoon af aan de blouse van de vrouw, keek naar het scherm en verbrak de verbinding.

'Ga de auto inladen,' zei hij zacht. De regen stroomde van zijn bleke voorhoofd en jukbeenderen. 'Schiet op.'

Hij haastte zich naar de zee en slingerde Elsie Hogans mobieltje en de vier glimmende 7.62-messinghulzen in het water terwijl Jean in de bungalow wanhopige pogingen deed de krijsende paniek die in haar opwelde te bedwingen. Ze vulde twee vuilniszakken met kleren en propte ze in haar rugzak, samen met de munitie voor de Malyah, de gids, het kompas, het knipmes, de Nokia-telefoon, de twee toilettassen en de portefeuille met klittenbandsluiting waarin ze het geld bewaarde. Bezig blijven, hield ze zichzelf angstig voor. Niet ophouden. Niet nadenken. Faraj, die weer binnen was, tilde behoedzaam de C4-bom uit de koelkast, legde hem in een broodtrommel die hij met een handdoek had gevoerd en bracht hem naar de auto.

Al het andere dat de technische recherche aanwijzingen zou kunnen bieden, zoals hun gedragen kleding, het beddengoed en het eten, werd midden in de woonkamer opgetast en overgoten met benzine uit de jerrycan die Jean bij het tankstation in Hawfield had gevuld. Ook Elsie Hogans lichaam in de Ford Fiësta werd met natte lappen ingepakt.

214

'Klaar?' vroeg Faraj, met een laatste blik op de wanordelijke woonkamer. Het stonk naar benzine. Het was tien uur zesentwintig, nog maar vijf minuten na de moord. Ze droegen allebei een spijkerbroek, wandelschoenen en een donkergroen, waterdicht outdoorjack.

'Klaar,' zei Jean, en ze hield een brandende wegwerpaansteker onder de doorweekte mouw van een van de overhemden die ze in King's Lynn voor Faraj had gekocht. Ze renden het huis uit, met hun hoofd gebogen tegen de regen in. Terwijl Jean de aansteker door het raampje van de Fiësta stak, zwaaide Faraj de rugzakken achter in de Opel.

Toen reed ze. Ze hadden rekening gehouden met een snelle aftocht, godzijdank. Ze wist precies waar ze naartoe ging.

41

Het kostte Diane Munday een paar minuten om tot een beslissing te komen. Ze had Elsies telefoontje niet aangenomen maar het antwoordapparaat het werk laten doen, zoals altijd. Op die manier hoefde ze geen vermoeiende berichten van Ralph naar zijn golfmaatjes en vice versa door te geven – allemaal stomvervelende lui, vond Diane.

Toen het telefoontje was binnengekomen – 'Mevrouw Munday? Mevrouw Múnday...' – had iets haar hand tegengehouden. 'Met Elsie,' had de stem beverig vervolgd. 'Ik ben bij de bungalows, en ik heb...'

Toen de een af andere kreet. Niet Elsies stem, maar gesmoord en onduidelijk. Twee tinkelende geluiden, als van een theelepel op kraakporselein, en een lange, amechtige kreun. Toen weer dat tinkelende geluid, een bons en stilte. Lege lucht in de hoorn.

Elsie stond onder een voorkeuzetoets en Diane probeerde haar terug te bellen, maar kreeg de bezettoon. Toen had ze verbijsterd de boodschap teruggespeeld en nog eens beluisterd. Diana begreep er nog steeds niets van, maar ze wist dat ze iets moest doen. Ernaartoe rijden, misschien. Dat idee verwierp ze, want ze vreesde dat er iets vermoeiends op medisch gebied was gebeurd. In dat geval zou ze, als ze naar de bungalows ging, heel goed gedwongen kunnen zijn Elsie naar het ziekenhuis in King's Lynn te brengen, waar ze zou moeten wachten en formulieren invullen. Dan was haar zondagochtend niet gewoon bedorven, maar grondig naar de knoppen.

Ze keek met toenemende ergernis om zich heen. Ze had net vetarm cacaopoeder over haar cappuccino gestrooid, de *Mail on Sunday* en *Hello!* lagen op de keukentafel klaar en Russell Watson zong op Classic FM.

Dit is echt te gek, dacht ze. Ik ben die vrouw niets verplicht; de hele schoonmaakovereenkomst was altijd handje contantje afgehandeld. Als Elsie Hogan duizelig was geworden bij de bungalows, had ze die vetklep van een dochter van haar moeten bellen. Het café ging pas om halftwaalf open en Cherisse zou vrijwel zeker thuis haar nagels zitten

216

te lakken, tv zitten te kijken of doen wat mensen in gemeenteflats maar doen op zondagochtend. Tenzij ze natuurlijk niet was thuisgekomen, wat net zogoed tot de mogelijkheden behoorde.

Onder normale omstandigheden had Diane in de verleiding kunnen komen het alarmnummer te bellen en het getob en de problemen aan de instanties over te laten, maar nu aarzelde ze. Ze wilde niet dat de politie bij de bungalow zou ontdekken dat het meisje een huurder was die zwart betaalde. Ze wist niet precies wat de banden tussen de politie, de fiscus, de medici en de brandweer waren, maar ze was er vrij zeker van dat er problemen van zouden komen als ze met elkaar over haar begonnen te praten. Dus wachtte ze, nipte van haar koffie en maakte zichzelf wijs dat ze moest blijven zitten waar ze zat voor het geval Elsie terugbelde.

Na vijf minuten, waarin de telefoon geen kik had gegeven, toetste Diane onwillig het nummer van Elsie nog eens in. Het mobiele toestel dat ze had gebeld, vertelde een elektronische stem haar, was buiten dienst. Ze keek door de tuindeuren. Het stortregende nog. Ergens achter Dersthorpe kringelde een dunne rookzuil de loodgrijze lucht in.

Dat personeel ook altijd, dacht Diane geërgerd, en ze vroeg zich af waar ze de sleutels van de jeep had gelaten. Je kon niet zonder, maar god, wat had je er een last van.

Op weg naar buiten keek ze op de keukenklok. Het was halfelf.

217

42

Ze lieten de eerste auto passeren. Het was een Fiat Uno vol opgevulde deuken die nog in de grondverf zaten, en er leek niet veel leven meer in te zitten. De Astra tussen Dersthorpe en Marsh Creake langs de weg zetten – toevallig in dezelfde parkeerhaven waar Brian Mudie en Wendy Clissold de afgelopen nacht twintig gelukkige minuten hadden gekend – was een berekend risico geweest. Als er een politieauto voorbij was gekomen, was het spel vermoedelijk uit geweest.

Maar er kwam geen politieauto voorbij. De Fiat werd gevolgd door een Nissan die er net zo beroerd aan toe was, en terwijl die verdween, rees er in de lucht achter Dersthorpe een geluidloze paddestoel van vlammende rode rook op. De tank van de Fiësta, dacht Jean toen ze zag hoe de van benzine verzadigde rook zich vermengde met de dichter wordende rookwolk van het huis. Iemand moest de bungalow in brand hebben zien vliegen, dus de brandweer was vrijwel zeker al onderweg, maar die moest waarschijnlijk uit Fakenham komen. Met een beetje geluk zou het een minuut of vijf duren voordat de politie erbij was, en minstens tien voordat er wegen werden afgezet.

De regen stroomde over Jeans gezicht, maar gek genoeg had ze het niet koud. De radeloosheid en de reële pakkans hadden haar over de angst heen getild en nu was ze bijna kalm. Ze beefde niet meer en voelde het bescheiden, troostende gewicht van de Malyah in de zak van haar outdoorjack.

Een zilverkleurige auto die ze niet zo snel kon thuisbrengen, maar die er nieuw en sportief uitzag, kwam de hoek om, en ze hoorde het dreunen van een krachtige basluidspreker. Ze stapte de weg op, met opwaaiend haar en zwaaiend met haar armen, de bestuurder dwingend een noodstop te maken.

Hij was achterin de twintig, met een ringetje in zijn oor en een vettige middenscheiding. Er stroomde technotrancemuziek uit de auto. Hij deed zijn portier halfopen. 'Wil je dood of zo?' riep hij kwaad. 'Wat heb jij?'

218

Ze trok de Malyah uit haar broeksband en richtte op zijn hoofd. 'Uitstappen,' commandeerde ze. 'Nú! Of ik schiet.'

Zijn mond zakte open en hij aarzelde. Ze richtte lager en schoot een 9 mm-kogel tussen zijn in joggingbroek gestoken benen. De wind voerde de knal mee.

'Uitstappen!'

Hij tuimelde de auto uit, met grote ogen van schrik. Hij liet de sleutel in het contact zitten en de motor en de cd-speler draaiden door.

'Aan de andere kant instappen, nu! Opschieten!'

Hij stapte wankelend in en ze zette de muziek af. In de plotselinge stilte werd ze zich bewust van het luide tikken van de regen op het dak van de auto.

'Gordel om. Handen op je knieën.'

Hij knikte sprakeloos en ze hield hem onder schot terwijl Faraj uit de Astra stapte, de rugzakken in de kofferbak van de zilverkleurige auto legde en met de gids en de broodtrommel op zijn schoot op de achterbank ging zitten. Hij had zijn Yankees-honkbalpet op onder de capuchon van zijn waterdichte jack, zodat zijn gezicht vrijwel niet te zien was. Jean keek ongeveer een halve minuut naar de versnelling en het dashboard van de auto om zich ermee vertrouwd te maken. Het was een soort Toyota.

'Oké,' zei ze, maakte een scherpe draai in de parkeerhaven en zwenkte de neus van de auto weer naar Marsh Creake. 'Jij blijft stil zitten, zoals ik al zei, begrepen? Als je ook maar iets probeert, wat dan ook, schiet hij je door je kop.'

Faraj pakte de pss met de stompe loop uit zijn zak, herlaadde het magazijn met SP-4-patronen en schoof het met een zakelijke klik terug. De jongen, die lijkbleek was, knikte vrijwel onmerkbaar. Jean liet de koppeling opkomen. Toen ze wegreed, zag ze Diane Mundays metallic groene Cherokee de andere kant op scheuren.

'Lees de kaart voor me,' zei ze in het Urdu tegen Faraj.

43

De melding kwam om negen over halfelf binnen. Wendy Clissold nam op, en Liz zag het gezicht van de agente verstarren toen het gewicht van de boodschap tot haar doordrong. Ze drukte haar hand tegen de hoorn, draaide zich om en riep door het dorpshuis: 'Chéf! Huis en auto in brand aan Dersthorpe Strand. Onbekende dode vrouw in de auto.'

Clissolds stem werd weer beheerst toen Whitten naar het vaste toestel voor zich reikte. 'Ik verbind u direct door met hoofdinspecteur Whitten, mevrouw,' vervolgde ze. 'Wilt u me uw naam en nummer geven voor het geval we u nog nodig hebben?'

Whitten luisterde gespannen terwijl Clissold de gegevens opnam. 'Mevrouw Munday,' nam hij het gesprek soepel over. 'Zeg het eens.'

Binnen een paar minuten was er een onderzoeksteam op weg naar Dersthorpe Strand. De technische recherche kwam uit Fakenham en de plaatselijke brandweer was net vertrokken vanuit de kazerne in Burnham Market, zo bleek. De brandende auto was door een bijna hysterische Diane Munday geïdentificeerd als die van Elsie Hogan, en Diane was er vrij zeker van dat Elsie ook de inzittende was.

Liz keek naar de bedrijvigheid om zich heen en dacht na over de betekenis van Diane Mundays melding. Ze veronderstelde dat dit het werk zou kunnen zijn van een ontspoorde plaatselijke pyromaan, niet van Mansoor en d'Aubigny, maar haar intuïtie zei haar dat het niet waarschijnlijk was. Maar uitgerekend Elsie Hogan? Hoe had die arme, bescheiden vrouw ooit iemand tot razernij kunnen drijven?

Om kwart voor elf belde er een lid van het rechercheteam om te zeggen dat ze op weg naar de bungalows een zwarte Opel Astra hadden gezien die voldeed aan het signalement van de auto die in verband met de moord op Gunter werd gezocht. De Astra stond langs de weg buiten Dersthorpe, in Dead Man's Hole, en er was een politieman bij gezet om hem te bewaken. Ondanks de regen was de motor nog warm.

Diane Munday, vervolgde de beller, was aangekomen voordat de

220

vlammen het veiligheidsglas van de ramen van de Fiësta hadden verwoest en ze had beweerd iets als kogelgaten in de voorruit gezien te hebben. Hoewel ze volkomen over haar toeren was, had niemand de neiging aan haar woorden te twijfelen.

Terwijl Whitten de situatie aan het bureau in Norwich uitlegde, belde Liz Wetherby. Hij was net als zij al uren aan het werk. Hij had van de afdeling Research doorgekregen dat Faraj Mansoor en Jean d'Aubigny waren geïdentificeerd, en de Special Branch hield hem op de hoogte van de ondervraging van d'Aubigny's ouders.

Wetherby luisterde zwijgend naar Liz' beknopte samenvatting van de gebeurtenissen aan Dersthorpe Strand. 'Ik ga een COBRA-vergadering beleggen,' zei hij rustig toen ze klaar was. 'Kan ik daar iets zeggen over het mogelijke doelwit van onze terroristen?'

'In dit stadium is het nog giswerk,' antwoordde Liz, 'maar een Amerikaanse luchtmachtbasis lijkt me het waarschijnlijkst. Bruno Mackay is nu op Mildenhall om de commandant te spreken.'

'Oké, daar doe ik het mee. Hou me op de hoogte.'

'Doe ik.'

Het bleef even stil. 'En, Liz?'

'Ja?'

'Doe alsjeblieft voorzichtig.'

Ze hing met een zweem van een glimlach op haar gezicht op. Wanneer het menens werd, en daar had het nu alle schijn van, leek Wetherby altijd een aanval van merkwaardig ouderwetse ridderlijkheid te krijgen. Ze wist zeker dat hij een mannelijke functionaris nooit zou hebben gevraagd voorzichtig te doen. Bij ieder ander had ze zich aan die bezorgdheid kunnen ergeren, maar Wetherby was niet zomaar iemand.

Ze wierp een blik op Whitten. Als er een COBRA-vergadering werd belegd, was het vrijwel zeker alleen nog maar een kwestie van tijd voordat de zaak hem uit handen werd genomen. De afkorting verwees naar de Cabinet Office Briefing Room in Whitehall. De vergadering zou waarschijnlijk worden geleid door een vertegenwoordiger van Binnenlandse Zaken, en er zouden verbindingsmensen van het ministerie van Defensie, de politie en de SAS aanwezig zijn. Geoffrey Fane zou er ook bij zijn, nam ze aan, en met zijn reigernek over de discussie heen hangen. Als de situatie dringend genoeg werd bevonden, zou de zaak naar ministerieel niveau worden getild.

Liz had het grootste deel van de nacht met Whitten, Goss en Mackay

221

in het dorpshuis de binnendruppelende informatie over Jean d'Aubigny bijgehouden, en dat was niet weinig, en over Faraj Mansoor, over wie vrijwel niets meer bekend was dan de informatie van de Pakistaanse verbindingsman dat iemand met die naam een paar jaar geleden aan een van de radicalere *madrassahs* in de noordelijke stad Mardan had gestudeerd. Het was zwaar geweest, en tegen het eind hadden ze hun ogen bijna niet meer kunnen openhouden, maar het moest gebeuren. Rond vijf uur 's ochtends was Liz naar de Trafalgar gegaan om te slapen, maar ze had te veel koffie van het bureau Norfolk gedronken en de gedachten tolden door haar hoofd. Ze had met de roze nylonlakens tot aan haar kin opgetrokken liggen kijken naar de grijze, onwillige dageraad die langzaam de kier tussen de gordijnen verlichtte. Ten slotte was ze ingedommeld, maar vrijwel meteen weer wakker geschrokken van een telefoontje van Judith Spratts rechterhand om haar op een inkomend bericht te attenderen.

Liz had slaapdronken haar laptop aangezet en het bericht gescand en gedecodeerd. Na een ondervraging van uren hadden de ouders van d'Aubigny besloten de Special Branch niets meer over hun vermiste dochter te vertellen. Aanvankelijk, toen ze nog dachten dat ze gevaar liep door haar betrokkenheid bij het moslimfundamentalisme, hadden ze maar wat graag willen helpen, maar toen het tot hen doordrong dat ze niet zozeer een mogelijk slachtoffer was als wel een gezochte verdachte, waren hun antwoorden omzichtiger geworden. Uiteindelijk hadden ze beweerd dat hun mensenrechten werden geschonden, aangezien ze aan geestelijke marteling in de vorm van slaaponthouding werden onderworpen (vertel mij wat, dacht Liz wrang), en hadden ze verdere medewerking geweigerd en Julian Ledward ingeschakeld, een bekend radicaal advocaat.

Dringend herhaal dringend moet d'Aubigny's evt. connectie met East-Anglia hebben, mailde Liz terug. *Baan? Vakantie? Vriendje? Schoolvriendin? (Zat d'Aubigny op kostschool of universiteit?) Zeg tegen ouders dat hun zwijgen leven van dochter in gevaar brengt.*

Ze had het bericht gecodeerd en verzonden en hoopte er verder het beste van. Na een douche en een zwijgend ontbijt met Mackay in de eetzaal van de Trafalgar was ze om halfacht teruggekomen in het dorpshuis. Mackay was volgens plan naar de luchtmachtbasis in Mildenhall vertrokken, gewapend met een serie uitgeprinte foto's van Faraj Mansoor en Jean d'Aubigny.

222

In het dorpshuis, want het woord 'recherchezaal' kon ze nog steeds niet over haar lippen krijgen, had ze Don Whitten gezien, alleen. De overlopende asbak bij zijn elleboog deed vermoeden dat hij er al zat sinds zij was weggegaan, om vijf uur die nacht. Ze hadden samen naar een vergroting op A3-formaat van een foto van Jean d'Aubigny gekeken. Het was een binnenopname van vier jaar eerder waarop een chagrijnig kijkend meisje in een zwarte trui voor een wazige kerstboom stond. Het ovale gezicht met de indringende, wijd uiteenstaande ogen werd omlijst door kort, onmodieus geknipt bruin haar.

'Ik heb er ook een van die leeftijd,' zei Whitten.

'Wat doet ze?' vroeg Liz.

'Thuis blijven wonen en ons het leven zuur maken. Maar niet zoals deze hier. Jezus.'

Liz knikte. 'Het zou mooi zijn als we haar levend konden pakken.'

'Twijfel je daaraan?'

Ze keek in Jean d'Aubigny's twintigjarige ogen. 'Ik denk niet dat ze met haar handen omhoog tevoorschijn zal komen, zeg maar. Ik denk dat ze een martelares wil worden.'

Whitten tuitte zijn lippen. Het staalgrijs van zijn snor was geel van de nicotine, zag Liz. Hij zag er afgepeigerd uit.

Nu, drie uur later, keek ze toe terwijl hij met een afgemeten barsheid een boog spelden in een stafkaart met een schaal van 1:10.000 stak. Elke speld, en het waren er twaalf, stond voor een wegversperring. Whitten had uitgerekend dat hun doelwitten niet meer dan twintig kilometer vanaf Dersthorpe gereden konden hebben sinds ze hun oude auto hadden achtergelaten en, waarschijnlijk, een nieuwe hadden geregeld. Vanuit die veronderstelling had hij zijn valstrikken gezet.

'Ik heb ook helikopters en een sluipschuttersteam gevraagd,' zei hij. 'We krijgen ze ook, gelukkig, en de sluipschutters zijn binnen een uur paraat, maar we krijgen commandant Jim Dunstan erbij. Ik ben tot tweede man gedegradeerd.'

'Wat is hij voor iemand?' vroeg Liz meelevend.

'O, hij kan er wel mee door,' zei Whitten. 'Maar naar ik heb gehoord heeft hij weinig met jullie op.'

'Oké, bedankt voor de waarschuwing.' Aanvankelijk had ze het portret van Jean d'Aubigny met een soort afstandelijke sympathie bekeken en de aanpassingsproblemen in die overdreven indringende blik bespeurd, maar nu zag ze hun prooi alleen nog maar als de vijand: twee

223

mensen die bereid waren een onschuldig wezen als Elsie Hogan te doden, alleen maar omdat ze, om welke reden dan ook, op het verkeerde moment op de verkeerde plaats was geweest.

Ze moesten tegengehouden worden. Voordat ze nog meer levens verwoestten en nog meer machteloos, nodeloos verdriet veroorzaakten.

44

Jean had twintig minuten gereden toen ze de wegversperring zagen. Ze reden voorzichtig met veertig kilometer per uur over een smalle, onverharde weg die werd omsloten door hoge braam- en vlierhagen. Volgens de kaart zouden ze snel bij een kruising komen, en die weg zou na allerlei vertakkingen tussen Denton en Birdhoe in het zuiden door voeren. Ze hadden de route uitgezet in de veronderstelling dat ze de Astra nog zouden hebben en zo min mogelijk kans moesten lopen een politieauto tegen te komen. Gezien de veranderde omstandigheden hadden ze besproken of ze niet beter de snelste weg de streek uit konden nemen, in een poging mogelijke wegversperringen voor te blijven, maar alles in aanmerking genomen, dacht Jean, hadden ze er waarschijnlijk goed aan gedaan de oorspronkelijke route aan te houden. Landweggetjes waren traag, maar discreet.

De jongen zat zwijgend naast haar, mokkend en apathisch. Zijn angst voor hun wapens was gezakt en in plaats daarvan was een doffe woede gekomen om zijn machteloosheid en de vrijheden die zij zich met zijn dierbare Toyota permitteerden.

Jean zag het blauwe licht op hetzelfde moment als hij. Ze reden langs een gat in de haag, een gat waardoor de kruising met de weg naar Birdhoe, een kilometer voor hen, heel even zichtbaar was. Het blauwe licht was maar één keer opgeflikkerd; een vergissing, vermoedde Jean. Prijs de Heer, dacht ze, voor het vlakke land hier, en toen sloeg de angst toe, hard en pijnlijk.

'Politie,' mompelde de jongen met het vette haar angstig. Het was het eerste woord dat hij zei.

'Kop dicht!' snauwde Jean gespannen. Haar hart bonsde. Waren ze ontdekt? Gezien de afstand en de hoogte van de hagen was de kans klein.

'Keren,' gebood Faraj.

Jean aarzelde. Als ze weer langs het gat in de haag reden, gaven ze de wachtende politie nog een kans hen op te merken.

225

'Keren!' herhaalde Faraj kwaad.

Ze nam een besluit. Vlak voor hen was een afslag, een smalle zand-weg die naar een losse verzameling schuren en bijgebouwen leidde. De boerderij zelf was niet te zien.

Ze draaide aan het stuur en zwenkte zonder notitie te nemen van Farajs protesten de zandweg in. Vanaf de wegversperring waren ze nu on-zichtbaar. Ze moesten maar hopen dat er geen boerenknechten rond-liepen. Na dertig meter kwam het pad uit op een ommuurd erf waar-op een roestige tractor en een eg stonden, met ernaast een berg ingekuild voer onder een plastic zeil dat met oude banden was ver-zwaard.

Ze reed om de berg heen, zodat de auto vanaf de weg niet zichtbaar was, en trapte op de rem. Ze keek om naar Faraj en hij knikte in het verlate inzicht dat het een goed idee was.

'Uitstappen,' zei Jean tegen de jongen, in de ogen van wie een vonk-je hoop was geslopen. 'In de kofferbak.'

Hij knikte en kroop angstig en diep in de beklede ruimte. De snij-dende regen voelde koud aan op Jeans gezicht, na de warmte van de auto. De ogen van de jongen keken even openlijk smekend in de hare, en toen voelde ze dat Faraj de kolf van de pss in haar hand drukte en wist dat het zover was. Haar mederekruten van Takht-i-Suleiman doken rondom haar op, spookachtig en doorzichtig, geluidloos roe-pend en met hun wapens zwaaiend. 'Een vijand van de islam doden is een wedergeboorte,' fluisterde de instructeur. 'Je voelt het wanneer het moment is gekomen.'

Ze knipperde met haar ogen en ze verdwenen. De pss woog zwaar in de hand op haar rug. Ze glimlachte naar de jongen, die zijn knieën voor zijn borst had opgetrokken. Dan maar een hoofdschot. Het was onwezenlijk. 'Kun je je ogen even dichtdoen?' vroeg ze.

De ontlading was geluidloos en de terugslag te verwaarlozen. De jongen verkrampte en was dood. Iets gemakkelijkers bestond niet. De kofferbak sloot zich met een zwak, hydraulisch sissen, en toen ze zich naar Faraj omkeerde om hem het wapen terug te geven, wist ze dat er niets meer tussen hen in stond.

Ze waadden door de dikke bruine compost, pakten ieder een hoek van het plastic zeil, trokken het van het veevoer en drapeerden het over de auto. Er rolden wat banden mee, en drie daarvan tilden ze op het zeil. De regen viel met bakken over de aarde, de voerberg en de

226

roestende tractor. Het was zo'n schouwspel waar je regelrecht aan voorbijreed.

Zij leidde Faraj nu, over het erf naar de smalle afwateringssloot. Ze hadden hun rugzakken omgehangen en hun jacks tot aan hun kin dichtgeritst. De broodtrommel met de geknede, in kaarsvet verzegelde C4-bom balanceerde bovenop Farajs rugzak.

Het water in de sloot kroop folterend koud van haar kruis op naar haar middel, maar Jeans hart bonsde nog van opluchting omdat moorden als puntje bij paaltje kwam zo simpel was gebleken. Ze had niet meer dan een vluchtige blik op het lijk geworpen; de inslag van het schot had haar alles verteld wat ze weten moest en ze hoorde het nu weer, als het geluid van een laars die op een rotte pompoen stampt.

Herboren, herschapen.

Na honderd meter bleven ze staan en tuurden door het dode gebladerte langs de sloot. Faraj gaf de verrekijker aan haar door. Er stond een vrachtauto bij de wegversperring en een politieman klauterde over de blauwe zakken kunstmest in de open laadbak. Zoek maar lekker door, dacht Jean. Ze had de Malyah in haar capuchon geritst.

'Die *nullah* brengt ons dicht bij hen,' prevelde Faraj terwijl hij de open velden voor hen overzag, 'maar de hagen zijn dood, en als we proberen over te steken, zien ze ons. We moeten ervan uitgaan dat ze goede optische apparatuur hebben.'

'Het zijn plaatselijke politiemannen, geen militairen,' zei Jean met een blik op haar horloge. 'Ik denk dat we nog twintig minuten tot een halfuur hebben. Daarna komen de helikopters, honden, het leger, alles.'

'Laten we dan gáán.'

Ze waadden door het water, dat tot hun middel reikte. De regen striemde in hun gezicht en bij elke stap borrelde er moerasgas op. Het was zwaar. De modder zoog hun voeten naar beneden en op sommige plekken was de rottende begroeiing langs de oever niet dicht genoeg, zodat ze pijnlijk gebukt moesten lopen. Jean had nu helemaal geen gevoel meer in haar benen, en telkens zag ze de scène in de kofferbak van de auto weer voor zich. Er kwamen kleine details boven: het vreemde gevoel van de gedempte ontlading in de kamer van de PSS en het geluid als een zweepslag toen de pantserdoorborende kogel menselijk bot raakte. Die blik, die fractie van een seconde was voldoende geweest. Het beeld stond als een foto in haar geheugen afgedrukt.

227

Tien minuten later – tien ijskoude, zwoegende minuten die eerder een uur leken – waren ze zo dicht bij de versperring gekomen als de sloot toeliet. Op sommige plekken was het water nog geen meter breed, en de oevers waren glibberig van de modder van de velden. Jeans rug en hamstrings schreeuwden het inmiddels uit onder het gewicht van de rugzak, de stress en de spanning van het gebukt lopen. Terwijl Faraj roerloos naast haar wachtte, inspecteerde zij de politiepost door de verrekijker. Ze bleef achter het riet, zodat ze niet verraden kon worden door een reflectie in de lens, en er hingen wazige beelden van rietstengels en grijze regenvlagen tussen haar en de controlepost. Ze zag vaag twee politiemensen in fluorescerend gele jacks een auto inspecteren. Er stonden meer auto's te wachten, en de politiemensen hadden de stijve motoriek met gebogen schouders van mensen die hun werk niet met plezier doen. Drie andere, schimmiger gedaanten wachtten in een witte Range Rover met politie-embleem. Er waren geen zwaailichten te zien, maar Jean hoorde het geknetter van een mobilofoon op de wind.

Ze zag de helikopter eerder dan ze hem hoorde. Hij vloog een paar kilometer verderop in onregelmatige patronen boven de velden en struiken. Af en toe werd de regengrijze lucht doorkliefd door de smalle witte bundel van een zoeklicht.

Kort daarna hoorde ze het geronk van de schroef. Ze drukte haar voorhoofd tussen de rottende biezen en plompenbladeren onder een els op de oever. Faraj verstijfde naast haar. De helikopter naderde en de potlooddunne lichtstraal neusde nu peinzend tussen de bomen een kilometer verderop.

En toen was hij opeens recht boven hen, en het ronken gleed dreigend over de doorweekte velden. De lichtstraal speelde even over het erf dat ze tien minuten tevoren achter zich hadden gelaten en Jean huilde bijna van opluchting omdat ze het plastic over de auto hadden getrokken. Het was kantjeboord geweest, en de politie had heel snel helikopters (ze maakte zich geen illusies dat het er maar één was) de lucht in gestuurd. En dit was nog maar het begin. Straks kwamen de speurhonden en soldaten met geweren. Ze moesten verder of sterven.

De helikopterpiloot maakte echter geen aanstalten verder te vliegen. Jean begon te bibberen en te klappertanden van de kou en de spanning. Faraj sloeg een arm om haar middel en drukte haar bovenlichaam tegen zijn borst in een poging haar te warmen. Ze voelde dat

228

het een zuiver praktisch gebaar was; het had niets met genegenheid te maken.

'Sterk zijn, Asimat,' murmelde hij in de druipende capuchon van haar jack. 'Denk erom wie je bent.'

'Ik ben niet bang,' zei ze, 'ik ben alleen...'

Haar woorden verdronken in het geronk van de helikopter, die nu recht boven hen was. Het water trilde onder de luchtverplaatsing en de lichtbundel kwam onafwendbaar op hen af. Jean kneep haar ogen stijf dicht, dwong zichzelf onbeweeglijk te blijven en begon te bidden. Boven haar hoofd, waar het harde, witte licht naderde, voelde ze het sidderen van de kromgegroeide els. Hadden ze ook een infraroodkijker? vroeg ze zich af. Want in dat geval...

En toen zwenkte de helikopter plotseling en verdween in het westen, alsof hij genoeg had van het gedoe.

Faraj liet haar los. 'Snel nu,' spoorde hij haar aan. 'Het is niet de laatste, en die regen houdt ook een keer op.'

Ze werd overspoeld door opluchting. Ze hoorde een aantal auto's snel achter elkaar de wegversperring passeren. De politiemensen hadden naar de helikopter staan kijken, vermoedde ze. Ze liepen door, gebogen tegen de harde regen en het trekken van het drassige water, en al snel waren ze een paar honderd meter voorbij de wegversperring.

'Nog anderhalve kilometer, dan zijn we bij het dorp,' hijgde Jean, in elkaar gedoken tegen de oever. 'Het enige probleem is dat als iemand die net door de politie is doorgelaten ons naar de weg ziet klimmen, hij regelrecht terug zal rijden naar de politie om ons aan te geven. Ze zullen ons signalement inmiddels wel hebben, en waarschijnlijk ook foto's.' Faraj dacht even na, nam de verrekijker van haar over en tuurde de vlakke omgeving af.

'Goed,' zei hij toen. 'We gaan het volgende doen.'

229

45

De hangar van de luchtmachtbasis Swanley Heath was ontzagwekkend groot en, gezien de afmetingen, indrukwekkend warm. Om elf uur die ochtend had de regiocommandant van de politie van Norfolk verordonneerd dat Jim Dunstan, zijn tweede man, de zaak, die nu officieel een antiterrorismeoperatie was, zou overnemen. Het eerste dat Dunstan had gedaan, was de basis bij Swanley Heath verzoeken het interdisciplinaire operatieteam te huisvesten.

Het was een goede keus, vond Liz. Swanley Heath lag halverwege Brancaster in het noorden en de Amerikaanse luchtmachtbases Marwell, Mildenhall en Lakenheath in het zuiden. Het operatieteam zat nu dus hopelijk midden in het gebied waarin de prooi zich verplaatste. De basis was goed beveiligd en kon gemakkelijk onderdak bieden aan de rond de vijfentwintig mensen die de operatie leidden en hun aanzienlijke uitrusting aan technische apparatuur en communicatiemiddelen.

Rond het middaguur was al die apparatuur, na veel warrige bedrijvigheid en veel hard rijden met loeiende sirenes en zwaailichten, bijna compleet opgesteld. Het vijftien man sterke politieteam onder aanvoering van Dunstan, aangevuld met Don Whitten en Steve Goss, zat in een gedeelte van de hangar dat werd gedomineerd door een elektronische kaart van het gebied van drie bij drie meter, geleend van de luchtmachtgastheren, waarop de inzet van wegversperringen, helikopters en zoekploegen gevolgd kon worden. Alle leden van het team hadden een assortiment laptops en vaste en mobiele telefoons voor zich, die bijna allemaal in gebruik waren. Voor Don Whitten was er ook nog een asbak.

Achter hen, in een rij die zo kon wegrijden, stonden de drie Range Rovers van het scherpschutterssteam van de regiopolitie Norfolk, PO19. De negen leden, allen mannen, wachtten in hun donkerblauwe overalls en laarzen op banken, gaven een *Sun* aan elkaar door, controleerden hun Glock 17-pistolen en MP5's en staarden wezenloos naar het hoge dak van de hangar. Vanbuiten af drong af en toe het verre ge-

230

ronk van opstijgende Gazelle- en Lynx-helikopters van het leger door.

Bij gebrek aan nadere informatie werd officieel aangenomen dat de twee terroristen het óf op een van de Amerikaanse bases hadden voorzien, óf op het paleis in Sandringham, waar de koningin momenteel verbleef, zoals elk jaar met Kerstmis. Niemand kon zich goed voorstellen hoe de twee door de mazen van het veiligheidsnet rondom een van die objecten wilden glippen, maar met betrekking tot het wapentuig dat ze bij zich hadden, moest rekening gehouden worden met het ergste. Chemische noch biologische wapens werden ondenkbaar geacht, en evenmin een zogenaamde 'vuile' bom, hoewel er in de resten van de bungalow geen sporen van radioactief materiaal waren aangetroffen.

Whitten had de twee Squirrel-helikopters zo snel naar het zoekgebied willen sturen, had hij aan Dunstan uitgelegd, dat hij ze zonder infraroodapparatuur had laten opstijgen. De helikopters waren zo snel mogelijk uit Norwich gekomen, maar van de zogenaamd beschikbare systeembestuurders had er een zorgverlof, en de andere had zijn enkel gebroken tijdens een motiveringsweekend. De Squirrels waren dus opgestegen met elk alleen een piloot en een Night-Sun-zoeklichtbestuurder aan boord. Het zicht was hopeloos vanwege de regen, maar het zoekgebied was met de zoeklichten grondig uitgekamd, en Whitten was ervan overtuigd dat d'Aubigny en Mansoor nog in het tweehonderd vierkante kilometer grote gebied zaten dat in het noorden werd begrensd door Brancaster Bay en in het westen door de Wash.

Liz was er minder zeker van. Afgezien van hun moordneigingen was het tweetal er tot nog toe goed in geslaagd zich verborgen te houden en zich op vijandelijk terrein te verplaatsen. Die d'Aubigny moest de omgeving goed kennen.

Maar hoe? vroeg Liz zich voor de zoveelste keer af. Waarom was zij uitverkoren? Alleen omdat ze Brits was, of had ze gespecialiseerde kennis van de streek? De afdeling Research ging al haar bekenden af, maar het zwijgen van de ouders was een grote tegenvaller. Beseften ze niet dat ze maar één kans hadden om hun dochter te redden: haar vinden voordat het tot een definitieve afrekening kwam? Voordat het sein tot doden werd gegeven?

Ze zag Don Whitten naar zich wijzen. Een keurige jongeman in een groene Barbour-jas liep naar de schraagtafel waarop ze haar eigen laptop had neergezet. 'Neem me niet kwalijk,' zei hij. 'Ik heb begrepen dat u me kunt vertellen waar Bruno Mackay is.'

231

'En u bent?'

Hij stak zijn hand uit. 'Jamie Kersley, kapitein, 22 SAS.'

Ze drukte de aangeboden hand. 'Hij kan elk moment terugkomen.'

'Bent u ook van de Firma?'

'Ik ben bang van niet.'

Hij grinnikte argwanend. 'De postbus, dan?'

Het was een van de vele bijnamen voor MI5, en hij stond voor postbus 500, een voormalig postadres van de Dienst. Liz, die zich er terdege van bewust was dat het leger van oudsher een warmere band had met MI6, ontweek de vraag zo beleefd mogelijk.

'Gaat u toch zitten, kapitein Kersley. Zodra Bruno Mackay zijn neus laat zien, stuur ik hem uw kant op.'

'Eh... nee, dank u. Er zijn buiten twee teams van vier man een Puma aan het uitladen. Ik stel daar eerst even orde op zaken en kom dan terug.'

Ze keek hem na toen hij wegbeende en richtte haar aandacht weer op haar laptop.

Hele horde SAS'ers aanwezig, tikte ze, *maar ITS-doelwit nog onbekend. Vreemd. Weet ik iets niet?*

Ze besloot met haar identificatienummer, codeerde het bericht met een paar snelle aanslagen en stuurde het naar Wetherby.

Het antwoord kwam binnen de minuut. Ze blokte de tekst en zag hoe de willekeurig uitziende letters en cijfers plaatsmaakten voor leesbare tekst.

Inderdaad vreemd. Regiment aanwezig op verzoek G. Fane. Moet op elk moment inzetbaar zijn, heeft hij tijdens COBRA gezegd. Weet het ook niet.

Ze zag de acht SAS-soldaten de hangar binnenkomen. Ondanks de regen, of misschien juist daarom, liepen ze blootshoofds en met een bestudeerde achteloosheid. Ze droegen zwarte brandwerende gevechtskleding en een keur van wapens, waaronder karabijnen en scherpschuttergeweren.

Er werd al met al een helse hoeveelheid vuurwapens ingezet. Maar tegen wat precies? vroeg Liz zich af.

232

46

Het café in Birdhoe heette de Grote Beer, en op het uithangbord waren de zeven sterren van die constellatie te zien. Om halfeen stond het parkeerterrein bijna vol; de zondagse lunch in de Grote Beer was een geliefde traditie en er was tien kilometer in de omtrek geen ander café.

Jean d'Aubigny kwam uit de dames-wc op de hoek van het parkeerterrein waar ze had gewacht tot de kust veilig was en keek om zich heen. Gelukkig regende het nog steeds, zodat er niemand op het parkeerterrein bleef hangen om een praatje te maken. De auto die het gemakkelijkst gestolen kon worden, had ze vastgesteld, al was het niet per definitie de geschiktste, was een oude, racegroene MGB. Hij was zo te zien al een kwart eeuw oud, maar zag er redelijk goed verzorgd uit zonder echt een verzamelobject te zijn. Het grote voordeel van de auto was dat hij zo oud was dat hij geen stuurslot had dat geforceerd moest worden. Jean kon wel een stuurslot openbreken (een stuk buis onder een van de spaken van het wiel steken en naar beneden drukken was meestal voldoende) maar het was iets wat je moeilijk ongezien kon doen.

Ze kwam tot een besluit, liep kordaat naar de MGB, sneed behendig het natte vinyl van het dak door met haar knipmes, stak haar hand in de scheur, maakte het portier open en schoof achter het stuur. Op de stoel naast haar lag een nappa mannenjack, dat ze op haar kletsnatte knieën legde. Ze trok haar voet met de wandelschoen naar achteren en trapte met haar hak in de behuizing onder het stuur. Het was plastic, maar wel oud plastic, en het barstte krakend, zodat de witmetalen ontstekingsinrichting eronder zichtbaar werd.

Ze keek snel om zich heen om zich ervan te verzekeren dat ze niet werd gezien, trok de vier draden uit de onderkant los en stripte ze met het mes. Toen pakte ze het rode snoer, de hoofdleiding, en maakte een voor een contact met de andere snoertjes. Bij het derde, het groene, sloeg de starter over. Ze isoleerde het groene snoer en verbond de an-

233

dere twee snel met het rode. Het dashboard lichtte nu op. Ze duwde de koppeling in en nam de versnellingen een paar keer door voordat ze de MGB weer in z'n vrij zette.

Oké, dacht ze. Daar gaan we dan, *inshallah*!

Voorzichtig, om de elektrische schokken te vermijden die ze bij haar eerste pogingen had gekregen, bij een flat in het zuidoosten van Parijs, hield ze de groene startdraad tegen de andere drie en drukte het gaspedaal een paar centimeter in. De MGB zette het op een brullen, een angstwekkend luid, en Jean veerde geschrokken op, maar het weer moest het geluid hebben gedempt, want er dook uit het café geen woedende eigenaar op met zijn bierglas nog in zijn hand. Wel stroomde de regen door de scheur in het dak in haar schoot.

Toen de motor draaide, deed ze de verwarming en de ruitenwissers aan, zette de MGB in z'n achteruit, liet de handrem los en reed weg van de parkeerplaats. Zelfs de omzichtigste manoeuvre leek de oude sportwagen al een verontwaardigd gegrauw te ontlokken, en Jeans hart bonsde pijnlijk in haar borst toen ze schakelde, in de eerste versnelling naar de uitgang van het parkeerterrein kroop en een scherpe bocht maakte.

Eenmaal op de weg voelde ze zich niet minder opvallend. De mensen uit de buurt zouden deze auto zeker herkennen. Maar de weg was uitgestorven. De mensen zaten óf in het café, vermoedde ze, óf ze zaten achter hun gesloten deur naar sportprogramma's of soaps te kijken.

Anderhalve kilometer voorbij het dorp was de plek die ze op de kaart hadden gevonden, waar de sloot die ze hadden gevolgd in een rioolbuis onder de weg verdween. Ze stopte er vlak voor en zorgde dat de motor bleef draaien. In een oogwenk doken Farajs hoofd en bovenlichaam op en hees hij zich door de doorweekte dode braamstruiken omhoog. Jean leunde opzij om het portier voor hem open te maken en Faraj gaf haar de zwarte rugzak aan, die ze naast de hare voor zijn stoel legde. Hij stapte druipend in, schoof de rugzakken onder zijn knieën en sloeg het portier dicht.

'Shabash!' zei Faraj zacht. 'Gefeliciteerd!'

'Hij is niet ideaal,' gaf ze toe terwijl de ruitenwissers rumoerig heen en weer bonkten, 'maar hij was het gemakkelijkst mee te nemen.'

Ze reed de weg weer op. Volgens de meter was de tank voor driekwart leeg, en haar blijdschap zakte toen het tot haar doordrong dat ze

234

de tank niet konden bijvullen omdat de motor vrijwel zeker op gelode benzine liep. Ze kon het nu echter niet aan het hem uit te leggen. Al haar zintuigen voelden zowel strak aangespannen aan als afgestompt tot een soort vertraagde werking. Haar eigen tank was bijna leeg. Het was te ingewikkeld.

'Snel weg hier,' zei ze.

47

'Maar waarom hij?' vroeg Liz. 'Waarom hebben ze juist hem gestuurd? Hij is hier nog nooit geweest, hij heeft hier geen familie... Voorzover wij weten, heeft hij geen enkele connectie met Groot-Brittannië.'

'Die vraag kan ik niet beantwoorden,' zei Mackay. 'Ik zou het echt niet weten. In Pakistan is hij ons beslist nooit opgevallen. Als hij daar een speler was, was zijn niveau veel te laag om door onze radar te worden opgepikt. Maar ik vrees dat het daar nu eenmaal zo ging. Er was een bijzonder hoge ruis-signaalverhouding.'

'Wat bedoel je?'

'Ik bedoel dat er genoeg opgewonden mensen op straat liepen die best een grote mond wilden opzetten en de Amerikaanse vlag verbranden, zeker als er een cameraploeg van CNN in de buurt was, maar veel minder mensen die hun verzet in directe actie omzetten. Als Pakistaanse agenten elke garagemonteur noteerden naar wie al Safa alleen maar had gekeken, deden ze wat alle agenten al sinds onheuglijke tijden doen: hun verslagen mooier maken om de indruk te wekken dat ze hun geld echt verdienen.'

'Maar wat Mansoor betreft, hadden ze gelijk. Ze hadden in elk geval niet ten onrechte een dossier aangelegd.'

'Dat blijkt nu, maar volgens mij is dat meer geluk dan wijsheid.'

Ze reden in Mackays BMW naar de Amerikaanse luchtmachtbasis bij Marwell. De man van MI6 was kort na het middaguur uit Mildenhall in Swanley Heath teruggekeerd, en nadat hij telefoonnummers had uitgewisseld met Jamie Kersley, de SAS-kapitein (die ook op Harrow bleek te hebben gezeten) en een lunch met broodjes van tien minuten met Liz en het politieteam had gebruikt, had hij aanstalten gemaakt naar de laatste en dichtstbijzijnde van de drie Amerikaanse bases te gaan. Hij had aan Liz gevraagd of ze zin had om mee te gaan, en aangezien beide terroristen met zekerheid waren geïdentificeerd maar er geen andere veelbelovende aanwijzingen waren, was ze bij gebrek aan iets beters op zijn aanbod ingegaan. De zoektocht naar d'Aubigny en Mansoor was vastgelopen, deels door het noodweer en ondanks de aankomst van teams van het leger en de landelijke reserve.

Tegen kwart voor twee begon het eindelijk op te klaren. Het regende bijna niet meer en het harde loodgrijs van de lucht was tot een iets lichter waas verzacht.

'Ze maken een fout,' zei Mackay zelfverzekerd. 'Ze maken bijna altijd een fout. Iemand daarginds zal hen ontdekken.'

'Denk je dat ze nog steeds in het zoekgebied zijn?'

'Dat kan bijna niet anders. Mansoor zou er alleen nog wel door kunnen komen, maar samen lukt het hen niet.'

'Onderschat d'Aubigny niet,' zei Liz met een onderhuidse ergernis. 'Het is geen domme tiener die spanning zoekt, maar een hoogopgeleide rekruut uit een terroristentrainingskamp in de bergen. Als een van beiden tot op heden fouten heeft gemaakt, is het Mansoor wel. Hij heeft zich door Ray Gunter laten overrompelen, waardoor hij ons essentiële ballistische aanwijzingen heeft gegeven, en ik durf er alles om te verwedden dat hij Elsie Hogan vanochtend ook heeft gedood.'

'Bespeur ik daar een zekere vereenzelviging? Bewondering zelfs?'

'Nee, geen greintje. Volgens mij is zij ook vrijwel zeker een moordenaar.'

'Waar leid je dat uit af?'

'Ik begin gevoel te krijgen voor wie ze is en hoe ze te werk gaat. Waar ik in haar geval op uit ben, is dat ze de druk gaat voelen, dat ze vierentwintig uur per dag het gevoel heeft dat ze geen rust kan nemen, dat ze niet kan stoppen, niet eens kan denken. En dat bovenop de druk die er al is, het gevoel heen en weer geslingerd te worden tussen twee werelden die elkaars tegendeel zijn.'

'Op mij maakt ze niet zo'n heen en weer geslingerde indruk.'

'Aan de buitenkant misschien niet, maar innerlijk wordt ze verscheurd, neem dat maar van mij aan, en dat maakt haar zo gevaarlijk. De behoefte om zichzelf door middel van gewelddadige actie te bewijzen dat ze zich helemaal geeft aan dat... dat militante pad.'

Hij vergunde zichzelf een halve glimlach. 'Zou je liever hebben dat wij ons maar terugtrokken, zodat jullie het samen kunnen uitvechten?'

'Grapjas. In elke strijd is de eerste vesting die je moet nemen het bewustzijn van je vijand.'

'Dat klinkt als een citaat.'

237

'Dat is het ook. Van Feliks Dzjerzjinsky.'

'De grondlegger van de KGB. Een geschikte leermeester.'

'Dat hoop ik.'

Mackay gaf gas om een groene MGB te passeren. Ze waren net door Narborough gekomen. 'Ik heb ook zo'n soort auto gehad,' zei hij. 'Een oude MG Midget, model 1974. Voor vijfhonderd pond gekocht en zelf opgeknapt. God, wat een beeldschone auto was dat. Donkerblauwgroen, bruin interieur, verchroomde bumpers...'

'Daar kwamen vast heel wat vrouwen op af,' zei Liz. 'Al die Miss Moneypenny's.'

'Nou, ze werden er in elk geval niet door afgestoten.' Hij keek even bedachtzaam. 'De man die we zo te spreken krijgen, even om je op de hoogte te brengen, heet Delves. Hij is Brits, want Marwell is in naam een RAF-basis, maar hij weet natuurlijk alles over de jacht op Mansoor en d'Aubigny. De Amerikaanse commandant is een kolonel die Greeley heet.'

'Dus dit is meer dan alleen maar een beleefdheidsbezoek?'

'Dat niet alleen. We moeten ervan uitgaan dan onze terroristen hun doelwit grondig hebben verkend, wát het ook is. Of dat iemand anders dat voor hen heeft gedaan. We moeten hoe dan ook de basis en de beveiliging door de ogen van een terrorist bekijken. In hun schoenen gaan staan. Uitzoeken wat de zwakke plekken zijn. Hoe wij het zouden aanpakken.'

'Ben je op de andere twee bases tot conclusies gekomen?'

'Alleen dat de beveiliging zogoed als waterdicht was. Mijn eerste idee was dat ik voor een SAM zou gaan, dat ik een grond-luchtraket zou nemen. Zoals je weet zijn er nog veel Stingers in terroristenhanden. Maar toen ontdekte ik op geen stukken na dicht genoeg bij de startbanen te kunnen komen. Ik vroeg me af of ik een bom zou kunnen verstoppen in de auto van iemand die buiten de basis woonde en van een afstand kon laten ontploffen wanneer de auto weer op de basis was, maar toen bleek dat de auto's van iedereen die niet op de basis woont volgens een streng protocol worden doorzocht. Ze zijn er wel tien minuten mee bezig, het is niet even een kijkje nemen met een spiegel op een stok, en ze houden zich er strikt aan. Zo'n aanslag is geen abstract concept voor die lui, geloof dat maar. Voorzover ik het heb kunnen zien, zijn die bases beter beveiligd dan Fort Knox.'

'Je kunt door elke beveiliging heen breken,' zei Liz.

238

'Mee eens. En de mensen die wij zoeken, zouden niet op pad zijn als er niet ergens een zwakke plek zat. Ik zeg alleen dat ik hem niet heb gevonden.'

'Wat ik wil weten, is waarom ze Mansoor hebben gestuurd,' zei Liz. 'Wat is zijn sterke punt? Wat is zijn specialiteit? Denk je dat het feit dat hij in een garage heeft gewerkt er iets mee te maken heeft?'

'Als hij al in het spel zat toen hij daar werkte – en het zijn geen garages zoals wij die kennen, maar meer rustpunten – zal zijn taak vooral iets zijn geweest als de boel in de gaten houden, zien wie er komen en gaan, dat soort dingen. Zo voor de vuist weg hou ik het erop dat die mensen in Sher Babar wel eens een vijfdehands jeep en opgeknapte motorblokken verkochten, maar dat ze in feite mensen en wapens over de grens naar Afghanistan smokkelden. Ze zouden ook in de heroïnehandel gezeten kunnen hebben. Die dingen kun je daar niet allemaal scheiden. Wat Mansoor niet was, en dat kan ik je bijna garanderen, was een bevoegd automonteur met een ingelijst diploma van Ford of Toyota.'

'Hij zou dus een zelfmoordvrijwilliger kunnen zijn, denk je?'

'Ik denk dat we dat moeten aannemen, en dat dat meisje van d'Aubigny hem naar zijn doelwit moet loodsen.'

'Maar als dat zo is, waarom is er dan een regeling getroffen voor zijn terugkeer na de klus? Weet je nog wat Mitchell zei? Dat de speciale na een maand teruggebracht moest worden naar Duitsland? En waarom loopt hij dan met zo'n geavanceerd wapen als een PSS? Waar wacht hij nog op?'

'Om je vragen in de goede volgorde te beantwoorden: misschien is de terugreis voor het meisje bedoeld. De PSS wijst erop dat zijn doelwit beveiligd is en dat hij waarschijnlijk 's nachts wil toeslaan. En misschien wachtte hij in Dersthorpe, dat ik jammer genoeg nooit heb mogen bezoeken, op een bestelling van het een of andere snufje.'

'Dat is dus drie keer weet niet,' repliceerde Liz snibbig.

Mackay lachte luchtig en rekte zich uit. 'Ja, daar komt het zo'n beetje op neer!'

239

48

Een kwartier later werden ze op een brug over de rivier de Wissey aangehouden door drie politiemensen in uniform, van wie er een opvallend een Heckler & Koch-geweer bij zich droeg en een ander een hond bij zich had. Een Range Rover met nog meer politiemensen stond schuin over de weg. Het was nog bijna twee kilometer naar de basis bij Marwell, die nog niet eens te zien was.

Liz en Mackay lieten hun legitimatie zien en wachtten buiten de BMW terwijl ze via de mobilofoon werden nagetrokken. Intussen inspecteerde de politieman met de hond de auto.

'Ik begrijp wat je bedoelt,' zei Liz. 'Je zou heel knap moeten zijn om hier met een Stinger langs te komen.'

'Of zelfs maar met een klont C4,' zei Mackay terwijl de hoogste politieman hun legitimatie teruggaf.

Twee minuten later kwam het terrein van de basis Marwell in zicht. Mackay stopte en ze namen het vlakke, saaie landschap in zich op met de stalen poorten, de wachthuisjes in de verte, de kantines en administratieve gebouwen en de eindeloze uitgestrektheid van gras en beton. Er waren helemaal geen vliegtuigen te zien.

'Lachen!' zei Mackay toen een bewakingscamera op het prikkeldraad met scheermesjes argwanend hun kant op draaide.

Kort daarna zaten ze in een groot, goed verwarmd kantoor met versleten maar comfortabele meubelen. Het portret van de koningin hing tussen squadroninsignes en foto's van mensen en vliegtuigen in Diego Garcia, Saudi-Arabië en Afghanistan.

Luitenent-kolonel Colin Delves, een blozende man in RAF-blauwe uniformbroek en trui, was de Britse commandant, en kolonel Clyde Greeley, massief en gebruind en in golfkledij, was zijn Amerikaanse tegenhanger. Liz, Mackay en Greeley dronken koffie terwijl Delves, alsof hij de vriendschapsbanden in ere wilde houden, een blikje Cola light voor zich had staan.

'We zijn verdomd blij jullie te zien, jongens,' zei Greeley terwijl hij

240

de foto's van d'Aubigny en Mansoor uitwaaierde. 'En we stellen het op prijs dat jullie je zo uitsloven, maar ik zou niet weten wat we verder nog kunnen doen.'

'Ik daag die twee uit op anderhalve kilometer van ons terrein te komen,' zei Delves. 'Echt, er beweegt geen graspriet zonder dat wij het zien.'

'Ziet u zichzelf als een mogelijk doelwit voor terroristen, kolonel?' vroeg Mackay.

'God, nou!' zei Greeley. 'Ik twijfel er niet aan dat wij hét doelwit zijn.'

Delves' gezicht verried onbehagen, maar Greeley maakte een weids armgebaar. 'De feiten zijn beschikbaar als je weet waar je ze moet zoeken, en ik neem aan dat onze terroristenvrienden precies weten waar ze moeten zoeken. Van de drie bases in East-Anglia – het 48e Fighter Wing bij Lakenheath, het 100e Air Refuelling bij Mildenhall en wij – zijn wij de enige die in Centraal-Azië zijn ingezet.'

'Waar precies?' vroeg Liz.

'Tja, tot een paar maanden geleden hadden we een squadron A-10 Thunderbolts bij Uzgen in Kirgizië, 3 AC-130 gevechtshelikopers bij Bagram en, iets minder in de openbaarheid, nog een paar AC-130's voor commandotroepen bij Fergana in Oezbekistan. Politiewerk, zou je kunnen zeggen.'

'Bent u ook in Pakistan geweest?' vroeg Liz.

'Aan de Afghaanse grens,' zei Greeley met een zweem van een glimlach.

'En hebt u daar nog nieuwe vijanden gemaakt?' vroeg Liz welwillend. 'Of is dat een naïeve vraag?'

'Weet u,' zei Greeley na enig nadenken, 'ik zou zeggen van niet. En het is zeer zeker geen naïeve vraag. Maar ik kan heel eerlijk zeggen dat we, met uitzondering van bepaalde hardleerse knapen die we met onze Sidewinders en Mavericks uit hun grotten hebben gekieteld, alleen maar nieuwe vrienden hebben gemaakt.'

'Waarom zou juist deze man dan helemaal uit Pakistan zijn gekomen om juist deze basis aan te vallen?' drong ze aan.

'We zullen wel een symbolisch doel zijn,' zei Greeley. 'We zijn Amerikaanse militairen op Britse grond, wat het verbond symboliseert dat de Taliban omver heeft geworpen.'

'Maar er is niets... specifiéks?' vroeg Liz.

241

'Met alle respect, maar wie zal het zeggen? Er waren mensen die ontzettend de pest in hadden over onze aanwezigheid daar en er waren mensen, veel meer, die ontzettend blij met ons waren.' Hij gebaarde naar de foto's van d'Aubigny en Mansoor. 'Wat dit schietgrage duo met hun grieven betreft, moet ik zeggen dat ik alle vertrouwen heb in de veiligheidsmaatregelen op onze basis.'

Colin Delves kwam half uit zijn stoel. Het was een onzekere beweging, en Liz moest zichzelf eraan herinneren dat híj officieel het commando had, en niet Greeley.

'Clyde, mag ik voorstellen onze gasten een rondleiding te geven, als we daar tijd voor hebben? Zodat ze een overzicht krijgen?'

'Wat vinden jullie?' vroeg Greeley grinnikend.

'Graag,' zei Liz voordat Mackay kon antwoorden. Ze vermoedde dat hij de afgelopen achtenveertig uur voor de rest van zijn leven genoeg startbanen met stilstaande vliegtuigen had gezien.

Ze liepen met Delves en Greeley mee door een onberispelijk schone gang waar personeelsleden, de meesten geüniformeerd, maar niet allemaal, mededelingenborden bekeken met keurig opgeprikte instructies, roosters en uitnodigingen voor kerkdiensten en andere bijeenkomsten. Ze keken allen glimlachend op naar Liz en Mackay. Hun gezichten leken net zo te glanzen als het vinyl op de vloer. Wat zijn ze jóng, dacht Liz.

Bij de uitgang, waar slingers en kerstkaarten van kinderen hingen, wachtten ze op de auto voor de rondleiding. Aan de muren hingen met de computer gemaakte posters met aankondigingen van de ceremonie van het aansteken van de kerstboom op de basis en een middag koekjes bakken voor goede doelen voor de mensen die op de basis woonden. Kerstmannenpakken, las Liz, konden bij de gezelligheidsvereniging worden gehuurd; het ensemble bestond uit een pruik, baard en bril, een muts, handschoenen en laarzen.

Hun vervoermiddel bleek een open jeep te zijn die werd bestuurd door een jonge vrouw met een blond bobkapsel. Clyde Greeley overhandigde hun ieder een USAF-honkbalpetje met de tekst GO WARTHOGS! en toen reden ze snel weg over het asfalt, dat zwart glom in de regen.

'Kunnen jullie me meer vertellen over de manschappen die niet op de basis wonen?' vroeg Mackay terwijl hij de klep van zijn petje op een coole filmsterrenmanier omklapte. 'Dat moeten toch kwetsbare doelwitten zijn? Iedereen weet natuurlijk waar ze wonen.'

Delves nam het antwoord voor zijn rekening. 'Als je er hier niet bij hoort,' zei hij met een glimlach, 'zou het verdomd moeilijk zijn zulke gegevens te achterhalen. We hebben nauwe banden met de dorpsgemeenschap en iemand die naar zulke dingen vraagt, zou al heel snel de militaire politie op zijn dak krijgen.'

'Maar jullie mensen moeten toch zo af en toe de bloemetjes buiten zetten?' drong Mackay aan.

'Uiteraard,' zei Greeley met een brede grijns, die in tegenspraak was met zijn barse toon. 'Maar na 11 september is alles anders geworden. De tijd dat onze jongens en meiden lid waren van de plaatselijke dartclubs en dergelijke is al heel lang voorbij.'

'Krijgen ze een specifieke training in beveiliging en contra-observatie?' vroeg Liz. 'Ik bedoel, stel dat ik er een paar vanuit het café of de plaatselijke bioscoop naar hun huis wil volgen...'

'Ik denk dat je binnen vijf minuten een vijandige reactie zou krijgen in de vorm van beveiligingsauto's en mogelijk helikopters. Laat ik het zo zeggen: als je dat probeerde en we kenden je niet, zou je het niet in je hoofd halen een tweede poging te doen. We binden onze mensen altijd op het hart niet naar de plaatselijke uitgaansgelegenheden te gaan. Als ze een paar pilsjes willen drinken, zoeken ze een café op minstens tien kilometer afstand, zodat ze ruim de tijd hebben om te ontdekken of ze gevolgd worden.'

'En u, kolonel?' vroeg Liz.

'Ik woon op de basis.'

'Commandant?'

Colin Delves fronste zijn voorhoofd. 'Mijn gezin en ik wonen meer dan twintig kilometer hiervandaan in een dorpje. Ik vertrek hier nooit in uniform, en het lijkt me sterk dat meer dan vijf mensen in het dorp ook maar enig idee hebben wat ik doe. Mijn huis is overigens eigendom van het ministerie van Defensie. Ik heb geboft – het is de laatste plek waar je een RAF-officier zou verwachten.'

'En staat het onder politiebewaking?'

'In zekere zin wel, maar niet op zo'n manier dat de aandacht op het huis wordt gevestigd.'

Ze naderden een lange rij gevechtsvliegtuigen en hij zweeg. De toestellen, die hun matgroen met bruine woestijncamouflage nog droegen, leken op hun staartstukken te hurken, van achteren topzwaar door de twee enorme motoren boven hun romp. Grondpersoneel was

243

met een stuk of vijf toestellen bezig, en een aantal cockpitkoepels stond open. Uit elke neus wees een zevenloopsboordkanon hemelwaarts. Onder de vleugels hingen lege lanceerinstallaties.

'Daar zijn we dan,' zei Greeley, die zijn trots niet kon bedwingen. 'Het varkenskot!'

'Zijn dat A-10's?' vroeg Mackay.

'A-10 Thunderbolt aanvalsjets,' bevestigde Greeley, 'alombekend als Warthogs. Het zijn aanvals- en ondersteuningstoestellen, en ze hebben een grote rol gespeeld tijdens de gevechtsoperaties tegen Al Qa'ida en de Taliban. Het verbijsterende, nog afgezien van hun raketsysteem, is dat ze zoveel kunnen hebben. Onze piloten hebben pantserdoorborende kogels overleefd, aanvallen met RPG's... Wát je ook opnoemt, we werden ermee bestookt.'

Liz knikte, maar toen hij uitdrukkingen begon te gebruiken als 'zweefvermogen', 'verzwaarde springlading' en 'redundante primaire structuren' zakte ze weg in een semi-hypnotische trance waaruit ze zichzelf met moeite moest losrukken.

'Ook 's nachts?' zei ze. 'Echt waar?'

'Zeker,' zei Greeley. 'De piloten moeten een lichtversterkende vliegbril op, maar afgezien daarvan zijn deze toestellen vierentwintig uur van de vierentwintig inzetbaar. En met de Gatling in de neus en de verzwaarde raketlading onder de vleugels...'

'Uzgen moet onwezenlijk geweest zijn,' zei Mackay. 'Zo ver van huis.'

Greeley haalde zijn schouders op. 'Marwell is ook ver van huis. Maar inderdaad, Uzgen was wat wij een grimmige basis noemen.'

'Zijn jullie aangevallen?' vroeg Liz.

'Daar niet. Zoals ik al zei zijn we boven Afghanistan aangevallen door kleine groepen met RPG's en pantserdoorborende kogels, en we hebben een paar keer Stinger-alarm gekregen, maar onze toestellen hebben nooit serieus gevaar gelopen.'

'En hoe ver zijn we hier van de weg om het terrein?' vroeg Mackay, met zijn blik op de matte romp van de dichtstbijzijnde A-10.

'Ongeveer anderhalve kilometer. Ik zal jullie de grote jongens laten zien.'

De bestuurster maakte een scherpe bocht en ze reden weer vijf minuten. Naar het zuidoosten, stelde Liz vast, die moeite moest doen om zich te oriënteren in het vlakke, uit gras en asfalt bestaande landschap.

De zes AC-130's waren immens, zelfs vanuit de verte gezien. Grote,

244

logge, dikbuikige gevaartes met naar beneden wijzende boordkanon-
nen als de voelsprieten van zeedieren. In feite, vertelde Delves, waren
het Hercules-transporttoestellen, maar voorzien van zware boordka-
nonnen en vuurleidingen werden het grondaanvalstoestellen die een
vijandige stelling konden verpulveren.

'Aangenomen dat de vijand geen luchtafweergeschut heeft, neem ik
aan?' hield Mackay het gesprek gaande. 'Die toestellen moeten een gemakkelijk doelwit zijn voor gevechtsvliegtuigen en luchtafweerraket-
ten.'

De kolonel grinnikte. 'De USAF is niet geïnteresseerd in wat jullie
Britten een gelijkwaardig speelveld noemen. Zolang de vijand nog een
luchtmacht heeft, blijven de grote jongens in de hangar.'

Hij aarzelde, en zijn glimlach verflauwde. 'Die twee terroristen? De
man en het meisje?'

'Ja?' zei Liz.

'We kunnen onze manschappen beschermen en we kunnen onze
toestellen beschermen. Ik ben met driehonderdzesenzeventig mensen
en vierentwintig toestellen naar de strijd in Centraal-Azië gegaan, we
hebben onze tijd uitgediend en ik heb iedereen weer mee naar huis genomen. Alle mensen, alle toestellen. Het is een record waar ik trots op
ben, en dat laat ik niet onderuithalen door een paar psychopaten die
het leuk vinden om oude vrouwtjes af te knallen. Vertrouw maar op
ons, oké?' Hij keek naar Delves, die zelfverzekerd knikte. 'We hebben
het allemaal onder controle.'

245

49

Twintig minuten later waren Liz en Mackay in de BMW op de terugweg naar Swanley Heath. Ze reden in stilte. Mackay had een cd
van Bach opgezet, de *Goldberg Variationen*, maar Liz had hem gevraagd
hem af te zetten. Er knaagde iets in haar onderbewuste.

'Die Greeley,' zei ze uiteindelijk.

'Ga door.'

'Wat bedoelde hij toen hij het over de "grieven" van Mansoor en d'Aubigny had?'

'Ik kan je niet volgen.'

'Hij zei iets over "dat schietgrage duo met zijn grieven". Waarom zei
hij dat? Wat voor grieven?'

'Ik neem aan dat hij dezelfde grieven bedoelde die het terrorisme
ertoe hebben aangezet onschuldige burgers overal ter wereld te bombarderen, te beschieten en te verbranden.'

'Nee, daar trap ik niet in. Zo'n woord gebruik je niet als je het over
leden van een professionele terrorismecel hebt. Ze hebben Ray Gunter en Elsie Hogan niet vermoord omdat ze grieven hadden. Bruno,
waarom zou hij dat woord hebben gebruikt?'

'Grieven, alsjeblieft, hoe moet ík het weten, Liz? Ik heb die vent
nooit eerder gezien.'

'Dat beweerde ik ook niet.'

Hij remde en de BMW kwam slippend tot stilstand. Hij keek haar bezorgd aan. 'Liz, maak je niet zo druk. Je hebt geniaal werk gedaan en ik
heb echt ontzag voor de manier waarop je de zaak vooruit hebt geholpen, maar je móét afstand nemen. Als jij de hele zaak op je schouders
neemt, bezwijk je eronder, snap je? Ik weet dat je mij een vrijbuiter van
de ergste soort vindt, maar alsjeblieft, zie me niet als de vijand.'

Ze knipperde met haar ogen. De lucht hing staalgrijs boven de lange
rechte horizon. De oppepper die de koffie van Greeley en Delves haar
had gegeven, was weggezakt. 'Het spijt me,' zei ze. 'Je hebt gelijk. Ik
trek het me te veel aan.'

Maar hij zou Greeley heel goed eerder kunnen hebben gezien, dacht ze. Als puntje bij paaltje kwam, was het strijdtoneel in Centraal-Azië niet zo groot. *We zijn aan de Afghaanse grens geweest...* Waarom had ze het gevoel dat ze in een vrije val was geraakt? Uitputting? Slaaptekort? Wat ontging haar? Wát?

Ze reden zwijgend door naar Swanley Heath, en op vijf minuten van de luchtmachtbasis werd Liz door een piep van haar mobieltje op een sms-bericht geattendeerd. BEL JUDE, stond er. Ze stopte bij een telefooncel langs de weg, Mackay klapte zijn stoel in de ligstand en Liz stapte de natte berm in en belde de afdeling Research. In de verte, een aantal velden verderop, zag ze een zoekteam van de politie in fluorescerend gele jacks door de struiken banjeren. Het begon snel donker te worden.

'Oké,' begon Judith Spratt, 'dit hebben we. We hebben van de ouders gehoord dat Jean d'Aubigny op haar dertiende naar een kostschool bij Tregaron in Wales is gegaan, Garth House. Een kleine school, gemengd, vooruitstrevend, onder leiding van een voormalige jezuïetenpriester die Anthony Price-Lascelles heet. De school heeft de reputatie probleemkinderen op te vangen en kinderen die niet goed op conventionele discipline reageren. Volgen van de lessen niet verplicht, geen georganiseerde sport, leerlingen aangemoedigd vrije artistieke projecten op te zetten, noem het allemaal maar op. We hebben er mensen op afgestuurd, maar het is kerstvakantie en Price-Lascelles zit in Azemmour in Marokko, waar hij een appartement heeft. Six heeft er vanochtend iemand laten aanbellen, maar de knecht zei dat Price-Lascelles een dag naar Casablanca was, bestemming en tijd van terugkomst onbekend. Er zit nu dus iemand bij het gebouw op hem te wachten.'

'Kunnen we niemand anders naar die school vragen? Uitvissen met wie ze daar omging en zo?'

'Tja, het probleem is dat het echt een klein schooltje is. Er is wel een soort website, maar daar staat geen echte informatie op. We hebben online gezocht en alle ex-leerlingen gesproken die we konden vinden, maar niemand herinnert zich iets meer van Jean d'Aubigny dan dat ze een jaar of tien geleden die school bezocht, dat ze vrij lang, donker haar had en zich met haar eigen zaken bemoeide.'

'Kun je geen voormalige docenten vinden?'

'We hebben er geen kunnen traceren die zich iets opvallends van

247

haar herinnert. Wij krijgen de indruk dat er ernstige financiële problemen waren en dat het personeelsverloop groot was. Veel docenten en ander personeel kwamen uit het buitenland en werden vrijwel zeker zwart betaald.'

'Kan de politie de deur niet gewoon forceren en de dossiers doornemen? Dat kan toch, volgens de wet Voorkoming Terrorisme?'

'Ja, en dat is onze volgende stap. Zodra we iets hebben, laat ik het je weten.'

'En thuis? Rondom Newcastle under Lyme? Met wie trok ze daar op in de schoolvakanties?'

'De ouders zeggen het niet. De politie heeft geïnformeerd en een Pakistaans gezin gevonden dat haar van het islamitisch centrum kende, maar dat is het wel zo'n beetje.'

'Nog iets uit Parijs gehoord?'

'Ook niets interessants. Een medestudent, Hamidullah Souad, kende haar vrij goed. Ze leerden samen voor tentamens en zo en zouden een paar keer naar de film zijn geweest, maar de vriendschap zou verbroken zijn toen ze hem vertelde dat ze zijn manier van leven afkeurde. Ze verdiende de kost op een taleninstituut met het geven van Engelse les aan zakenlieden, maar ze is ontslagen toen er klachten kwamen dat ze "extremistische standpunten" had verkondigd tegen haar leerlingen.'

'We hebben dus nog steeds geen connectie met East-Anglia gevonden?'

'Geen enkele. Moet die er zijn?'

'Nee, ze zou ook gewoon als Mansoors dekmantel kunnen dienen, en daarvoor hoeft ze alleen maar Engels te zijn. Maar ze zijn nu samen op de loop, en als ze hier ooit eerder is geweest, zou het ons op het spoor kunnen zetten van de plek waar ze is ondergedoken, of zelfs van het doelwit. Geef het dus niet op, Jude, alsjeblieft niet.'

'We zoeken door.'

Tien minuten later zaten Mackay en zij in de hangar van Swanley Heath tegenover plaatsvervangend commandant Jim Dunstan. Het was een grote, joviale man met dunner wordend donkerblond haar, en hij had nog steeds het brallerige air van de voorspeler die dertig jaar geleden het politieteam in Twickenham naar de overwinning had geleid in de rugbywedstrijd tegen de Barbarians.

'Klote,' deelde hij somber mee. 'Niks gevonden. We hebben de hele middag helikopters in de lucht gehad, de onze en die van het leger, we hebben hondengeleiders en zoekteams het bos van hier tot aan de kust laten uitkammen, het verkeer over ongeveer dezelfde afstand tegengehouden...'

'Het zou toch hoe dan ook een zware klus worden?' zei Mackay diplomatiek.

'Natuurlijk, verdomme. Dat heb ik ook tegen Binnenlandse Zaken gezegd. Ik heb uitgelegd dat het deze ene keer nu eens geen kwestie van mensen en middelen was, en dat er een punt komt dat je een pas achteruit moet doen omdat je anders onhanteerbare verwarring en misverstanden kunt krijgen. Volgens mij moeten we hopen dat ze door een burger worden gesignaleerd, en daarom hebben we de media in de regio bewerkt. Het zou een stuk eenvoudiger zijn als het geen zondag was, natuurlijk, maar wat doe je eraan?' Hij keek van Mackay naar Liz. 'Hebben jullie nog iets ontdekt?'

'Niets dat op een specifiek doelwit wijst,' zei Liz, hevig gefrustreerd. 'En niets dat erop wijst dat d'Aubigny in het verleden in East-Anglia is geweest. De ouders hebben een geharnaste mensenrechtenadvocaat die tegen hen zegt dat ze hun mond moeten houden, dus...'

'Dus hebben ze liever dat haar kop eraf wordt geknald door die idioten uit Hereford. Ik snap het. Fantastisch.' Hij keek zonder enthousiasme naar de bedrijvigheid om zich heen en stak strijdlustig zijn kin naar voren. 'Wat we eigenlijk moeten hebben, is een meevaller. Een verdomd grote dosis geluk. Op dit moment moeten we daarop hopen.'

Liz en Mackay knikten. Er viel weinig te zeggen. De stilte werd verstoord door Liz' telefoon. Weer een sms-bericht, nu een code die een e-mail aankondigde. Ze trok zich terug aan een leeg stuk schraagtafel en zette haar laptop aan.

249

50

'Uitstappen!' zei Faraj gejaagd. 'Leg de rugzakken onder die boom en help me dan met de auto.'

Jean legde de rugzakken behoedzaam aan de voet van de wilg. Het regende weer, het begon donker te worden en er was in de wijde omtrek geen sterveling te bekennen. In de zomer hadden er nog wat mensen kunnen zijn: een visser wellicht die een kopvoorn of een baars wilde binnenhalen, of een groepje picknickers, maar op een regenachtige namiddag in december was er weinig dat de voorbijganger over de landweg en door de bomen naar deze sombere kruising van de Lesser Ouse en het afwateringskanaal van de Methwold Fen kon lokken.

Jean d'Aubigny kende de plek en wist dat het water er diep was en bezoekers schaars. Ze herinnerde zich plotseling en met een bijna pijnlijke intensiteit hoe het was om zestien te zijn, het groene, modderige aroma van de rivier op te snuiven en de duizeligmakende roes van wodka en sigaretten op een lege maag te voelen.

Het had vrij veel tijd gekost om de plek te vinden, en doordat ze landweggetjes en paden door weilanden moesten volgen, hadden ze nog meer vertraging opgelopen, maar ze waren nu veertig kilometer ten zuiden van het dorp waar ze de MGB hadden gestolen, en na de wegversperring hadden ze geen politie meer gezien. Toen ze de weg naar King's Lynn overstaken, hadden ze in de verte een sirene gehoord, en tien minuten later hadden ze in het noorden een helikopter gezien die door zijn camouflagekleuren herkenbaar was als een legertoestel, maar daar was het bij gebleven. Aangezien ze moesten aannemen dat de diefstal van de MGB snel was gemeld, waren ze dankbaar.

Faraj draaide de raampjes van de MGB naar beneden en deed het dak open. De auto stond naast de oude brug over de rivier. Ervoor leidde een gebarsten betonnen trap naar een smal jaagpad. Aan de overkant stroomde het smallere afwateringskanaal naar het noorden. De rivier was hier diep maar traag, en daarom was het, ondanks de troosteloze omgeving, altijd zo'n goede plek geweest om te zwemmen. Niet dat je nu zou willen zwemmen. Het water stond veel hoger dan in Jeans her- innering en het had een troebel kringelende, koffiebruine kleur. Een laag bladeren, sigarettenpeuken en afval lag in een boog om de voet van de trap.

Ze draaide zich om en keek om zich heen. Niets. Toen pakte Faraj haar hard bij haar pols. Ze verstijfde en deinsde achteruit. Er bewoog iets in het afwateringskanaal. Iets verplaatste de biezen en het riet zon- der geluid te maken. Een dier? vroeg ze zich af. Een politiehond? Een politieduiker zelfs? Er was niets te zien, behalve dat trage, beangsti- gende buigen van het riet.

Ze zaten nu weggedoken achter de auto, veilig ver van de oever. Ze hadden allebei hun wapen getrokken en ontgrendelden het tegelijk toen een verdwaalde windvlaag de regen uit de natte, overhangende takken boven de rivier schudde.

Het riet in het afwateringskanaal week uiteen en de puntige, grijs- groene neus van een kajak kwam geluidloos in beeld. Er zat een be- wegingloze gestalte in, gekleed in olijfgroene regenkleding met een capuchon. Jeans eerste, verlammende indruk was dat het een militair was, en toen de gedaante langzaam een verrekijker naar zijn gezicht ophief, leek dat haar idee te bevestigen.

De gedaante tuurde echter naar de oeverbegroeiing en toonde geen enkele belangstelling voor de MGB bij de brug. Er viel weer een water- val regendruppels uit de takken en een kleine, onopvallende vogel vloog van onder de brug op en landde op een geknakte bies. De verre- kijker zwenkte soepel en ongehaast naar de vogel, en nu werd er een glimlach zichtbaar op het gezicht van de gedaante in de kajak. Het was een jonge man, waarschijnlijk nog een tiener, en zijn lippen leken te bewegen in een geluidloze waardering voor de vogel.

Met een hart dat bonkte van het misselijkmakende, trekkende weg- ebben van de spanning vergrendelde Jean de Malyah en keek opzij om te zien of Faraj ook had opgemerkt dat de jongen geen bedreiging vormde. De vogel moest haar kleine beweging hebben opgemerkt, want hij maakte zich snel los van de stengel en schichtte weer naar zijn schuilplaats onder de brug. De jongen keek hem even na, liet zijn verre- kijker zakken, peddelde door tot de luwte onder de brug, keerde zijn kajak en verdween zoals hij was gekomen.

Ze volgden zijn voortgang, of althans het bewegen van het riet, tot er niets meer te zien was. Ze wachtten nog tien folterend lange minuten om te zien of hij niet terugkwam, maar het moeraslandschap waaruit hij zo onverwacht was opgedoken had hem weer opgeslokt.

'We moeten de auto lozen,' zei Jean uiteindelijk. 'De helikopters die we eerder hebben gezien, waren van het leger, en ze moeten hem door de bomen heen met hun infraroodcamera's kunnen zien.'

Faraj knikte. 'Vooruit dan.'

Hij keek of de auto in z'n vrij stond en haalde hem van de handrem. Ze duwden tegen de achterkant. De oude MGB was zwaarder dan hij eruitzag, en hij lag laag boven de weg. Het duurde een paar seconden voordat ze hem in de modder vooruit kregen, maar toen schoof hij, als met tegenzin, naar de treden, dook over de eerste en bleef met een luid knarsend geluid steken. 'De as is blijven haken,' pruttelde Faraj. 'Het kreng. We moeten doorduwen.'

Ze duwden met hun schouders tegen de verchroomde achterbumper van de MGB en drukten de noppen onder hun schoenen diep in de modder.

Even gebeurde er niets, en toen gebeurde het allemaal tegelijk. Het beton op de stenen treden barstte, de achterkant van de MGB zwaaide omhoog, waardoor Jean haar evenwicht verloor en Faraj haar moest grijpen om te voorkomen dat ze de rivier in glibberde, en de auto begon aan een trage afdaling van de treden. Beneden aangekomen, kantelde hij met een soort statigheid en een enorme waterverplaatsing tot hij op zijn rug lag, begon te zinken en toen met een enkel achterwiel boven water tot stilstand kwam.

'Het kreng,' herhaalde Faraj, die Jean losliet om het rivierwater van zijn gezicht te vegen. Hij liep de gebarsten treden af, ging op de onderste zitten, stak zijn voeten uit en zette ze schrap tegen het wiel. Hij strekte zijn benen, drukte zijn rug tegen de treden en duwde uit alle macht. De auto schommelde even, maar gaf verder geen krimp.

'Wacht,' zei Jean. Ze streek het natte haar uit haar gezicht, kwam naast Faraj zitten, sloeg een arm om hem heen en greep een vuist van zijn jack om houvast te hebben. Hij aarzelde even, maar volgde toen haar voorbeeld. Ze voelde de zware druk van zijn arm tegen zich aan. 'Ik tel tot drie,' zei ze. 'Eén, twee, drie, duw!'

Ze duwden tot ze trilden en de treden pijnlijk in Jeans rug sneden. Ze voelde Farajs arm tegen haar schouder trillen van inspanning. Het wiel gaf iets mee onder haar voetzool.

'Bijna,' hijgde Faraj. 'Nog een keer, en nu niet ophouden.'

Ze sleurde verse lucht in haar longen en weer trok de met gebarsten beton beklede baksteen martelende striemen in haar rug. Ze beefde van inspanning, haar oren suisden en ze werd duizelig. 'Doorgaan!' hijgde Faraj. 'Dóórgaan!'

Langzaam, bijna peinzend maakte de ondersteboven liggende auto zich los van wat hem tegenhield, leek nog even te drijven en zonk toen met de stroom mee in de diepte onder de brug. Snakkend naar adem en met zwoegende borstkas zag Jean het chroom van de bumpers vervagen en onzichtbaar worden.

Ze klommen traag de trap op en Faraj inspecteerde de broodtrommel met de C4-lading.

'Oké?'

Faraj schokschouderde. 'Het is er nog. En wij zijn er nog.'

Jean maakte de balans op. Ze had het ijskoud, ze was smerig, hongerig en doorweekt tot op haar huid, en dat al urenlang. Daar kwam nog bij dat de verschrikkingen van de afgelopen dag – de herhaalde, steeds weer wegzakkende adrenalinestoten – haar zo hadden uitgeput dat ze bijna hallucineerde. Ze had het gevoel, zoals al een paar dagen, dat iemand genadeloos achter haar aan joeg. Iemand die haar als een schaduw volgde, stap voor stap, en een helse verwarring in haar oor fluisterde. Misschien, dacht ze, is het mijn vroegere ik, die probeert mijn ziel terug te krijgen. Op dat moment en op die plek had ze alles geloofd.

Faraj daarentegen maakte een onaangedane indruk. Het leek alsof zijn lichamelijke toestand op een gegeven moment was losgemaakt van zijn wilskracht, zodat pijn, angst noch vermoeidheid voor hem nog een rol speelde. Er was alleen nog de missie, en de strategie die vereist was voor de uitvoering ervan.

Jean keek naar hem, en voorzover ze op dat moment nog in staat was iets te voelen, was het bewondering voor zijn strikte zelfbeheersing, die haar tevens een diepe angst inboezemde. Op gezette tijden, vooral in Takht-i-Suleiman, was ze er zeker van geweest dat haar geloof en vastberadenheid haar diezelfde kracht hadden gegeven, maar nu was ze nergens meer zeker van. Ze was herboren, zeker, maar op een plek die geen enkel mededogen kende. Faraj, besefte ze, was al heel lang op die plek.

In de verte, misschien op acht kilometer afstand, klonk het ronken van een helikopter. Ze bewogen zich heel even geen van beiden.

253

'Snél!' zei Jean toen. 'Onder de brug.'

Ze lieten de rugzakken onder de boom liggen, klauterden de treden naar het smalle jaagpad af en stortten zich op de doorweekte braamhaag. De doornen prikten in Jeans gezicht en handen en toen waren ze erdoor en zaten ineengedoken in het bijna-donker onder de boogbrug. Daar was alleen stilte, afgezien van het weerkaatsende gedruppel van water. Ze voelde bloed op haar gezicht.

Ongeveer een minuut later kwam het geluid van de helikopter terug, luider deze keer, een paar kilometer dichterbij, en hoewel ze wist dat ze onzichtbaar en ver buiten het bereik van de optische apparatuur was, kromp ze in elkaar tegen de gewelfde muur. Het ronken bleef een aantal seconden gestaag doorgaan en stierf toen weg.

Faraj keek in de beschaduwde schemering van de rivier en Jean tuurde door de boog van de brug en de zwart afgetekende struiken naar de lucht. Het werd snel donker. Bijna in tranen van uitputting en rillend van de kou begon ze de doornen uit haar wang en de rug van haar hand te trekken. 'Ik vind dat we de rugzakken moeten halen en hier vannacht moeten blijven,' zei ze toonloos. 'Ze zullen de helikopters in de lucht houden, maar de infraroodcamera's kunnen geen warmte detecteren door steen en beton.'

Hij bespeurde de verslagenheid in haar stem en keek haar argwanend aan.

'Als we in de openlucht worden gepakt,' zei ze smekend, 'zijn we dood. Dóód, Faraj. Hier zijn we tenminste onzichtbaar.'

Hij dacht zwijgend na en knikte toen.

51

Liz stond op het punt online te gaan en haar e-mail te decoderen toen ze vanuit haar ooghoek zag dat Don Whitten naar voren boog en zijn hoofd in zijn handen drukte. Zo bleef hij misschien een seconde zitten voordat hij met een verwrongen gezicht en gebalde vuisten geluidloos naar het hoge dak van de hangar vloekte.

Er waren nu achttien mannen en drie vrouwen in de hangar. Zes van de mannen waren van het leger en allen in gevechtskleding, behalve Kersley, de SAS-kapitein. Van de drie vrouwen was er een lid van het Korps Logistiek, een was een plaatselijke rechercheur en de derde was agente Wendy Clissold. Ze zwegen allen op slag en staarden naar Whitten.

'Zeg het maar,' zei Dunstan vlak.

'Een jongeman genaamd Martindale, James Martindale, heeft zojuist gemeld dat er een vijfentwintig jaar oude racegroene MGB is gestolen op het parkeerterrein van café de Grote Beer in Birdhoe. Het kan op elk moment gebeurd zijn tussen nu en de tijd dat hij bij het café aankwam, vanmiddag om kwart over twaalf.'

Er ging een collectieve zucht van frustratie op. Ze mochten niet de hoop koesteren dat de diefstal van de auto geen verband hield met d'Aubigny en Mansoor. Whitten reikte verslagen naar zijn sigaretten.

'Zoals de meesten van jullie weten, ligt Birdhoe een kilometer voorbij de wegversperring. Ze moeten ons te snel af zijn geweest terwijl wij alles aan het regelen waren. En nu hebben ze verdomme vier uur voorsprong op ons. Ze kunnen overal zitten.'

De legerofficieren keken elkaar met strakke gezichten aan. Er waren nog steeds twee bataljons soldaten en reservisten en zes Lynx- en Gazelle-helikopters aan het zoeken in de noordwestelijke sector.

'Die Martindale,' zei Steve Goss, 'had hij de hele middag in het café gezeten?'

'Hij was met zijn verloofde naar de Grote Beer gegaan om te lunchen, zei hij, en uiteindelijk hebben ze er naar het rugby op tv gekeken.'

255

'Wacht eens,' zei Mackay reikhalzend naar de plek waar Liz zat, met haar vingers boven haar toetsenbord, 'een racegroene MGB? We zijn er een gepasséérd! Ik vertelde je nog dat ik ook...'

'Blauwgroen? De Moneypenny-lokker?'

'Ja, die... Waar waren we toen? Laten we eens naar dat scherm kijken. We zijn vanhier uit naar het zuidwesten gereden en we waren, hoelang? een kwartier onderweg. Het moet ergens bij Castle Acre of Narborough zijn geweest. Als we dus om twee uur bij Maxwell hadden afgesproken, en we de goede auto gezien hebben – en er rijden er niet veel meer van dat model en in die kleur – moeten onze terroristen rond kwart voor twee in de buurt van Narborough zijn geweest. Twee uur en een kwartier geleden.' Hij wendde zich tot Whitten en vervolgde: 'Je hebt gelijk. Ze kunnen nu al in Londen of Birmingham zitten.'

'Maar waarom zouden ze zo'n opvallende auto stelen?' vroeg Liz.

De politiemensen keken elkaar aan. 'Omdat je die zo gemakkelijk aan de praat kunt krijgen, schat,' zei Whitten. 'De meeste auto's van minder dan twintig jaar oud hebben een automatisch stuurslot. Je kunt het forceren door het stuur open te breken, maar daar heb je kracht voor nodig. Wat erop wijst dat het meisje de auto heeft gepakt, lijkt me.'

'Oké. Begrepen. Maar is het dan niet een laatste strohalm geweest? Een radeloze poging om als de donder voorbij de wegversperringen te komen? Ze konden niet weten dat de eigenaar de hele middag in het café zou blijven hangen; ze moesten ervan uitgaan dat hij elk moment buiten kon komen, ontdekken dat zijn auto weg was en het alarmnummer bellen. Ze zullen zeker niet het risico hebben genomen naar een grote stad te gaan in een auto die in één oogopslag te herkennen is, want zij wisten niet beter of elke politieman in het land keek ernaar uit.'

Dunstan knikte. 'Ik ben het met je eens. Ze zullen hooguit een uur in de auto hebben durven rijden, alleen op landwegen, en hem toen hebben gedumpt.'

'Een uur rijden over landwegen? Dan zijn ze precies bij Marwell,' zei Mackay zacht.

Niemand zei iets terug. De agente die de kaart via de computer bijhield, liet een rode lijn verschijnen die in zuidelijke richting vanaf Dersthorpe Strand bewoog, de blauwe lijn overstak die de wegversperringen aangaf en door Birdhoe en Narborough naar Marwell trok. Het was een verticale, vrijwel loodrechte lijn.

'Laten we aannemen dat Marwell hun doelwit is,' zei Dunstan, om zich heen kijkend. 'We mogen er in alle redelijkheid van uitgaan dat ze a) niet te dicht bij een bewaakt overheidsgebouw zullen komen in een gestolen auto, en b) dat ze de auto hebben gedumpt binnen een uur nadat ze Narborough voorbij waren. Dan zijn ze nu óf ten oosten van een cirkel van acht kilomter rond Marwell óf ten westen daarvan. Ze hebben zich ergens veilig teruggetrokken, denk ik – en ze hebben een spannende dag achter de rug. En anders staan ze nu op het punt naar hun doel te lopen, want in dit stadium zullen ze niet nog een auto durven stelen.'

Whitten drukte zijn sigaret uit. 'Wat stel je voor?'

'Dat we twee ringen rondom Marwell trekken. Een binnencirkel met een straal van acht kilometer die we nu meteen helemaal volproppen met politie, militairen en reservisten. Geef die mensen nachtkijkers, zoeklichten, wat ze maar nodig hebben... In elk geval mag er niemand doorheen kunnen komen.'

Een kalende man met het kroon- en sterinsigne van een luitenant-kolonel maakte een snelle berekening met een potlood. 'Dat is ongeveer honderddertig vierkante kilometer in totaal. Als we alle zoekploegen terughalen uit de noordwestelijke sector, nog een bataljon inzetten...'

'En daaromheen,' vervolgde Dunstan, 'een tweede cirkel van acht kilometer, dat is driehonderdtwintig vierkante kilometer, waar we samen met onze vrienden van de luchtmacht de hele nacht met infrarood boven blijven vliegen...' Hij keek vragend om zich heen. 'Heeft iemand een beter idee?'

Het bleef stil.

'Hoe klinkt dat, heren? Dame?' vroeg hij aan de militairen.

Ze knikten. 'Het kan ermee door,' zei de luitenant-kolonel, en hij wendde zich met een fletse glimlach tot zijn medeofficieren. 'Laat niemand kunnen zeggen dat wij onze dappere Amerikaanse bondgenoten niet hebben kunnen beschermen tegen een labiele talenstudente en een Pakistaanse automonteur.'

De militairen glimlachten, zij het met moeite. De politiemensen konden er helemaal niet om lachen. 'Rechercheur Goss,' vervolgde Dunstan, 'ik wil dat u naar Marwell gaat om het contact met kolonel Greeley te onderhouden. Ik zal hem nu meteen bellen om hem op de hoogte te brengen.'

257

Goss knikte en liep de hangar uit. In het voorbijgaan stak hij ten afscheid een hand op naar Liz. Kersley en de leider van het scherpschuttersteam volgden hem naar buiten en liepen naar de barakken om hun respectievelijke manschappen te verwittigen van de laatste ontwikkelingen.

Liz keek hen even na en luisterde naar het aanzwellende ronken van de opstijgende Gazelle met Steve Goss erin. De gebeurtenissen leken op een manier die ze niet goed kon benoemen uit de hand te lopen. Er waren te veel mensen bij de zaak betrokken, en ze werkten voor te veel diensten. Daar kwam nog bij dat haar intuïtie haar zei dat ze de zaak verkeerd inschatten. Mansoor en d'Aubigny mochten dan bereid zijn geweest hun leven te geven voor het welslagen van hun operatie, maar hun daden hadden tot nu toe niets suïcidaals. Het idee dat ze zich vruchteloos op een USAF-basis zouden storten en zich aan mootjes lieten hakken als dank voor de gedane moeite klopte van geen kanten, daar was ze van overtuigd. Ze hadden een ander plan.

Opeens drong het tot haar door dat ze haar bericht nog niet had gelezen, en ze klapte zonder verdere omhaal het scherm van haar laptop op en logde in op de server van MI5. Ze decodeerde het bericht, dat lang bleek te zijn. Zeker naar Wetherby's normen.

Liz, bijgevoegd verslag verdient dringend aandacht van Mackay, Dunstan en jou. Bron geheim en betrouwbaar.

Liz glimlachte om de vertrouwde, cryptische stijl en opende de bijlage.

TOPGEHEIM — ALLEEN VOOR WIE DIT LEEST
BETR.: MANSOOR, FARAJ
Naar aanleiding van meldingen van ITS-activiteiten aan Pak-Afghaanse grens bij Chaman is er op 17 december 2002 om middernacht een AC-130 opgestegen van een USAF-basis in Oezbekistan (aangenomen wordt Fergana) met een search & destroy-missie. Aan boord bevonden zich de bemanning van de AC-130 plus 12 commando's...

'Kopje thee? Ze schijnen Earl Grey te hebben, waarschijnlijk uit respect voor ons stadse gehemelte. Er wordt ook gerept van lange vingers...'

Liz keek op van het bericht. 'Graag, Bruno, ik snak naar iets te drinken. En ik verga ook van de honger, dus als je iets...'

258

'Komt voor elkaar. Had je baas iets interessants te melden?'

'Ik weet het nog niet... Ik vertel het je wanneer je terug bent met de lange vingers en die thee zonder melk met twee klontjes suiker.'

'Twee! Ben je zo'n zoetekauw?'

'Nee.' Ze fronste afwezig haar voorhoofd, met een half oog op het scherm. 'Ik ben verliefd op mijn tandarts.'

Hij drentelde hoofdschuddend weg, zijn laptop zwaaiend in de tas onder zijn rechterarm. Op weg naar de plastic klaptafel die het kantine-gedeelte aangaf, kwam hij agente Wendy Clissold tegen, die haar slapen masseerde en verlangend naar een bruisende Alka-Seltzer in een piepschuim bekertje keek.

'Heb je ook iets tegen kouwe kak?' vroeg hij haar zó hard dat Liz het kon horen.

Liz glimlachte en richtte zich weer volledig op Wetherby's bericht. Tijdens het lezen verdween de glimlach echter van haar lippen. De bedrijvigheid rondom haar leek weg te vallen en het geroezemoes te verstommen. Toen Mackay terugkwam, zat ze recht voor zich uit te staren, met gevouwen handen en een uitdrukkingsloos gezicht.

259

52

'Hoeveel weten ze, denk je?' vroeg Faraj.

'Ik denk dat we ervan uit moeten gaan dat ze weten wie ze zijn,' zei Jean na enig nadenken. Ze spraken nu allebei Urdu. 'De zwakke schakels zijn de bestuurder van de vrachtauto, die je heeft gezien, en de andere illegalen.'

'De andere illegalen weten niets van me. Alles wat ik hen heb verteld was gelogen.'

'Maar ze zouden je herkennen, net zoals de vrouw van wie ik het huis heb gehuurd mij zou herkennen. We hebben het over de Britten, en dat is een wraakgierig volk. Ze laten hun bejaarden zonder moeite verhongeren in gemeenteflats of omkomen van verwaarlozing in smerige ziekenhuisgangen, maar als je een Brit ook maar een haartje krenkt – de visser, de oude vrouw – rusten ze niet voordat ze je te pakken hebben. Ze geven het nooit, maar dan ook nooit op. De mensen die deze operatie tegen ons leiden, moeten de besten zijn die ze hebben.'

'Tja, we zullen zien. Voor mijn part sturen ze hun beste man. Ons houden ze niet tegen.'

Jean keek zorgelijk. 'Ze hebben hun beste man gestuurd. Hun beste man is een vrouw.'

Ze lagen op het smalle, betegelde jaagpad onder de brug. Faraj schoof opzij. Een uur geleden hadden ze hun natte kleren verwisseld voor de droge die Jean die ochtend in de rugzakken had gepropt. Met een intuïtief gevoel voor decorum hadden ze zich met hun rug naar elkaar toe omgekleed, maar toen Jean vrijwel naakt was, had ze haar evenwicht verloren in het bijna-donker onder de lage boog. Maaiend met haar armen had ze Faraj plotseling aangeraakt, en hij had haar moeten grijpen om te voorkomen dat ze in de rivier viel. Hij had haar iets te lang vastgehouden voordat hij haar zwijgend losliet. Ze hadden geen van beiden iets gezegd, maar het incident hing nog zwaar tussen hen in.

'Hoe bedoel je, een vrouw?'

260

'Ze hebben een vrouw gestuurd. Ik voel haar in mijn rug.'

'Je bent gek!' Hij hees zich kwaad op een elleboog op. 'Wat is dat voor dom geklets?'

Ze schokschouderde, al wist ze dat hij het niet kon zien. 'Laat maar,' zei ze.

Ze hoorde hem geërgerd uitademen. Ze lagen hoofd aan hoofd en hadden zich in de dunne dekens gewikkeld die Diane Munday haar huurders ter beschikking stelde. Nu Jean droog was, leek de kou niet zo hels meer. Ze had in het kamp het wel kouder gehad, en op hardere grond gelegen.

'We hebben vandaag twee mensen vermoord,' zei ze. De schedel van de jongen barstte weer open voor haar halfdichte ogen.

'Het was noodzakelijk.'

'Ik ben niet meer wie ik was toen ik vanochtend wakker werd.'

'Je bent een sterker mens geworden.'

Mogelijk. Is dit kracht? vroeg ze zich af. Dit wakende slapen? Die verstarde afstand van de gebeurtenissen? Ja, misschien wel.

'Het paradijs wacht ons,' zei Faraj, 'maar nu nog niet.'

Geloofde hij dat echt? vroeg ze zich af. Iets in zijn stem, een dubbelzinnige, licht ironische toon, maakte haar aan het twijfelen.

'Wie wacht er in deze wereld op je?' vroeg ze. Hij had zijn ouders en een zus genoemd, maar was er ook een echtgenote?

'Geen mens.'

'Dus je bent nooit getrouwd?'

Hij zweeg. Door het duister heen voelde ze een taai verzet tegen haar vragen.

'Morgen kunnen we dood zijn,' zei ze. 'We kunnen deze nacht toch zeker wel praten?'

'Ik ben nooit getrouwd,' zei hij, maar ze hoorde aan zijn stem dat er iemand was geweest.

'Ze is dood,' voegde hij er uiteindelijk aan toe.

'Wat erg voor je.'

'Ze was twintig, ze heette Farzana en was naaister. Mijn ouders hadden iemand met een goede opleiding voor me gewild, en een Tajik, en zij was geen van beiden, maar ze... ze mochten haar heel graag. Ze was een goed mens.' Hij zweeg weer.

'Was ze mooi?' vroeg Jean, en terwijl ze het zei, voelde ze al dat het een botte vraag was.

261

Hij gaf geen antwoord en Jean staarde machteloos naar de door de bakstenen afgebakende halvemaan van de nachtlucht. De afstand tussen hen had nog nooit zo groot geleken. Doordat hij zich zo snel aan zijn omgeving had aangepast, was ze vergeten dat hij uit een wereld kwam die niet met deze te vergelijken was.

'Vertel eens over haar,' moedigde ze hem aan, want ze voelde dat hij diep vanbinnen en ondanks zijn verzet graag wilde praten.

Hij draaide zich om in zijn deken en bleef bijna een minuut zwijgen.

'Wil je het weten? Echt?'

'Ja,' zei ze.

Ze luisterde lange seconden naar zijn ademhaling.

'Ik was in Mardan,' begon hij. 'Op de *madrassah*. Ik was ouder dan de meeste andere studenten, want ik was al drie- of vierentwintig toen ik begon en in godsdienstig opzicht veel minder radicaal. Ik denk dat ze zich wel eens zorgen maakten over mijn luchtige houding. Maar ik kon me nuttig maken en hielp met de administratie, coördineerde de bouwwerkzaamheden en zorgde dat de twee oude Fiat-taxi's die ze hadden bleven rijden. Ik zat er bijna twee jaar toen er een brief uit Daranj in Afghanistan kwam. Mijn vader schreef dat mijn zus Laila zich ging verloven. Haar aanstaande was een Tajik, net als wij, en net als wij had hij gehoopt zich weer in Pakistan te vestigen. Inmiddels had hij de hoop op een legale terugkeer opgegeven en besloten naar Dushanbe terug te gaan, en mijn ouders hadden besloten het stel te vergezellen. Maar eerst zou er een verlovingsfeest gehouden worden.

Als Laila's oudere broer was ik natuurlijk een belangrijke gast, maar mijn vader was bang dat als ik de grens naar Afghanistan overstak, ik Pakistan niet meer in zou komen. Ik besloot het erop te wagen, deels omdat ik bij de verloving wilde zijn en deels omdat ik zelf wilde trouwen. Ik had al een tijd een overeenkomst met Farzana, de dochter van een Pathan-gezin dat in Daranj bij ons in de buurt woonde. Er waren brieven en geschenken uitgewisseld en het stond vast dat we... dat we voor elkaar bestemd waren.

Maar goed, ik stak de grens over en reed mee tot Daranj achter in een vrachtwagen die naar Kandahar ging. Ik kwam aan op de dag van de verloving, maakte kennis met Khalid, de aanstaande van mijn zus, en die avond begonnen de feestelijkheden. Het was de gebruikelijke uitbundigheid tot diep in de nacht, met de nodige vrolijkheid. Vergeet niet dat die mensen heel zelden de kans kregen blij te zijn, dus die ge-

262

legenheid om te dansen en te zingen en *fatakars* af te steken, zelfgemaakt vuurwerk, mochten ze niet voorbij laten gaan.

Ik was de eerste die het Amerikaanse toestel zag. Ze vlogen wel vaker over, want er werden regelmatig operaties rondom Kandahar en bij de grens uitgevoerd, en meestel letten we er niet op. De bevolking van Daranj had in het algemeen een hekel aan de Taliban, maar de Amerikanen waren evenmin geliefd, en ze verleenden geen medewerking aan de teams die soms door het dorp banjerden om inlichtingen te verzamelen.

Heel ongebruikelijk was dat dit toestel zo laag vloog. Het was iets enorms, een bewapend AC-130-transportvliegtuig, ontdekte ik later. De verloving was voltrokken in een klein kampement buiten de stad, en ik was van het feest weggelopen om op een heuvel mijn gedachten te ordenen. Ik was nog nooit zo gelukkig geweest. Ik had Farzana een huwelijksaanzoek gedaan, ze had ja gezegd en haar ouders hadden toestemming gegeven. Onder me was het feest voor Laila en Khalid, haar man, in volle gang. Er knalde vuurwerk, er werd muziek gemaakt en er werden geweren in de lucht afgevuurd.

Toen de zoeklichten aangingen, een aan elke kant van het vliegtuig, dacht ik stom genoeg nog dat het een soort signaal was. Dat ze met een soort vriendelijk gebaar reageerden op het vuurwerk en de muziek. De oorlog met de Taliban was tenslotte voorbij. Er waren Amerikaanse en Britse veiligheidstroepen in Kabul gestationeerd, hele regimenten, en er was een nieuwe regering. Ik stond daar dus gewoon te kijken terwijl het vliegtuig het vuur op het kamp opende.

Ik had natuurlijk binnen de kortste keren door wat er gebeurde en rende naar het kampement, zwaaide met mijn armen en schreeuwde naar het toestel, alsof iemand me daar zou kunnen horen, dat de mensen gewoon vuurwerk afstaken. En het vliegtuig beschreef de hele tijd van die langzame, systematische cirkels om elke vierkante meter te bestoken. Overal lagen doden en stervenden en de gewonden kronkelden over de grond en rolden schreeuwend in de smeulende vuren. Ik rende door de beschieting heen alsof het regen was, ongedeerd, maar ik kon mijn ouders en mijn zus niet vinden, helemaal niemand die ik kende. En ik zag Farzana nergens. Ik riep haar naam tot ik geen stem meer had, en toen werd ik opgetild en met mijn gezicht naar beneden op de rotsgrond geslingerd. Ik was geraakt.

Het eerste dat ik daarna weet, is dat Khalid, mijn toekomstige zwager, me overeind sleurde en naar me riep dat ik moest vluchten. Op de een of andere manier had hij me uit de gevarenzone teruggekregen naar de heuvel waarop ik eerder had gestaan. Ik had granaatscherven in mijn zij en verloor veel bloed, maar wist me onder een uitsteeksel van de rots te slepen. Toen raakte ik weer bewusteloos.

Toen ik bijkwam, lag ik in het Mir Wais Ziekenhuis in Kandahar. Khalid had die nacht acht mensen in een vrachtwagen geladen en naar het ziekenhuis gebracht. Mijn zus Laila leefde nog, maar ze was een arm kwijt, en mijn moeder had ernstige brandwonden. Ze stierf een week later. Mijn vader, Farzana en nog een stuk of tien anderen waren omgekomen.'

Jean zei niets. Ze probeerde haar ademhaling aan de zijne aan te passen, maar hij was te rustig en zij te overstuur. Het is goed wat we doen, hield ze zichzelf voor. En op een dag, lang nadat wij en duizenden mensen zoals wij ons leven hebben gegeven voor de strijd, zullen we zegevieren. We zullen zegevieren.

'Die avond had CNN een reportage over een "vuurgevecht" bij Daranj. Aanhangers van Al-Qa'ida, zei de verslaggever, hadden geprobeerd een Amerikaans transportvliegtuig neer te halen met een grondluchtraket. De poging was mislukt, de terroristen waren aangevallen en een aantal van hen was omgekomen. Vierentwintig uur later kwam Al Jazeera met een reactie, een reportage waarin Khalid als ooggetuige werd geïnterviewd. Een Amerikaans toestel, zeiden ze, scheen zonder enige aanleiding het vuur te hebben geopend op een huwelijksfeest in een Afghaans dorp, waarbij veertien Afghaanse burgers de dood hadden gevonden en acht levensgevaarlijk gewond waren geraakt. Onder de doden waren zes vrouwen en drie kinderen. Niet één van de slachtoffers had connecties met het terrorisme.

Na bijna een week te hebben geweigerd iets over het incident te zeggen, gaf een woordvoerder van de Amerikaanse luchtmacht toe dat de toedracht min of meer in overeenstemming was met wat Al Jazeera had gemeld, en hij noemde het dodental "tragisch". Als verzachtende omstandigheid voerde hij aan dat de bemanning dacht dat het toestel onder vuur werd genomen en dat er volgens de piloot een grondluchtraket was afgeschoten. Er werden foto's gepubliceerd van de commandant van de eenheid, kolonel Greeley, bij een bewapend AC-130-gevechtsvliegtuig waarop hij, naar zijn zeggen, de schade van de kogels aan de romp aanwees. Er volgde een militair onderzoek, en de

264

bemanning van het toestel werd helemaa
AK-47 automatische geweren in de buur
den zijn, alsmede een aantal hulzen van af
'Heb jij een getuigenverklaring afgelegd
'Wat had dat voor doel gediend, behalve
mezelf had gevestigd? Ik wist zoals iedereen
Nee, zodra mijn wonden waren geheeld, gin
'Dat is nu twee jaar geleden?'
'Dat is nu bijna exact twee jaar geleden. In n
Het enige dat me nog restte, was de noodzaa
kwestie van *izzat*, een erezaak. De *madrassah* le
meer dan dat. Ze stuurden me een paar maand
de noordwestelijke grens en daarna hielpen ze me
nistan in. Ik nam een baan aan bij een garage die
voor bezigheden van de jihad, en daar werd ik na
voorgesteld aan een zekere al Safa.'
'Dawood al Safa?'
'Juist. Al Safa luisterde geboeid naar mijn verhaal.
op wraak op degenen die verantwoordelijk waren
moord bij Daranj. Geen algemene actie, maar een sp
richte vergelding. Zij waren naar ons land gekomen on
deren, te verbranden en te moorden, en wij zouden h
De Amerikanen en hun bondgenoten zouden niet mee
felen aan onze reikwijdte en onze onverzettelijkheid. A
een kamp in Takht-i-Suleiman bezocht, zei hij, waar de v
hem een parel van onschatbare waarde in de schoot ha
Een dappere strijder, een jonge Engelse die de naam Asim
ven aannemen, de naam van de bruid van Salah-ud-din, en
van de jihad had opgenomen. Een Engelse, bovendien, me
specialiseerde kennis. Kennis die ons in staat zou stellen een
lezen wraak te nemen...'
'Dat wist ik allemaal niet,' zei ze. 'Waarom hebben ze me
verteld?'
'Voor je eigen veiligheid, en in het belang van onze missie.'
'Weet ik nu alles?'
'Nog niet. Maar geloof me, wanneer het zover is, zul je alles we
'Het is morgen, hè?'
'Vertrouw me maar, Asimat.'

Ze sta
brug, w
ste nach
zijn ru
jouwe.
Stilt
van de
'Ko

265

arde in het donker. Op dat moment was de ruimte onder de
ar het droop van de regen, haar hele wereld. Als dit haar laat-
t op aarde moest zijn, het zij zo. Ze stak haar hand uit en vond
ve wang. 'Ik ben Farzana niet,' zei ze zacht, 'maar ik ben de

e, en voorbij de stilte die hen omringde het langgerekte zuchten
wind boven de moerassen.
m dan bij me,' zei hij.

53

'Tja, we weten nu tenminste zeker wat het doelwit is,' zei Jim Dunstan. Achter hem klonk een hydraulisch gezoem, gevolgd door het gedempte kletteren waarmee de hoofdingang van de hangar zich sloot.

'Ik vrees dat er nooit enige twijfel aan heeft bestaan dat het een van die USAF-bases zou zijn,' zei Bruno Mackay terwijl hij een door de luchtmacht beschikbaar gestelde Mars uit de wikkel haalde. Bij wijze van uitzondering zwegen alle telefoons.

'Staat het dan vast dat de AC-130 die betrokken was bij het incident in Daranj er een van Marwell was?' vroeg Whitten.

'Geen twijfel mogelijk, volgens het verslag,' zei Liz.

'Waar komt dat verslag eigenlijk vandaan?' vroeg Mackay een tikje korzelig. 'Kun je ons dat vertellen?'

'De hele inhoud is openbaar, behalve de betrokkenheid van Faraj Mansoor,' zei Liz ontwijkend. 'Het verhaal is hier destijds niet opgepikt, want de Assemblee in Noord-Ierland was net opgeschort en Saddam Hussein had net zijn wapenverklaring ingediend, maar de Arabischtalige pers heeft er veel ophef over gemaakt.' Ze wendde zich tot Mackay. 'Het verbaast me dat jij die berichten niet op je bureau hebt gevonden.'

'Ik heb ze wel gezien,' zei Mackay. 'En voorzover ik het me herinner, hebben de vlaggenverbranders van Islamabad ervan gesmuld. Ik was alleen nieuwsgierig naar de link met Mansoor. Die wordt nergens genoemd in de dossiers van onze verbindingsmensen in Pakistan noch in de verslagen van onze mensen in het veld.'

'Ik heb de verzekering gekregen dat de bron betrouwbaar is,' zei Liz, die zag dat Don Whitten zich verkneukelde om Mackays nederlaag.

'En morgen is het exact twee jaar geleden,' zei Jim Dunstan. 'Denken we dat ze die datum willen aanhouden?'

'Symboliek en jubilea zijn heel belangrijk voor het ITS,' zei Mackay, die zijn gezag hervond. 'Elf september was het jubileum van het Brits mandaat in Palestina en van George Bush seniors afkondiging van de "nieuwe wereldorde". Twaalf oktober, de datum van de aanslag op de discotheek in Bali en die op de uss Cole, was de verjaardag van de opening van de vredesonderhandelingen tussen Egypte en Israël in Camp David. Dit is meer plaatsgebonden en mogelijk persoonlijker, maar volgens mij mogen we erop rekenen dat ze hemel en aarde zullen bewegen om zich aan de datum te houden.'

'Verwerpen we elke mogelijkheid dat ze een vuile bom hebben?' vroeg de kalende luitenant-kolonel. 'Als ze een kernbom tot ontploffing willen brengen, hoeven ze niet dicht bij hun doelwit te komen. Vijf kilometer is genoeg als ze de wind mee hebben.'

'Er is geen spoor van radioactief materiaal aangetroffen in de bungalow bij Dersthorpe en de Opel Astra die ze hebben gebruikt,' zei Whitten. 'Dat hebben we zorgvuldig gecontroleerd.'

'Ik wil erom wedden dat ze C4 gaan gebruiken,' zei Mackay. 'Het is het handelsmerk van het ITS, en zoals de heren vast wel weten kun je de meeste bestanddelen in de gemiddelde winkelstraat aanschaffen. De vraag is: hoe willen ze de bom binnensmokkelen? Die basis wordt zo goed bewaakt dat er nog geen veldmuis doorheen kan komen.'

'Jean d'Aubigny,' zei Liz. 'Zij is de sleutel.'

'Ga door,' zei Jim Dunstan.

'Ik kan gewoon niet geloven dat Mansoors leiders zo'n aanwinst als zij zouden verspillen aan een zinloze aanslag op een zwaarbewaakte basis. Ik blijf bij wat ik al eerder heb gezegd: zij moet over bepaalde geheime informatie beschikken.'

Maar terwijl ze het zei, begon Liz al te twijfelen. Het verspillen van mensen aan hopeloze zelfmoordmissies was een specialiteit van het ITS.

'Zijn je mensen die school in Wales al binnengekomen?' vroeg Mackay nadrukkelijk.

'Ja. Ze mailen me zo snel mogelijk een lijst van medeleerlingen van d'Aubigny.'

'Aha... Ze hebben er wel de tijd voor genomen, hè?'

'Zoiets kost gewoon tijd,' repliceerde Liz ijzig.

Zoals jij zou weten als je ooit echt zoiets had meegemaakt, had ze eraan toe kunnen voegen. Haar collega's moesten een ondertekend huiszoekingsbevel bemachtigen, de plaatselijke politie op de hoogte stellen, een team van de afdeling Research naar Wales sturen, de alarminstallatie van de school uitschakelen en de sloten op de voor-

268

deur en de dossierkasten openpeuteren, en dan kwamen ze nog eens oog in oog te staan met Price-Lascelles' chaotische archiefsysteem.

'Eerlijk gezegd,' zei Jim Dunstan, 'kan ik me niet voorstellen hoe een onderzoek naar de schoolloopbaan van die jonge vrouw iets aan de zaak kan bijdragen. Volgens mij hebben we alle feiten die we nodig hebben. We weten wie we zoeken en hoe ze eruitzien. We hebben een doelwit, we hebben een motief en een datum. We hebben een contra-strategie en mensen paraat om die te implementeren. Het enige dat we nu nog moeten doen is wachten, dus waarom probeert u niet eens wat te slapen, jongedame?'

Hij heeft weinig met jullie op, had Whitten over Jim Dunstan gezegd. Ze had eerst nog gedacht dat hij zich vergiste, maar de kettingrokende hoofdinspecteur met de wallen onder zijn ogen had toch gelijk gekregen. De oude rancune was blijven hangen. Hoge politiemensen, die vaak in de openbaarheid kwamen en altijd verantwoording moesten afleggen, koesterden een diepgeworteld wantrouwen jegens de geheime wetsdienaren, en het feit dat ze een vrouw was, voedde Dunstans vooroordelen waarschijnlijk alleen maar. Dat de enige andere vrouw in de hangar, agente Wendy Clissold, net gedwee een kop thee naar Don Whitten bracht — een wolkje melk en een klontje suiker — maakte het er niet beter op.

Liz keek om zich heen. De gezichten stonden vriendelijk genoeg, maar verkondigden allemaal dezelfde boodschap. Dit was het eindspel, het punt waarop de theorie in praktijk moest worden gebracht. Het hoofdwerk, het verzamelen en analyseren van gegevens, zat erop. Zij kon geen bijdrage meer leveren.

En ze voelde nog iets. Een ingehouden maar onmiskenbare verwachting. Vooral de mensen van het leger waren net haaien. Sidderend van de adrenaline. Ze roken bloed in de stroming. Ze wílden dat Mansoor en d'Aubigny zouden proberen Marwell aan te vallen, besefte ze. Ze wilden dat die twee zich op de ondoordringbare muur van gewapende mankracht zouden storten. Ze wilden hen dood hebben.

Een sms'je kondigde aan dat er mail van Judith Spratt aankwam.

Heb leerlingenlijst van d'Aubigny's laatste jaar. Nu aan het afwerken.

54

Bij zijn terugkomst in West Ford wist Denzil Parrish dat hij niet te veel van de avond mocht verwachten. Zijn moeder had hem ruim van tevoren gewaarschuwd dat haar nieuwe schoonouders niet de gemakkelijkste mensen waren die ze kende ('opgefokte dwangneuroten uit de nieuwbouw', had ze zelf gezegd), maar ze had hem ook gewaarschuwd dat hij werd geacht 'de nodige aandacht aan hen te besteden' en niet 'elke avond naar het café af te taaien'.

Denzil had dus beloofd zich groot te houden en zijn best te doen. Dat de ouders van zijn stiefvader een hele week bleven logeren, was hem pas verteld toen hij had beloofd zodra de vakantie begon uit Tyneside over te komen, en die achterbaksheid stak nog. Hij was vandaag tot ver na zonsondergang weggebleven, als deel van de straf die hij wilde uitdelen. Diep in zijn hart begreep hij echter wel dat zijn moeder geen kant op kon, en hij moest toegeven dat ze sinds haar huwelijk gelukkiger was dan hij zich haar kon heugen, en sinds Jessica was geboren was ze bijna... nu ja, meisjesachtig, nam hij aan, al moest erbij gezegd worden dat dat absoluut geen wenselijke eigenschap was voor een moeder van veertig. Maar goed, ze lachte weer, en daar was Denzil blij om.

Hij remde vlak voor het hek en stuurde de Honda achteruit de oprit in. Halverwege de helling remde hij weer en stapte uit om de garagedeur open te maken en de kajak van het dak te halen. Het was een fantastische dag geweest, in zijn soort dan. Hij had zichzelf nooit als een eenzame avonturier gezien, maar Norfolk in de winter had iets — die compromisloze verlatenheid, de immense regenluchten — dat bij zijn stemming paste. Hij had een bruine kiekendief op het Methwold-afwateringskanaal gezien, en dat was tegenwoordig echt een zeldzame vogel. Hij had de roep het eerst gehoord, het schrille *kwie, kwie,* dat werd gedempt door de wind en de regen. Even later had hij de vogel zelf bijna achteloos op zijn ene vleugel zien hangen voordat hij zich loodrecht naar beneden in het riet stortte en kort daarop weer opvloog met een krijsend waterhoentje in zijn klauwen. De wreedheid van de natuur. Zo'n moment dat je nooit meer vergat.

Een moment dat op een bizarre manier niet strijdig was met de helikopters die hij op gezette tijden fluisterend in het verre noorden had zien zweven. Wat had dat betekend? Een soort oefening? Een van de helikopters was zo dichtbij gekomen dat hij de militaire merktekens had kunnen herkennen.

Hij duwde de garagedeur omhoog, sleepte de kajak naar binnen en schoof hem tussen de balken. Toen zette hij de auto binnen, trok de garagedeur achter zich dicht en beklom de stenen, met smeedijzeren leuningen afgezette treden naar de voordeur. Wat het tweede huwelijk van zijn moeder ook had opgeleverd, het gezin was er wat woonruimte betrof in elk geval op vooruitgegaan. Nadat hij zijn natte regenkleding had uitgetrokken en in de hal gehangen om uit te druipen, liep hij naar de keuken, waar zijn moeder de bereiding van een lamsbout en het koken van water net even uitstelde om een potje dessertkledder op pruimenbasis voor de baby open te maken. Jessica zelf, die tijdelijk vrede had met het leven, lag op haar rug op een kleed op de vloer op haar tenen te sabbelen. Bij zijn moeder en halfzusje stond een politieman in uniform.

Hij glimlachte, en Denzil zag dat het Jack Hobhouse was. De massieve man van middelbare leeftijd, die zijn pet met het embleem van de regiopolitie Norfolk in zijn hand hield, was wel vaker bij hen thuis geweest als Denzil er ook was, de laatste keer om advies te geven over een nieuwe alarminstallatie.

'Denzil, schat, brigadier Hobhouse komt ons voor iets waarschuwen. Er schijnen wat terroristachtige figuren los te lopen. Niet hier, maar ze zijn gewapend en hebben...' Ze bukte zich om Jessica, die plotseling een scherpe kreet had geslaakt, van de vloer te tillen. Ze hield het kind tegen haar linkerschouder en begon haar op haar rug te kloppen.

'Wat hebben ze?' spoorde Denzil haar aan.

'Ze hebben een paar mensen aan de noordkust vermoord,' zei ze, terwijl Jessica een melkachtige stroom vocht over de rug van haar dure zwarte vest boerde. 'Weet je nog, de man die doodgeschoten op een parkeerterrein is gevonden?'

'Fakenham,' zei Denzil, die met een kritisch afgrijzen naar de rug van zijn moeder keek. 'Ik heb er iets over in de plaatselijke krant gezien. Ze zoeken een Britse vrouw en een Pakistaanse man, toch?'

271

'Dat denken ze,' zei Hobhouse. 'Goed, er is geen reden om aan te nemen dat ze hier in de buurt zijn, zoals je moeder al zei, maar...'

Hij werd onderbroken door het gerinkel van de wandtelefoon. Denzil wilde opnemen, maar zijn moeder griste de hoorn van de haak, luisterde even en hing weer op. Op hetzelfde moment begon de baby te blèren.

'Er staat anderhalve kilometer file vanwege de wegversperringen,' verkondigde ze radeloos boven het gekrijs van de baby uit. 'Hij denkt dat hij minstens een uur later komt. En die rotouders van hem kunnen er elk moment zijn. Nu ik eraan denk, we moeten nog wijn hebben, en meer tonic... Mijn gód, Denzel, zijn ze daar al?'

'Ik, eh... ik laat deze hier,' mompelde Hobhouse. Hij gaf Denzil twee kopieën op A4-formaat en zette zijn pet op. 'Ik ga maar eens. Als er iets is, meteen bellen. En als jullie iemand zien, moet je natuurlijk...'

Denzil nam de vellen aan, stak afwezig zijn duim op naar de brigadier en keek door het raam. Te oordelen naar de vijf jaar oude Jaguar en de onverdraagzame houding van het echtpaar dat eruit stapte, waren 'ze' het inderdaad.

'Mam, je hebt kots op je rug.' Hij haalde diep adem, dacht kort maar verlangend aan de sereniteit van de afgelopen middag en deed het ultieme offer. 'Geef mij Jessica maar. Ga je boven omkleden. Ik bewaak het fort wel.'

55

Faraj keek onverschillig toe terwijl Jean, die naakt tot aan haar middel op haar knieën op het jaagpad onder de brug knielde, haar hoofd boog om haar haar in de rivier uit te spoelen. Achter de bogen van de brug was een grauwe, onheilspellende ochtendlucht zichtbaar. Jean masseerde haar hoofdhuid systematisch, een ijle, zeperige wolk dreef stroomafwaarts, en ten slotte hief ze haar hoofd en wrong de donkere strengen van haar haar uit. Nog steeds boven het water gebukt pakte ze een plastic kam uit de toilettas en haalde hem herhaaldelijk vanaf haar nek naar voren tot haar haar niet meer droop. Toen schudde ze het uit en trok haar vuile T-shirt weer aan. Haar handen beefden na de onderdompeling in de rivier, haar hoofd deed pijn van de kou en de honger legde een knoop in haar maag. Toch was het van cruciaal belang dat ze er fatsoenlijk uitzag.

Dit was de dag.

Ze drukte haar handen vlak in haar oksels om ze even te warmen, rommelde toen in de toilettas, vond een stalen kappersschaar en gaf die samen met de kam aan Faraj. De gebeurtenissen hadden een vreemde helderheid gekregen. 'Mijn beurt om geknipt te worden,' zei ze een beetje verlegen.

Hij knikte en fronste zijn wenkbrauwen toen hij de schaar aannam. Knipte er proberend mee in de lucht.

'Het stelt niets voor,' zei ze. 'Je werkt van achteren naar voren en zorgt dat elke pluk zó lang wordt.' Bij haar laatste woorden stak ze haar wijsvinger op.

Faraj ging, nog steeds zorgelijk kijkend, achter haar zitten. Toen begon hij te knippen, waarbij hij elke afgeknipte lok zorgvuldig in de rivier liet vallen. Een kwartier later legde hij de schaar neer.

'Klaar.'

'Hoe is het geworden?' vroeg ze. 'Zie ik er anders uit?'

Een vriendelijk woord. Een enkel woord was al voldoende.

'Je ziet er anders uit,' zei hij kortaf. 'Ben je zover?'

273

'Ik wil nog één keer op de kaart kijken,' zei ze, met een zijdelingse blik op Faraj. Hij was nog geen dertig, maar de stoppels op zijn kin waren al zilvergrijs. Zijn gezicht verried niets. Ze reikte naar het boek en tuurde in het zwakke licht naar de topografie van de omgeving. Hemelsbreed waren ze op nog geen vijf kilometer van hun doelwit.

'Ik zit nog steeds met die helikopters in mijn maag,' bekende ze. 'Als we door de velden gaan en ze zien ons, zijn we er geweest.'

'Het is minder gevaarlijk dan nog een auto te stelen,' bracht hij ertegenin. 'En als ze zo slim zijn als jij zegt, zoeken ze hier toch niet. Dan richten ze zich op de toegangswegen tot de Amerikaanse bases.'

'We zitten hier waarschijnlijk op vijfentwintig kilometer van Marwell,' gaf ze toe. 'Misschien wel dertig.'

Maar vijfentwintig kilometer, of dertig, leek nog steeds niet zo ver. Haar echte angst waren de infraroodcamera's. *Hun hittesignatuur op een scherm, twee bewegende lichtstipjes die steeds groter werden terwijl het ronken van de motoren steeds dichterbij kwam tot het een gebulder werd dat elk geluid en elke gedachte overstemde...*

'Ik vind dat we over het jaagpad naar West Ford moeten lopen,' zei ze, haar stem met moeite vlak houdend. 'Als we dan helikopters horen, kunnen we... hebben we nog een kans om ons onder een brug te verstoppen.'

Hij keek uitdrukkingsloos naar haar handen, die weer beefden. 'Goed,' zei hij. 'We nemen het pad. Pak de rugzakken in.'

274

56

Liz zat in de mess van Swanley Heath met een kop zwarte koffie en een onaangeroerde snee beboterde toast voor zich. Research was met de leerlingenlijst van Garth School bezig, maar was tot nu toe niets bruikbaars aan de weet gekomen. Een aantal leerlingen woonde in Norfolk of Suffolk of had er ooit gewoond, maar hoewel de meesten zich Jean d'Aubigny wel herinnerden, had geen van hen een echte band met haar gehad. Een individualist, was de heersende mening. Iemand die het liefst alleen was.

En op een school als Garth House, waar de meeste leerlingen hun problemen hadden, zou de wens met rust gelaten te worden iets zijn wat je respecteerde, vermoedde Liz. Kinderen wisten vaak beter dan volwassenen wanneer je afstand moest houden. Mark had haar de vorige avond gebeld, maar ze had de voicemail laten opnemen. Ze zou niet terugbellen.

De afdeling Research had haar ook laten weten dat de ouders van d'Aubigny nog steeds niets wilden zeggen. Sterker nog: ze weigerden elke vorm van medewerking aan het onderzoek. Liz las tussen de regels door dat hun advocaat erachter moest zitten, en dat deze Julian Ledward, als de ouders onder druk werden gezet, bijvoorbeeld met een aanklacht wegens belemmering van de rechtsgang, de zaak zou aangrijpen om het grote publiek op de schending van de mensenrechten te wijzen.

En hoewel er een uitgebreide zoekoperatie was ingesteld, waarbij een aantal eenheden van de Marokkaanse politie betrokken was geweest, had MI6 Price-Lascelles nog steeds niet opgespoord. De nieuwste theorie, die was gebaseerd op het feit dat de directeur van Garth House een aantal jerrycans diesel in zijn jeep had geladen voordat hij uit Azemmour vertrok, was dat hij niet naar Casablanca was gegaan, zoals de huisknecht had verklaard, maar naar het Atlasgebergte. Daarmee, had Judith Spratt moedeloos uitgelegd, was het zoekgebied met anderhalfduizend vierkante kilometer uitgebreid.

275

Liz keek om zich heen. De politiemensen en brandweerlieden hadden een groep gevormd, evenals de legerofficieren, en het SAS-team zat aan een derde tafel. Ze zag dat Bruno Mackay zich bij het SAS-team had aangesloten. Hij lachte bulderend om een opmerking van Jamie Kersley.

Liz was naast agente Wendy Clissold gaan zitten, die een groot deel van de maaltijd giechelend had zitten bellen. Aan de andere kant van de tafel, op een discrete afstand, zaten een stuk of vijf jonge, pijnlijk beleefde helikopterpiloten van het leger.

'Nou,' zei Clissold, 'ze denken dat het vandaag matten wordt op die Amerikaanse basis.'

'Ja, dat denken ze,' zei Liz.

'Ik niet,' zei een bekende stem bij haar schouder.

Liz keek op. Het was Don Whitten, en hij had duidelijk een slechte nacht gehad. Zijn ogen waren bloeddoorlopen, en de wallen eronder paars-grijs. De puntjes van zijn snor daarentegen zagen geel van de nicotine.

'Zorg dat ik nooit bij het leger ga, Clissold. Die bedden bevallen me niet. Al was het maar omdat je er niet in mag roken.'

'Is dat een schending van uw mensenrechten, chef?'

'Zou het dat niet moeten zijn?' zei Whitten spijtig. Hij wendde zich tot Liz. 'Hoe is het jou vergaan? Accommodatie naar wens?'

'Ja, prima, dank je. Onze barak was heel comfortabel. Kom je ontbijten?'

Whitten klopte zoekend naar sigaretten op zijn zakken en loerde naar het buffet. 'Ik vraag me af of al die vette happen wel geschikt zijn voor zo'n fitnessgoeroe als ik. Misschien houd ik het bij een Filter King en een kop thee.'

'Kom op, chef. Het is gratis.'

'Dat is waar, Clissold. Maar al te waar. Heb je vanochtend nog iets van Brian Mudie gehoord?'

'Hoe bedoelt u, chef?'

Hij keek haar lijdzaam aan. 'Als hij belt, zeg dan tegen hem dat ik het verslag van het technisch onderzoek van de bungalowbrand wil hebben, en snel ook. Alles moet erin staan. Elke knoop, elk scheermesje en elk kippenbotje. En verpakkingsmateriaal. Ik ben vooral geïnteresseerd in verpakkingsmateriaal.'

Clissold keek verlegen naar haar handen. 'Toevallig heb ik brigadier Mudie net gesproken. Ze zijn nog bezig met de inventarislijst...'

276

'Ga door.'

'Hij zei iets...'

'Zeg op.'

'Chef, toen u klein was, had u toen ook al van dat Silly Putty? Een soort stuiterende klei die je...'

Whitten leek in zijn stoel te krimpen. Zijn huid was lijkwit onder het tl-licht. 'Zeg op,' herhaalde hij.

'Meer dan tien gesmolten eieren, chef. Allemaal leeg.'

Hij zocht Liz' blik. 'Hoeveel is dat samen?' vroeg hij toonloos.

'Dat hangt van de grootte van de verpakkingen af, maar het is genoeg om dit gebouw op te blazen.'

Wendy keek niet-begrijpend van de een naar de ander.

'Kneedbommen,' legde Liz uit. 'Die bestaan voornamelijk uit stopverf, en die uit de speelgoedwinkel is het beste.'

'Maar waar hebben ze het op gemunt?' vroeg Whitten.

'Op dit moment gokt iedereen op de RAF-basis in Marwell.'

'Maar jij niet?'

'Ik heb geen beter idee,' zei Liz. 'En de tijd dringt.'

Whitten schudde zijn hoofd. 'Dat stel daar...' – hij knikte naar de legerofficieren – '... denkt dat Mansoor en d'Aubigny zo in de armen van een van onze zoekteams zullen lopen. Alsof ze oerstom zijn.' Hij schokschouderde. 'Misschien hebben ze wel gelijk. Misschien maken we het allemaal te moeilijk. Misschien gaan die twee gewoon op zoek naar de grootste concentratie van mensen die ze kunnen vinden en dan...' Hij spreidde zijn handen. Er klonk weer gelach op aan de tafel met officieren.

'Ik heb het tegen Jim Dunstan gezegd,' vervolgde Whitten. 'Ik heb gezegd dat we het alleen aan jou te danken hebben dat we zo ver zijn gekomen.'

Liz schudde haar hoofd. 'Waar zijn we dan gekomen? Op een met prikkeldraad afgezet terrein waar we net doen alsof we weten waar we mee bezig zijn? Wachtend tot een paar schietgrage maniakken die nu overal in East-Anglia kunnen zitten zo vriendelijk zijn hun gezicht te laten zien?'

Whitten nam haar zwijgend op. Liz nam voorzichtig een hapje toast, kwaad om haar uitbarsting, maar het smaakte nergens naar. Het liefst wilde ze naar haar auto lopen en wegrijden. Een streep onder de zaak zetten. De politie en het leger het werk laten opknappen. Zij had gedaan wat ze kon.

Alleen wist ze dat dat niet waar was, niet helemaal. Er was nog een spoor, hoe onduidelijk ook, dat ze moest volgen. Als de ouders van d'Aubigny dachten dat hun dochter geen enkele band met East-Anglia had en er nooit was geweest, zouden ze dat beslist hebben gezegd. Julian Ledward kon zich nog zo druk maken, het feit bleef dat het zwijgen van de ouders moest betekenen dat ze iets van een band wisten. En de kans was groot dat die band was ontstaan voordat hun dochter het huis uitging, want ze wisten weinig over het leven van hun dochter daarna. Dat voerde haar, en Liz, terug naar school, en dus naar Garth House.

Zet 'm op, Jude. Vind de sleutel. Maak die deur open.

'Het lijkt wel een stierengevecht,' zei Wendy Clissold.

Liz en Whitten keken haar aan.

'Ik ben er een keer naartoe geweest, in Barcelona,' vertelde Clissold aarzelend. 'De stier komt binnen, en de matador komt binnen, en iedereen weet dat... dat er een slachtoffer moet vallen. Je maakt je mooi, doet parfum op en koopt een kaartje om een dodelijk slachtoffer te zien vallen. En dan ga je weer naar huis.'

Whitten tikte met een sigaret op het plastic tafelblad. Zijn ogen hadden de kleur van ingedroogde bijenwas. 'Er is één cruciaal verschil, meisje. Bij een stierengevecht weet je vrijwel zeker wie er zal doodgaan.'

278

57

Vanaf de plek waar het Methwold Fen-afwateringskanaal uitkwam in de Lesser Ouse was het hemelsbreed een kilometer of vijf naar West Ford, maar langs het jaagpad was het bijna twee keer zo ver, en de tocht was niet zonder hindernissen. Er waren kapotte hekken waar ze overheen moesten klimmen, stukken van honderden meters lang waar het jaagpad overging in onbegaanbaar, door vee aangestampt moerasland en plekken waar boeren het overpad hadden afgezet met prikkeldraadhekken tot aan de rivier. Al die obstakels moesten overwonnen of omzeild worden, en ondanks de kou bij de oever en de stevige wind zweette Jean om tien uur al overdadig.

Ze zagen een paar helikopters, maar die zwermden in de verte als muggen boven de donkere oostelijke horizon achter hen. Er kwam er niet één dichter bij hen dan tien kilometer; ze hadden alleen de ijl op de wind jagende wolken boven hun hoofd. En bij elke stap vergrootten Faraj en zij de afstand tussen henzelf en Marwell, het epicentrum van de zoektocht.

Ze kwamen een aantal mensen bij de rivier tegen. Diep in jacks en jassen weggedoken wandelaars, een paar vissers op leeftijd die gewapend met thermosflessen de kille wacht hielden onder hun paraplu's en een blozende vrouw in een zeegroen windjack die een bejaarde labrador over het jaagpad dreef. Ze bleven allemaal liever in hun eigen wereldje en besteedden geen enkele aandacht aan Faraj en Jean.

Om kwart voor elf kwam de rand van het dorp eindelijk in zicht. De eerste tien huizen langs het jaagpad waren kubussen met rode daken en imitatie classicistische details; een investeringsproject van nog geen tien jaar oud. Daarna werd de rivier smaller. Aan de ene kant gaf een rij volwassen taxusbomen de grens van het kerkhof aan, en aan de andere kant werd een verwilderd naaldbos doorsneden door een voetpad.

Jean en Faraj liepen aan die kant, en een stenen trapje leidde hen naar het bos. In Jeans herinnering was het nog zoals die zomer, nu tien jaar geleden, met schuin invallend, groenig licht en slierten hasjrook. In december was er echter niets magisch aan. Het drassige pad lag bezaaid met lege flessen en wikkels en de bomen zagen er somber en doorweekt uit.

Maar ze boden wel dekking, en dat was op dit moment voldoende. Achter de natte bomen lag het cricketveld van het dorp. Als ze het pad volgden, konden ze bij de achterkant van het cricketpaviljoen komen, een vervallen bouwwerk uit de jaren dertig dat op een kleine versie van een neogotische villa leek.

Faraj en Jean hadden het paviljoen drie dagen geleden verkend en ontdekt dat ze door een achterdeur binnen konden komen. Er zat een goedkoop slot op dat weinig problemen kon geven, hadden ze gezien.

Het slot sprong inderdaad snel open toen Jean even met haar creditcard van de Banque Nationale de Paris aan het werk ging. Ze wurmden zich met hun rugzakken de schemering in en trokken de deur achter zich dicht. Uitgeput van spanning zakten ze op een houten bank die de hele lengte van de achterzaal besloeg. Ze hadden de risico's afgewogen en vastgesteld dat ze, zolang ze zich muisstil hielden en geen licht maakten, hier waarschijnlijk veilig zaten. Als er al een gevaar was, was het dat anderen ook zouden kunnen proberen in te breken. Tieners die een plek zochten om wiet te roken of te vrijen, bijvoorbeeld. Afgezien daarvan konden ze geen van beiden een reden bedenken waarom iemand hartje winter een cricketpaviljoen zou willen binnendringen.

Jean keek om zich heen. Ze zaten in een soort kleedkamer die door twee kleine, hoge, met spinnenwebben bedekte ramen werd verlicht. Aan de muur boven de houten bank hing een rij haken, waarvan er een paar nog behangen waren met futloze cricketshirts, en in een hoek stond een zware granieten wasbak. Naast de wasbak was een deur naar een wc. Er hing nog een zwakke geur van vocht en lijnzaadolie.

Ze deed behoedzaam de deur naar het voorste gedeelte van het paviljoen open. Dit was een open ruimte met een houten vloer, een afgesloten voordeur en twee paar groengeverfde luiken waardoor de spelers de wedstrijd konden volgen. Net als in de kleedkamer viel er ook hier een zwak licht door twee hoge zijramen, dat opgestapelde tuinstoelen en rieten wasmanden met beenbeschermers, bats en slaghandschoenen bescheen. Aan de lange wand hingen een paar scheidsrechtersjassen en wat stoffige teamfoto's.

280

'Zet 'm op, zet 'm op en win dat spel!' prevelde Faraj.

'Pardon?'

'Gewoon een versje dat ik op school heb geleerd.'

Jean staarde hem even verbluft aan. 'We moeten een uitkijkpost hebben. Misschien kunnen we een gat in de luiken maken of zo.'

Hij schudde zijn hoofd. 'Te link. En we hebben er het gereedschap niet voor.' Hij klom op de stapel tuinstoelen en keek door een zij-raampje. 'Probeer dit eens?'

Hij ging naar beneden en ze nam zijn plaats in. Door het raam van amper dertig bij dertig centimeter kon ze over het noordwestelijke kwadrant van het cricketveld kijken. Een paar honderd meter achter het hek zag ze de ringweg en daarachter The Terrace met het parkeer-terrein van de Joris en de Draak, zwart van de regen.

Faraj liep naar de kleedkamer, kwam terug met de verrekijker en gaf hem aan haar door. Voor The Terrace 1 stond een donkerrode Jaguar en beneden zag ze een lange, bewegingloze gestalte achter de hoge ramen. Zou dat hem zijn? vroeg ze zich af. De man die aan de andere kant van de wereld tot de dood was veroordeeld? Die te midden van zijn gezin moest sterven, zoals zoveel onschuldige burgers in Irak, Afghanistan en andere landen waren gestorven. Zonder enige waar-schuwing aan stukken gescheurd. Achteloos, schertsend zelfs, en door vreemden, alsof ze niet meer dan een verzameling pixels in een com-puterspelletje waren. En dan afgedaan als 'secundaire schade'.

Ze schudde haar hoofd. Die mensen zouden leren wat schade was. Wat het verschil was tussen ergens ver weg en echt, dichtbij.

De lange gedaante liep bij het raam weg en Jean wilde de verrekij-ker net laten zakken toen iemand op de weg haar aandacht trok. Een man in een lichte regenjas, die net uit een zwarte auto was gestapt om zijn armen en benen te strekken.

'Er is beveiliging,' fluisterde ze geagiteerd. 'Een man bij een auto en... ja, nog een in de auto.'

Faraj knikte. 'Dat was te verwachten. We zullen het huis vanaf de achterkant moeten naderen.'

'Er loopt een pad tussen twee van de huizen. Wanneer het donker is, zal ik erheen gaan. De tuin is waarschijnlijk verlicht en er kan een alarminstallatie zijn, maar ik zou de bom over de muur moeten kun-nen laten zakken. Dan ontploft hij bij de zijdeur van het huis.'

'Ze zijn goed gebouwd, hè, die oude huizen? Degelijk?'

281

'Ja, redelijk.'

'Misschien komen ze niet allemaal om.'

'We hebben geen andere keus, Faraj.'

'Ik zal erover nadenken. En kleed je om, je moet iets te eten voor ons kopen.'

Ze knikte en ging naar de kleedkamer. Daar waste ze met gebogen hoofd om onder de ramen te blijven haar handen met een gebarsten restje Lifebuoy-zeep dat op een schotel naast de kraan lag en droogde ze af aan een cricketshirt. Toen zocht ze haar toilettas, pakte haar bescheiden voorraad make-up en voerde het half vergeten ritueel uit. Een dun laagje basismake-up, een vleugje oogschaduw en wat lichte lippenstift. Ze wilde eruitzien als iemand die in een comfortabele vrijstaande woning was ontwaakt en had ontbeten met müsli en versgeperst sinaasappelsap, niet als een terrorist die vuil en hongerig onder een brug in het moerasland had geslapen. Ze trok een dichtgeknoopte vuilniszak met kleren uit haar rugzak en haalde er een donzige, lila trui van kasjmierwol uit, een grijze broek met camouflageprint en een goed gesneden spijkerjack met een doorgestikte voering, allemaal in een niet al te duur Parijs' warenhuis gekocht. De wandelschoenen leken er op een studentikoze manier min of meer bij te passen, zoals ze had gehoopt. En het geheel combineerde goed met het laatste accessoire: een kleine, grijze rugzak met een diagonale band.

Toen ze klaar was, bekeek ze zichzelf in de spiegel. Het was een verbijsterende metamorfose. Haar haar viel niet meer steil en sluik tot op haar schouders, maar omkranste haar gezicht. Hij had het verbazend goed geknipt. En de make-up maakte uiteraard een wereld van verschil. Het opvallende, conventioneel vervrouwelijkte wezen dat haar blik beantwoordde, had niets dreigends meer. Ze liep schuchter naar de zaal om zich aan Faraj te laten zien. Hij knikte zwijgend, maar er lag een ondoorgrondelijke emotie in zijn blik.

'Laat ik dan maar boodschappen gaan doen,' zei ze, en klopte op haar broekzakken om te voelen of ze de portefeuille met klittenband bij zich had.

'Ik zal het ontstekingsmechanisme bevestigen,' antwoordde hij. 'Zorg dat niemand je naar buiten ziet komen.'

'Als ik zes keer klop, laat je me binnen. Bij een ander aantal ben ik het niet of hebben ze me ingerekend.'

'Begrepen. Ga nu maar.'

58

Een snelle blik door een van de hoge ramen in de kleedkamer om te zien of de kust veilig was en Jean ging naar buiten. Ze liep terug door het bos en nam toen het noordoostelijke pad dat langs de rand van het cricketveld aan de weg uitkwam. De winkels — een uitdeukerij en uitlaatservice, een lectuurzaak en een dorpswinkel met een postagentschap — stonden tegen het eind van The Terrace, en toen ze overstak, zag ze een blonde jongeman de treden van nummer 1 af kuieren. Hij leek net als zij op weg te zijn naar de winkels. Dat moet zijn zoon zijn, dacht ze met een akelig gevoel van naderend onheil.

Ze vermande zich. Op de lange termijn zou haar daad van vandaag levens redden. Het westen zou zich voortaan bedenken voordat het mensen die het anoniem en onbelangrijk achtte met bommen en kogels bestookte. De getrapte, drievoudige explosie waarbij het Britse gezin zou omkomen, zou de schreeuw zijn van die talloze anderen overal ter wereld die zonder stem waren gestorven. De jongen zou samen met de anderen zijn leven moeten geven.

Ze kwamen tegelijkertijd bij de dorpswinkel aan, en hij ging beleefd opzij toen ze de deur openduwde. Toen ze binnen een mandje vol brood, mineraalwater, fruit, kaas, chocola en, om het af te maken, een pak kerstkaarten en groene slingers propte, voelde ze zijn ogen op zich gericht. Ze keek steels tussen de gangpaden door en zag een lange gestalte in spijkerbroek, T-shirt en een motorjack. Hij was ongeschoren en zijn haar stond aan een kant van zijn hoofd omhoog alsof hij er zo op had geslapen. Hij ving haar blik op en glimlachte vriendelijk. Ze wendde zich af. Ze was bereid hem te doden, maar kon zich er niet toe zetten naar hem te glimlachen. En waarom dacht ze hem te herkennen, waaróm?

Bij de toonbank zag ze een foto van zichzelf op de voorpagina van de *Daily Telegraph* en haar hart sloeg over. Het was een uitgesproken onflatteus portret bij de kerstboom dat haar moeder drie of vier jaar geleden had gemaakt. VROUW, 23, WORDT GEZOCHT... Ze pakte een

283

krant, verbood zichzelf verder te lezen en vouwde hem op, zodat de foto's aan de binnenkant zaten.

'Het regent in elk geval niet meer!' Het was de jongeman, een jongen eigenlijk, hij kon niet ouder dan achttien zijn, die nu voor haar in de rij stond.

'Dat is waar,' zei ze effen, 'maar hoelang nog?'

De vraag liet zich niet beantwoorden, en dat was ook haar bedoeling. De jongen wipte zwijgend van zijn ene voet op de andere. Toen de caissière zijn koekjes en zes blikjes Newcastle Brown Ale had gescand, vroeg hij of ze het bedrag op de rekening wilde zetten.

'Welke rekening?'

'Van mevrouw Delves, mijn moeder.'

Het meisje leunde ontspannen achterover in haar stoel. 'Dan moet dat jouw zusje zijn, die Jessica. Zoals ze gisteren naar me glimlachte! Het is een engeltje!'

'Nou, ze heeft in elk geval stevige longen.'

'Die schat! Geef haar een dikke zoen van me, ja?'

'Oké. Eh... van wie?'

Het meisje spreidde haar vingers en keek naar beneden. Ze droeg een verlovingsring met een lichtblauwe steen. 'Beverley,' zei ze.

'Oké, doe ik. Tot ziens.'

Hij had de ring gezien en geduid, zoals de bedoeling was. De zwakke maar onmiskenbare teleurstelling in zijn stem bracht Jean op een idee. Het zou niet gemakkelijk worden, maar ze wist wat haar te doen stond. Ze zette haar mandje op de kassa, liet de boodschappen door het meisje scannen en inpakken, stak haar hand uit en legde hem op de arm van de jongen, die net wilde weglopen. Hij keek verbaasd om.

'Mag ik je iets vragen?' fluisterde ze. 'Buiten?'

'Eh, ja hoor,' mompelde hij.

Jean draaide zich om en haalde twee briefjes van twintig pond uit de portefeuille. Beverley, die opging in haar werk, had niets van de ontmoeting gemerkt.

Buiten aangekomen zette Jean haar vriendelijkste gezicht op. Het viel niet mee. Glimlachen was bijna pijnlijk.

'Sorry dat ik je zo... in je kladden grijp,' zei ze, 'maar ik vroeg me af of jij hier leuke cafés weet. Ik logeer hier in de buurt...' – ze knikte vaag in de verte – '... en ik ben hier niet bekend, dus...'

Hij krabde monter op zijn hoofd, waardoor zijn strogele haar nog

284

meer in de war raakte. 'Tja, even denken… Je hebt de Joris natuurlijk,' zei hij, en hij wees met zijn duim naar links, 'maar die is een beetje rustiek, als je begrijpt wat ik bedoel. Iets te huiselijk. Ik ga meestal naar De Groene Man, aan de weg naar Downham.'

'Is het daar leuk?'

'Ik vind het het beste café hier in de buurt.'

'Aha,' zei Jean, zijn gespannen, verlegen blik beantwoordend met een warme glimlach. 'Dat is… Kun je me uitleggen hoe ik daar lopend moet komen? Want ik weet niet zeker of ik de auto van mijn ouders wel kan lenen.'

Ze stond van zichzelf te kijken. Ze had het voor vrijwel onmogelijk gehouden, bedrog van zo dichtbij, maar het ging heel gemakkelijk.

'Nou, dan steek je het cricketveld over en…' Hij keek naar zijn schoenen en haalde diep adem voordat hij weer in haar grote, vragende ogen keek. 'Hé, ik kan… ik kan je wel brengen als je wilt. Ik wilde er vanavond toch heen, dus als je, eh…' Hij schokschouderde.

Ze legde een hand op zijn onderarm. 'Dat klinkt echt super. Hoe laat ongeveer?'

'O, eh… een uur of acht?' Hij keek haar met een soort verdwaasd ongeloof aan. 'Halfnegen? Hier? Komt dat goed uit?'

'Prima!' Ze gaf een kneepje in zijn arm. 'Dat is dan afgesproken. Halfnegen, hier.'

'Eh, oké. Perfect. Waar logeerde je ook alweer?'

Maar ze liep al weg.

285

59

Op het asfalt voor de hangar speelde de SAS een potje voetbal tegen het PO19-scherpschuttersteam. Hoewel ze verloren, hadden ze ongetwijfeld meer lol dan hun directe superieuren, die binnen op nieuws zaten te wachten. Soms rinkelde er een telefoon, die gehaast werd opgenomen, maar er was nog geen nieuws van enig belang binnengekomen. De helikopters, soldaten en reservisten bleven surveilleren.

Het was geen dichtbevolkte streek, en de ingezetenen verbaasden zich over al die activiteit en de enorme aantallen manschappen in camouflagekleding die waren ingezet. In de loop van de ochtend was er intensief gefolderd, en iedereen wist inmiddels dat de verdachten van de moord op Ray Gunter en Elsie Hogan een Pakistaanse man en een Engelse vrouw waren.

Toen haar telefoon weer ging, dook Liz er niet meer op af. In de loop van de ochtend was ze zich naarmate er meer negatieve berichten uit alle hoeken en gaten binnenkwamen steeds nuttelozer gaan voelen, en alleen een afschuwelijke fascinatie voor het eindspel weerhield haar ervan stiekem weg te glippen en terug naar Londen te rijden. Wetherby zou haar zeker hebben aangeraden weg te gaan, gezien de omstandigheden; noch de Dienst, noch anderen hadden er iets aan als ze bleef.

Ze had Wetherby's advies echter niet gevraagd, en tot ze alle informatie had die via Garth House ingewonnen kon worden, bleef Liz zitten waar ze zat.

Om halfvier 's middags sprak een legerofficier hardop uit wat de anderen alleen maar durfden te denken: dat ze misschien het verkeerde gebied doorzochten. Was het mogelijk, opperde hij, dat ze om de tuin waren geleid? Dat ze door een reeks verkeerde deducties naar de verkeerde basis waren geleid? Zou Lakenheath of Mildenhall het echte doelwit kunnen zijn?

De vraag werd zwijgend in ontvangst genomen en alle aanwezigen keken naar Jim Dunstan, die een seconde of vijftien uitdrukkingsloos

286

in het niets bleef staren. 'We gaan op deze voet verder,' besloot hij uiteindelijk. 'Meneer Mackay heeft me verzekerd dat de islamitische achting voor jubilea onwrikbaar is, en we hebben nog een aantal uren tot middernacht. Ik vermoed dat Mansoor en d'Aubigny liggen te wachten tot ze in het donker door het kordon heen kunnen breken, en het wordt binnen een uur donker. We blijven hier.'

Kort na vieren begon het te regenen, in striemende grijze vlagen die op het dak van de hangar roffelden en de contouren van de wachtende Gazelle-helikopters vervaagden. Er hing een dreigende geur van ozon in de lucht en de piloten keken gespannen naar elkaar, denkend aan hun collega's die nu vlogen.

'Dat moeten we er verdomme net nog bij hebben,' zei Don Whitten, die in elkaar kromp en zijn handen gefrustreerd in de zakken van zijn colbert duwde. 'Ze zeggen dat de regen de vriend van de politie is, maar het is nu onze vijand, vergis je niet.'

Liz wilde net iets terugzeggen toen haar telefoon piepte. Het was een sms om haar erop te wijzen dat ze e-mail van Research had.

Price-Lascelles nog steeds onvindbaar in Marokko, maar hebben een zekere Maureen Cahill gevonden, voormalig huismoeder in Garth House. MC beweert dat d'Aubigny's beste vriendin Megan Davies was, op haar 16e van GH gestuurd na een aantal incidenten met drugs. MC zegt dat ze d'Aubigny en MD in de ziekenboeg van de school heeft behandeld na overdosis psilocybine (paddo's). Ouders van Davies (John en Dawn) woonden volgens schooladministratie bij Gedney Hill in Lincolnshire, maar het huis is sindsdien een aantal keren van bewoners gewisseld. Geen huidig adres van echtpaar Davies bekend. Blijven zoeken?

Liz tuurde even naar het scherm en printte het bericht toen uit. Die laatste zin wekte de indruk dat ze zich aan strohalmen vastklampte, maar het kwam erop neer dat ze niets anders had. Als er een kans was, hoe klein ook, dat ze levens kon redden door een onderzoek naar de verblijfplaats van het gezin Davies in te stellen, moest ze die aangrijpen. Dat zo'n onderzoek heel arbeidsintensief zou zijn, behoefde geen betoog. Davies was een bijzonder gangbare naam.

Doen, typte Liz. *Op alle mogelijke manieren. Vind die mensen.*

Ze keek naar buiten. De regen stroomde meedogenloos en het begon donker te worden.

287

60

'Nog eens,' zei Faraj.
'Als we bij het café zijn, vraag ik of ik mijn jas in de auto kan laten liggen. Ik laat de rugzak ook liggen, onder mijn jas, voor het geval ze tassen controleren bij de ingang van het café. Ik hou hem zo lang mogelijk in het café, liefst tot sluitingstijd, en dan laat ik me door hem naar het huis brengen. Wanneer we uit het café vertrekken, zet ik de tijdschakelaar op een uur door de rode knop helemaal naar rechts te draaien. Ik laat in de auto wat kleingeld vallen en draai me om naar de achterbank om het op te rapen. Dan prop ik de rugzak onder de passagiersstoel. Ik blijf maximaal tien minuten bij zijn huis, misschien maak ik nog een afspraak met hem voor morgen, en dan ga ik weg. Ik loop over de weg naar de achterkant van het paviljoen en klop zes keer. Dan hebben we naar schatting nog vijfendertig minuten om weg te komen.'

'Goed zo. Denk erom dat hij de auto niet meer uit de garage mag halen als hij daar eenmaal staat. Daarom wil ik dat je zo lang mogelijk blijft. Als er een kans is dat hij of iemand anders van het gezin nog met de auto weg wil, moet je dat voorkomen. Je steelt de autosleutels of maakt de auto onklaar. Als dat niet kan, neem je de rugzak mee het huis in en verstop je de bom ergens anders.'

'Begrepen.'

'Goed. Doe de rugzak om.'

Ze hadden dit eerder gerepeteerd, toen het nog licht was. Hij had het ontstekingsmechanisme bevestigd – een vrij simpel werkje waarvoor hij alleen een kleine schroevendraaier en een tangetje nodig had – en het zat nu samen met de digitale timer en het elektronische slaghoedje in een aluminium behuizing. Aan de ene kant zat de rode knop van de tijdschakelaar en aan de andere kant stak er een dikke antenne van tweeëneenhalve centimeter uit. Zo nodig kon de timer uitgeschakeld worden om de bom van een afstand tot ontploffing te brengen met een zendertje ter grootte van een lucifersdoosje dat in de binnenzak van Farajs outdoorjack was geritst. Het bereik van het zendertje was echter maar vierhonderd meter, en als een van hen zo dichtbij was wanneer de bom ontplofte, was er iets heel erg misgegaan.

Jean rolde het kastje in de modderige spijkerbroek die ze die ochtend had uitgetrokken en propte het onder in de rugzak. Ze hadden besloten dat het geen zin had te proberen het te verstoppen of te verdoezelen. Het was licht, nog geen kilo zwaar, maar de bom zelf was te groot om in een fototoestel, radio of wat ze ook maar bij zich zou kunnen hebben te verstoppen. Er was ook geen reden om te veronderstellen dat ze gefouilleerd zou worden. Ze had een vuil T-shirt en haar make-uptasje op de spijkerbroek gelegd en de rugzak dichtgeritst. Nu trok ze haar opgevouwen jack door de schouderband van de rugzak, zodat het op haar borst kwam te hangen.

Hij tuurde naar haar schimmige gestalte. 'Ben je er klaar voor om dit te doen, Asimat?'

'Ik ben er klaar voor,' zei ze kalm.

Hij pakte haar hand. 'We zullen slagen, en we zullen ontsnappen. Op het uur van de wraak zullen we kilometers ver weg zijn.'

Ze glimlachte. Er leek een onmogelijke rust over haar te zijn neergedaald. 'Ik weet het,' zei ze.

'En ik weet dat het niet gemakkelijk voor je is. Dat het niet gemakkelijk voor je zal zijn om met die jongen te praten. Je moet sterk zijn.'

'Ik ben sterk, Faraj.'

Hij knikte in het donker, nog steeds met haar hand in de zijne. Buiten schuurde de wind langs het paviljoen en de donkere, natte bomen.

'Het is tijd,' zei hij.

289

61

Denzil Parrish had geen zin om aan het stereotiepe beeld van de ongewassen bètastudent te voldoen, en hij had zich zorgvuldig voorbereid. Na een halfuur uitgebreid baden, haar wassen en scheren had hij zich van top tot teen in schone kleren gestoken. Ontmoetingen als die van vandaag waren een buitenkansje, en hij nam zich vast voor die kans niet te verspelen. De vrouw leek uit een andere wereld te komen, zo koel, chic en zelfbewust was ze. Hij wist niet hoe ze heette, wist niet waar ze logeerde... Hij wist helemaal niets van haar.

Was ze aantrekkelijk? Ja, ze had iets beheersts over zich dat beslist aantrekkelijk was. Ze had zo'n gezicht dat je je niet direct voor de geest kon halen. Wijduiteenstaande ogen en jukbeenderen en een asymmetrische mond. En ze leek vreemd gespannen, alsof ze in gedachten elders was.

'Wat zie jij er opeens netjes uit,' zei zijn stiefvader, die met een vroeg avondbiertje van de keuken naar de woonkamer liep. Colin Delves droeg zijn RAF-uniform om veiligheidsredenen alleen op Marwell, en hij had nu een spijkerbroek aan, instappers en het bruine leren jack waarin hij altijd van en naar de basis reed. Ondanks zijn vrijetijdskleding hing de spanning tastbaar om hem heen.

'En jij ziet er afgepeigerd uit,' zei Denzil. 'Beulen de Amerikanen je af?'

'Het is een lange dag geweest,' zei Delves terwijl hij in een leunstoel tegenover de tv zakte. 'Er was weer groot veiligheidsalarm. Ze denken nu dat de basis een terroristisch doelwit is vanwege de betrokkenheid van de Fighter Wing bij Afghanistan. Clyde Greeley en ik hebben dus besloten dat al het personeel dat niet op de basis woont naar huis moest, ikzelf incluis, en we hebben de tent door de veiligheidsmensen laten afsluiten.'

'Is dat vertrouwelijke informatie?' vroeg Denzil.

Zijn stiefvader haalde zijn schouders op. 'Het is moeilijk stil te hou-

290

den, in aanmerking genomen dat er wegversperringen rondom de basis zijn aangelegd en er drie bataljons het gebied in zijn gestuurd.'

'Wat gaat er nou met hen gebeuren? Met die terroristen, bedoel ik.'

'Tja, ze komen niet levend in de buurt van de basis, laat ik het zo stellen. Wat ben jij vanavond van plan?'

'Het café,' zei Denzil, en hij liet zich op de chintz bekleding van de bank zakken. 'De Groene Man.'

'Juist. Wil je de gordijnen even dichtdoen?'

De gordijnen van verschoten geel damast hingen voor de hoge ramen in de voorkamer. Denzil keek naar de donkere vlakte van het cricketveld, het in de verte tegen de bomen opdoemende paviljoen en de door de regen vervaagde lichtjes van de huizen her en der daarachter. Het is een mooi huis, dacht hij, maar het staat wel midden in het saaiste, meest verlaten stukje platteland dat we hebben. De beveiligingsmensen stonden ergens buiten, vermoedde hij, om het huis zorgvuldig te bewaken.

De ouders van Colin Delves kwamen de kamer binnen en keken om zich heen met de vrolijke, vragende blik van mensen die aan een flinke borrel toe zijn. Opgepept door zijn geheime kennis van de avond die voor hem lag nam Denzil zelf hun bestelling op en zorgde ervoor, uit medelijden met de uitgeputte toestand van zijn vader, dat hij de glazen boordevol gin schonk.

'Mijn hemel!' zei Charlotte Delves even later, en ze sloeg verbaasd haar hand op haar parels. 'Hier zit genoeg gin in om een paard te verdoven.'

'Geniet ervan,' zei Denzil. 'Lekker chillen.'

'Neem jij niets?' Roy Delves, die zijn geld in de handel had verdiend, was een roziger, vleziger uitvoering van zijn zoon de luchtmachtofficier.

'Ik moet nog rijden,' zei Denzil braaf.

'Ja, regelrecht naar het café,' zei Colin.

Ze lachten nog steeds toen Denzils moeder met Jessica binnenkwam. De baby was in bad geweest, had haar flesje gekregen en had schone witte kleertjes aan. Nu, slaperig en naar talkpoeder geurend, kon ze even met zich laten pronken voordat ze naar bed ging.

Dit was het moment waarop Denzil had gewacht. Te midden van het gekir en gekraai sloop hij weg. De vrouw stond bij de winkel te wachten, zoals ze had beloofd. Denzil zag haar niet meteen, maar toen liep ze snel op de Honda af en stapte in.

291

'Sorry,' zei hij toen ze haar gordel omdeed. 'Het is nogal een ouwe brik. Doe maar alsof het een Porsche is.'

'Ik weet niet of ik wel zo gek ben op Porsches,' zei ze. 'Een beetje patserig, vind je ook niet?'

Hij keek opzij. Ze droeg nog dezelfde kleren als 's middags en had een donkergroen regenjack bij zich. 'Nou, blij dat je er zo over denkt,' grinnikte hij. 'Hoe was je dag?'

'Rustig. En de jouwe? O, ik heet trouwens Lucy.'

'Ik ben Denzil. En wat doe je zoal, Lucy?'

'Heel saaie dingen, vrees ik. Ik werk bij een bedrijf dat economische verslagen opstelt.'

'Wauw, dat... dat klinkt écht supersaai!'

'Ik heb mijn dromen,' zei ze.

'Wat voor dromen?'

'Ik hou van reizen. Azië, het Verre Oosten... Als het maar heet is.'

'Er is een Indiaas restaurant aan Downham Market. Daar kan het er ook heet aan toe gaan.'

Ze glimlachte naar de voorruit. 'Tja, misschien zal ik me daar deze kerstvakantie mee moeten behelpen. Wat doe jij?'

'Ik studeer geologie in Newcastle.'

'Boeiend?'

'Zo ver zou ik niet willen gaan, maar er zijn wel boeiende excursies. Volgend jaar gaan we naar Groenland.'

'Cool.'

'Ja, ijzig zelfs. Maar ik hou van koude plekken, als je me kunt volgen. Zoals jij duidelijk van de hitte houdt.'

'Jammer.'

'Nou, misschien kunnen we een gulden middenweg vinden. In een gematigd klimaat. Het café, bijvoorbeeld.'

Denzil reed een parkeerterrein op en stopte.

'We zijn er. De Groene Man. *l'Homme vert. El hombre...*'

'Het ziet er leuk uit,' zei ze zacht. 'Mag ik mijn jas en mijn tas in je auto laten liggen?'

292

62

'Ja, meneer de minister,' zei Jim Dunstan. 'Ik ben er vast van overtuigd dat ze vannacht zullen toeslaan, koste wat kost. We denken nu dat het niet alleen een kwestie van jihad is, maar ook van familie-eer. In die context is er geen onderhandeling mogelijk... Nee. Dank ú, meneer de minister. Goedenavond.'

Hij legde op. 'Binnenlandse Zaken,' legde hij uit aan de stuk of tien mensen die naar hem hadden gekeken en geluisterd. 'En die twee jokers kunnen vannacht maar beter iets bombarderen, of...'

Een stuk of tien paar ogen gaapte hem aan. De SAS-kapitein grinnikte. De spanning werd doorbroken door Mackays vaste lijn. De man van MI6 griste de hoorn van de haak. 'Hallo? Vince? Waar zit je, man? O. En je hebt... Perféct! Wat goed van je. Wacht even, ik...'

Hij hield zijn hand voor de hoorn en wenkte Liz. 'Price-Lascelles. Die schooldirecteur uit Wales. Onze man heeft hem opgeduikeld. Slechte verbinding.'

Liz' ogen werden groot. 'Oké. Niet doorverbinden.'

Ze liep naar zijn bureau. De stem van de directeur klonk zacht, alsof hij door lagen dikke dekens werd gedempt. '... met u? Ik heb begrepen... me wilde spreken?'

'Ik moet informatie hebben over een van uw leerlingen. Jean d'Aubigny... Ja, Jean d'Aubigny!'

'... goed herinneren. Wat kan ik...'

'Had ze hechte vriendschappen? Mensen bij wie ze de vakantie zou kunnen hebben doorgebracht? Mensen met wie ze nog contact heeft?'

'Wát heeft?'

'Wie waren de beste vrienden van Jean d'Aubigny?' riep Liz.

'... lastige meid, die niet gemakkelijk contacten legde. Haar beste vriendin was voorzover ik me herinner een problematisch... Megan Davies. Haar ouders... in Lincoln, geloof ik. Haar vader was beroepsmilitair. Luchtmacht.'

'Weet u dat zeker?'

293

'…ik heb gehoord. Leuk stel. John en Dawn heetten ze geloof… hot naar her… Megan onhandelbaar van geworden. Uiteindelijk bleek dat we… leerlingen met drugs in het gebouw.'

'Logeerde Jean d'Aubigny wel eens bij het gezin Davies?'

'…weet niet. Misschien nadat Megan van Garth House af was.'

'Waar verhuisden de Davies na Gedney Hill naartoe?'

'Het spijt me, dat weet ik niet. Ze… toen Megan van school ging.'

'Weet u waar Megan naartoe is gegaan? De nieuwe school? Meneer Price-Lascelles? Halló?' Maar de verbinding was weggevallen. Iedereen staarde haar aan. Met name Mackay en Dunstan glimlachten toegeeflijk.

Zat ze er faliekant naast? Was het een hersenschim?

Ze hing op en liep zonder iemand aan te kijken terug naar haar bureau. De ogen volgden haar. Ze opende het adresboek op haar laptop en belde het ministerie van Defensie. Ze legitimeerde zich met haar code en liet zich doorverbinden met het archief.

'Ik wilde de tent eigenlijk net sluiten,' zei een man met een jonge, vriendelijke stem. 'Kan het snel?'

'Het gaat zo snel als het gaat,' zei Liz effen. 'Dit is een kwestie van landelijke veiligheid, dus als je volgende week niet in de rij bij het arbeidsbureau wilt staan, raad ik je aan te blijven zitten waar je zit tot we klaar zijn, is dat duidelijk?'

'Duidelijk,' zei de man gepikeerd.

'Gegevens van de luchtmacht,' zei Liz. 'John Davies, D, A, V, I, E, S, hoge officier, waarschijnlijk een bureaufunctie, zijn vrouw heet Dawn en zijn dochter Megan.'

'Wacht even, ik…' Er klonken aanslagen op een toetsenbord. 'John Davies, zegt u… Ja, daar is hij. Getrouwd met Dawn Letherby. Hij werkt bij het strategisch luchtcommando.'

'Is hij ooit gestationeerd geweest in Lincolnshire?'

'Ja. Hij heeft, even zien, tweeëneenhalf jaar het commando over Gedney Hill gehad.'

'Bestaat die basis nog? Ik had er nog nooit van gehoord.'

'Nee, hij is een jaar of tien geleden wegbezuinigd. Daar deden ze de ontsnappings- en ontwijkingstrainingen voor bemanningen. En ik geloof dat de elitetroepen er ook Chinook-trainingen hielden.'

'En waar is Davies daarna heen gegaan?' vroeg Liz.

'Even kijken… Een halfjaar op Cyprus, en toen heeft hij het bevel gekregen over de basis Marwell in East-Anglia. Dat is een van de Amerikaanse...'

Liz voelde haar hand om de hoorn verstrakken. Ze hield haar stem met moeite in bedwang.

'Ik weet het,' zei ze. 'Waar woonde hij met zijn gezin?'

'In het dorpje West Ford. Zal ik u het adres geven?'

'Zo meteen. Ik wil eerst dat je een zekere Delves voor me opzoekt, Colin Delves, D, E, L, V, E, S, die het commando heeft overgenomen. Kijk of hij op hetzelfde adres woont.'

Weer gedempt geratel op een toetsenbord. Een korte stilte. 'Hetzelfde adres. The Terrace 1 in West Ford.'

'Dank je,' zei Liz.

Ze hing op en keek om zich heen. 'We bewaken het verkeerde doelwit,' zei ze.

Een ijzige, diep vijandige stilte.

'Jean d'Aubigny's bruidsschat. De reden waarom ze opeens voor deze operatie is ingezet. Ze had geheime gegevens die cruciaal waren voor het ITS; ze wist waar de commandant van de basis Marwell was ingekwartierd. Ze heeft er gelogeerd, bij een schoolvriendin van haar. Waarschijnlijk kent ze dat huis als haar broekzak. Ze beramen een aanslag op Colin Delves en zijn gezin.'

Jim Dunstan knipperde met zijn ogen en werd spierwit. Hij keek vragend van Mackay naar Don Whitten.

De SAS-kapitein was de eerste die in beweging kwam. Hij toetste een intern nummer in. 'Sabre-teams onmiddellijk in paraatheid brengen. Ik herhaal: Sabre-teams onmiddellijk in staat van paraatheid brengen.'

'West Ford,' zei Liz. 'Ze wonen in West Ford.'

Geroezemoes van gespannen stemmen. Rennende voetstappen, het starten van motoren en de verlichte hangar die onder de helikopters wegviel.

295

63

De Groene Man was een groot, sober bierlokaal met een lange eikenhouten bar en een indrukwekkende rij taps. Er was geen jukebox of gokautomaat, maar de klanten waren jong en druk en er was veel lawaai. Een wolk sigarettenrook hing iets boven hoofdhoogte. Na een korte zoektocht vonden Jean en Denzil een tafel tegen de muur en Denzil ging het eerste rondje halen. Toen hij aan de bar stond te wachten, zag Jean dat hij stiekem zijn geld telde.

Hij kwam terug met twee pinten Suffolk bitter. Jean had niet meer gedronken sinds ze moslim was geworden, maar Faraj had haar aangeraden ten minste één drankje te nemen om haar goede wil te tonen. Het bier was zuur en schuimig, maar het stond haar niet tegen. Het gaf haar iets om vast te houden en, minstens zo belangrijk, iets om onder het praten naar te kijken. Aan het begin van de avond had ze de vergissing begaan Denzil recht in de ogen te kijken en zijn open, vragende blik te zien, en dat was bijna ondraaglijk geweest.

Met hem praten was moeilijker dan ze voor mogelijk had gehouden. Hij was schutterig en verlegen, maar ook gevoelig en vriendelijk, en hij kon om zichzelf lachen. Hij deed bijna pijnlijk zijn best om haar een leuke avond te bezorgen, en ze voelde dat hij wanhopig naar gespreksonderwerpen zocht die haar zouden kunnen boeien.

Kijk hem niet aan, maar kijk door hem héén, hield ze zichzelf voor, maar het hielp niet. Ze deelde een kleine, intieme ruimte met een jongen die ze steeds aardiger begon te vinden. En ze was van plan hem te vermoorden.

Toen het haar beurt was om een rondje te halen, kwam ze terug met een pint in elke hand en zette beide glazen voor hem neer. Ze had haar eigen glas nog niet halfleeg.

'Om tijd te sparen,' legde ze uit. 'Het is nogal druk aan de bar.'

'Als de Amerikanen er zijn, is het nog veel drukker,' vertelde hij. 'Om er nog maar van te zwijgen hoeveel moeilijker wij, de jongens van hier, het met de meiden hebben.'

'Waarom zijn de Amerikanen er vanavond dan niet?'

'Ze zullen wel huisarrest hebben. Er schijnt een aanslag in de lucht te hangen. Er zijn een paar moorden gepleegd in de buurt van Brancaster en ze denken dat het iets met Marwell te maken heeft.'

'Wat is Marwell?'

'Zo'n luchtmachtbasis die door de Amerikanen wordt gebruikt. Je weet wel, net zoals Lakenheath... Mildenhall...'

'Wat heeft dat met Brancaster te maken? Ik dacht dat daar alleen werd gezeild.'

'Eerlijk gezegd heb ik het allemaal niet zo goed gevolgd. Ik heb het van mijn stiefvader gehoord. Hij is...'

Ze wachtte.

Denzil keek betrapt in zijn bier. 'Hij is, eh... hij is iets beter op de hoogte dan ik, wat de omgeving betreft. Ze denken dat de mensen die de moorden aan de kust hebben gepleegd van plan zijn een aanslag op Marwell te plegen.'

'Waarom?'

'Eerlijk waar, ik heb het allemaal niet zo goed gevolgd. Ik ben de afgelopen paar dagen veel op pad geweest.'

'Is het hier in de buurt?'

'Marwell? Een kilometer of twintig.' Hij hief zijn glas op alsof hij wilde kijken of zijn hand niet beefde. 'En aangezien er drie bataljons tussen de basis en ons zitten, denk ik dat wij vrij vei...'

Ze keek hem aan. Ze begon een beetje duizelig te worden van de alcohol. 'En als dat nu eens niet zo is? Als het na vanavond nu eens allemaal was afgelopen? Zou je dan vinden dat je... genoeg had geleefd?'

'Wauw! Wat een heftige...'

'Nou? Zou je klaar zijn om te sterven?'

Hij kneep zijn ogen halfdicht en glimlachte. 'Maak je een geintje?'

Ze haalde haar schouders op. 'Nee.'

'Nou, goed dan. Als ik moest, stérven, zeg maar, zou dit waarschijnlijk niet het slechtste moment zijn. Mijn moeder is een paar jaar geleden hertrouwd en ze is gelukkiger dan ik haar ooit heb gezien, en ik heb een zusje gekregen – zeventien jaar jonger dan ik, dat geloof je toch niet, zéventien jaar jonger – dat me eigenlijk nog niet kent en dus weinig verdriet zou hebben om mijn dood, maar mijn moeder zou haar nog hebben. Ik heb nog niet echt iets met mijn leven gedaan, wat mijn carrière betreft dan, dus in zekere zin zou er weinig verloren gaan, dus... Ja, als ik nu moest sterven, zou het niet zo'n slecht moment zijn.'

'En je vader dan? Je echte vader?'

'Tja... Die heeft ons jaren geleden in de steek gelaten, toen ik nog klein was, dus hij kan niet echt van ons gehouden hebben...' Hij wreef in zijn ogen. 'Lucy, ik vind je een leuke meid, maar waarom hebben we dit gesprek?'

Ze schudde haar hoofd om weer scherp te kunnen zien. Toen dronk ze haar glas leeg en schoof het naar hem toe. 'Zou je...?'

'Ja, tuurlijk.'

Er klonk een ver geruis in haar hoofd, alsof ze een reusachtige schelp tegen haar oor hield. Gisterochtend had ze een jongen vermoord van ongeveer dezelfde leeftijd als deze, met een geluidloos, Russisch pistool. Ze had naar hem geglimlacht en de trekker overgehaald, ze had het schokje van de gedempte terugslag gevoeld en gezien hoe de schedelinhoud van de jongen in de hoek van de kofferbak spatte. Nu was ze herboren, een Hemels Kind, en nu begreep ze eindelijk wat de instructeur in Takht-i-Suleiman altijd zo grappig had gevonden, zo grappig dat hij regelmatig schuddebuikte van het lachen en niet meer uit zijn woorden kon komen.

Ze was herboren als een dode. Het moment had alles veranderd, zoals beloofd. Er was een schakelaar in haar omgezet, er was kortsluiting ontstaan en de netwerken waren lamgeslagen. Ze was bang geweest dat ze te veel zou voelen, maar in plaats daarvan voelde ze niets meer, wat oneindig veel erger was. Neem nu de afgelopen nacht. Faraj en zij waren als gereanimeerde lijken geweest. Ze hadden in elkaars armen liggen schokken als kikkers onder stroom in een scheikundelokaal.

En Jessica. Ze had de kwestie van de baby van zich af gezet. Ze tilde haar arm op en beet erin tot haar tanden elkaar vonden. Toen ze losliet, stroomde het bloed uit twee paarse halvemanen in haar onderarm. Niet dat het geen pijn deed, maar het maakte gewoon niets uit. Heel even, een fractie van een seconde, voelde ze de donkere schim van haar achtervolger.

'Nog een pint voor mademoiselle Lucy. Zeg, je bent toch niet toevallig getrouwd?'

'Toevallig niet, nee.' Ze nam een slok bier.

'Vertel dan eens, ongetrouwde Lucy, waar je precies logeert en waarom je met onbekende mannen naar het café wilt?'

298

Ze zag dat zijn vrijpostigheid hem moed gaf en hem kalmeerde. Haar hoofd zakte langzaam naar voren tot haar voorhoofd haar glas raakte. 'Goeie vraag,' zei ze, 'maar heel moeilijk te beantwoorden.'

Hij leunde naar haar over. 'Doe je best eens.'

Ze zweeg. Nam nog een teug bier. En nog een.

'Of niet, natuurlijk,' mompelde hij. Hij richtte zich op en wendde zijn ogen af.

De alcohol gierde door haar lijf. Vroeger, met Megan, was er ook nooit veel voor nodig geweest. Een paar glaasjes en ze vloog. 'Als ik je vertelde dat ons gesprek van daarnet het belangrijkste van je leven was...'

'Ik...' Hij schokschouderde. 'Het zou kunnen.'

Ze zag in zijn ogen dat het hem begon te dagen dat deze avond geen magisch besluit zou krijgen. Dat ze gewoon weer zo'n geschifte, moeilijke vrouw was die hem niet was gegund.

Ze pakte zijn hand, die groot en warm was, en vochtig van het bierglas. Ze draaide hem om en bestudeerde zijn handpalm, en terwijl ze dat deed, werd iets, of eigenlijk alles, oogverblindend duidelijk. Ze lachte hardop. 'Kijk,' zei ze. 'Een lang leven!'

'Iedereen in onze familie wordt oud,' zei hij verveeld.

Ze glimlachte naar hem, liet zijn hand los en dronk haar glas leeg. 'Mag ik de autosleutels even?' zei ze. 'Ik moet iets pakken.'

Ze liep naar de auto, deed de rugzak om en trok haar jack eroverheen aan. Toen ze in haar regenjack terugkwam, keek Denzil berustend naar haar op. 'Je gaat ervandoor, hè? En ik zal nooit iets over je te weten komen.'

'We zien wel,' zei ze. Ze legde haar hand even op zijn wang en liep weg.

Buiten streelde de regen over haar gezicht. Ze voelde haar voeten de grond niet raken, maar leek te zweven, gedragen door een lichtheid van geest die ze niet eerder had gekend. Het was geen kwestie van rationaliseren; ze ging het gewoon niet doen. Ze was bevrijd van de behoefte ooit nog te gehoorzamen, of het nu aan een ander of aan een geloof was. Ze konden haar niet vermoorden; noch Faraj en zijn mensen, noch haar achtervolgster en haar mensen. Ze was al dood.

Ze wist niet hoelang ze had gelopen. Hooguit een kwartier, vermoedelijk. Ze moest plassen van al het bier, en toen ze gehurkt langs de weg zat, met haar camouflagebroek om haar enkels – herinneringen

299

aan Takht-i-Suleiman – zag ze Denzil in de Honda Accord voorbijzoeven. Ze liep door. Het was alsof ze stilstond en de weg zich onder haar voeten ontrolde. Ze glimlachte en de tranen stroomden samen met de regen over haar wangen.

Het geluid van de helikopters was eerst veraf, maar toen werd het een grauwende, snijdende razernij die haar omsingelde. Voor zich zag ze het cricketveld, vanuit de lucht in de schijnwerpers gezet; een schouwspel van een onwezenlijke dramatiek en schoonheid. In het midden landde een Puma van het Britse leger, zacht sissend en deinend op zijn onderstel, waaruit de in het zwart geklede bemanning sprong en rennend positie koos. Heckler & Koch MP5's, merkte ze goedkeurend op. De SAS. En op de weg daarachter het saffierblauwe knipperen van politieauto's tegen de neogotische achtergrond, nog meer rennende gedaantes en de weerkaatsende echo van een megafoon.

Jean d'Aubigny liep door. Ze was het liefst blijven staan om te huilen, maar de schoonheid van het geheel, en de aandacht voor de details, was te overweldigend. Zwak, aan de rand van haar bewustzijn, hoorde ze het klikken van vergrendelingen. Scherpschutters van de politie, dacht ze, maar ze was het meteen weer vergeten, want op het midden van het toneel, verlicht door een politiehelikopter, stond een tengere, kordaat uitziende gestalte die ze direct herkende. De vrouw had haar zwarte haar uit haar gezicht gekamd en haar leren jack tot aan haar kin dichtgeritst.

Jean glimlachte. Op de een of andere manier was het allemaal zo vertrouwd. Het was alsof dit toneelstuk al oneindig veel keren was vertoond. 'Ik wist dat je zou komen,' riep ze, maar de wind en de opwaartse luchtstroom van de helikopters gristen haar woorden mee.

Faraj zag door het raam in het paviljoen hoe de beschermingstroepen de omgeving overstroomden en wist dat hij er was geweest. Hij zag de militairen uit de Puma springen, het helverlichte cricketveld op, en hij zag de scherpschutters aan touwen uit de zwevende Gazelles naar de omringende daken zakken. Dankzij de verrekijker was er echter nog iets wat hij zeker wist: dat de jongen de Honda een paar minuten geleden de garage in had gereden. De bom moest in de auto liggen, en hij bleef de verrekijker op de voorgevel van het huis gericht houden. Hij had geen idee waar het meisje was, mogelijk in het huis, met de jongen, maar hij moest iets doen voordat de politie de omgeving eva-

300

cueerde en de hele operatie tevergeefs werd. Hij pakte het zendertje uit zijn zak, drukte er een kus op, nam afscheid van de strijdster Asimat en zei de naam van zijn vader en van Farzana, die zijn beminde was geweest.

De vrouw liep onzeker over het verlichte cricketveld en Liz besefte dat ze Jean d'Aubigny zag. Haar natte haar was kort en haar gezicht was veel smaller en scherper dan dat van de nog mollige tiener op de foto's, maar ze was het onmiskenbaar. Ze droeg een regenjack, open. De coltrui eronder werd doorsneden door de grijze band van een rugzak.

Toen hun ogen elkaar vonden, glimlachte de vrouw alsof ze Liz herkende, en haar lippen bewogen in haar beregende gezicht. Ze lijkt jonger dan vierentwintig, dacht Liz. Bijna kinderlijk.

Ze hielden nog even oogcontact, en toen werd de nacht sidderend uiteengereten. Een vloedgolf van duisternis kwam bulderend op Liz af – pure kracht, pure haat – en ze werd opgetild en als speelgoed door de lucht gesmeten. De grond leek omhoog te komen om haar op te vangen en een ogenblik lang, terwijl de daverende onderstroom van de explosie over haar heen golfde en de lucht uit haar longen perste, wist ze niets en begreep ze niets.

Er viel een stilte, een lange stilte, leek het, waarin het aarde, kleding en stukken lichaam regende, en toen hief ze haar hoofd op, dat verschrikkelijk veel pijn deed, en zag mensen geluidloos om zich heen bewegen, spookachtig onder de flakkerende schijnwerpers. Aan haar ene kant zat een politieman op handen en knieën. Zijn uniform hing in rafels om zijn lijf en er kwam bloedig slijm uit zijn neus en mond. Aan haar andere kant lag Don Whitten op zijn buik te rillen in zijn jas, en achter hem zat een legerofficier die uit beide oren bloedde wezenloos voor zich uit te kijken. Ze hoorde een hoge, draderige schreeuw in haar eigen oren. Niet menselijk, maar meer een soort echo.

Een politieman rende op haar af en riep iets, maar ze was doof en wuifde hem weg. Nog meer rennende voeten, en toen zwaaiden de helikopters met hun lichten weg om het paviljoen en het bos achter het cricketveld te bestrijken. Ze moesten Mansoor gevonden hebben. 'Levend!' wilde ze roepen terwijl ze zich met de regen in haar gezicht op haar knieën hees. 'Vang hem levend!' Maar ze kon haar eigen stem niet horen.

Ze rende nu, glibberend over het natte gras, en ze duwde Wendy

301

Clissold en een andere, vagere gedaante opzij. Ze rende diagonaal naar een Sabre-team van de SAS dat snel en doelbewust langs de rand van het veld naar het paviljoen oprukte. Elke stap was als een mokerslag achter haar ogen en ze voelde de warme, metalige smaak van bloed in haar mond. Ze kon nog steeds vrijwel niets horen, afgezien van de draderige schreeuw in haar oren en het maaiende gonzen van de helikopters, dus merkte ze Bruno Mackay pas op toen hij van achteren op haar dook, zijn armen om de natte kuiten van haar spijkerbroek sloeg, haar onhandig op de grond werkte en haar daar vastpinde.

Ze kreunde verdwaasd. 'Bruno, we... Snap je dan niet dat we...'

'Geen beweging, Liz,' zei hij gebiedend, en hij drukte haar polsen hard tegen de grond. 'Toe. Je denkt niet helder.'

Zijn stem was niet meer dan een fluistering. Ze ontblootte haar bebloede tanden en kronkelde.

'Geen beweging, zei ik! Straks worden we nog doodgeschoten.'

Ze bleef liggen, uitgeschakeld. Zag hoe de schijnwerper van de politiehelikopter het paviljoen wit maakte. Dag voor nacht. Ze wist niet eens meer wat ze had willen proberen te doen.

'Ik heb niks,' fluisterde ze.

'O, jawel,' siste hij. 'Je hebt een zware hersenschudding. En we moeten hier wég. Als het tot een vuurgevecht komt, zullen we ons...'

'We moeten Mansoor levend hebben.'

'Weet ik, maar we moeten nu terug. Alsjeblíéft? Laat het aan de SAS over.'

De vier soldaten liepen met hun MP5-karabijnen op schouderhoogte naar het paviljoen, maar voordat ze er waren, ging de voordeur langzaam open en stapte er een pezige figuur met scherpe trekken op het verlichte spelersterras die zijn ogen dichtkneep tegen het felle schijnsel. Hij droeg een spijkerbroek en een grijs T-shirt. Hij hield zijn handen omhoog. Hij had geen wapen.

Liz keek gefascineerd naar Faraj Mansoor. Ze zag hoe de eerste regendruppels donkere vlekken op zijn T-shirt maakten. Mackay daarentegen keurde hem nauwelijks een blik waardig, en met een plotseling opkomend, verschrikkelijk besef wist Liz precies wat er te gebeuren stond, en waarom.

De SAS-mannen en Mansoor stonden een moment bewegingloos tegenover elkaar en toen riep een van de SAS'ers: 'Granaat!'

De vier mannen richtten hun wapens en vuurden vanaf niet meer

302

dan tien meter afstand een beheerste kogelregen op Faraj Mansoors borst af. Liz keek sprakeloos toe toen hij schoppend opveerde en geknakt op de grond viel.

Het bleef even stil. Toen stapte een van de soldaten naar voren en schoot vormelijk afgemeten nog eens twee kogels in de nek van de liggende man.

Met een gezicht dat droop van de regen staarde Liz naar het tableau in de schijnwerper. Ze voelde dat Mackay haar armen op haar rug drukte en wrong zich los. Ze voelde dat het bloed op haar gezicht begon te stollen en dat de regen door haar haar over haar rug stroomde. Ze huilde bijna van woede. 'Besef je verdomme wel wat je hebt gedaan?'

Mackays stem klonk geduldig.

'Liz,' zei hij. 'Doe normaal.'

64

Ze hoorde voetstappen, maar besteedde er geen aandacht aan. Niet haar probleem. Ze begon weer weg te zakken, maar toen hoorde ze iemand als van heel ver weg haar naam zeggen. Toen de voetstappen weer.

Liz sloeg onwillig haar ogen op. Ze wist niet waar ze was, maar aan de vlakke lichtval door de dunne katoenen gordijnen te zien moest het halverwege de ochtend zijn. Ze knipperde met haar ogen. De kamer was groot en de wanden waren hemelsblauw. Tussen haar bed en het raam stonden een roestvrijstalen infuusstandaard en een verrijdbare zuurstoftank. Ze had zuurstofslangetjes in haar neus, ze lag tussen de kussens en het hoofdeind van het bed was een beetje schuin omhooggezet, zodat ze gemakkelijk lag. Buiten hoorde ze het verre bulderen van straalmotoren.

De mist van de tranquillizers trok langzaam op. Het was afgelopen, en Faraj Mansoor en Jean d'Aubigny waren dood. Maar ze was hele stukken van de afgelopen avond definitief kwijt, besefte Liz. Daar hadden de ontploffing en haar hersenschudding wel voor gezorgd. Iets wat haar nog wel helder voor ogen stond, en dat haar een vreemd soort voldoening schonk, was dat ze, nadat ze getuige was geweest van Mansoors dood, had geweigerd zich door Bruno Mackay naar een wachtende ambulance te laten helpen. Ze had op eigen kracht gelopen. Halverwege was ze op haar knieën gevallen, en een ambulanceteam van de luchtmacht was met een brancard naar haar toe gerend. Ze herinnerde zich de prik van de naald in haar arm, de zachte kus van de regen op haar gezicht, sirenes en zwaailichten. Toen was de helikopter opgestegen met een slaapverwekkend brommen van de motor, en ze had een radioverbinding zwak horen knetteren. Toen niets meer.

Ze trok het zuurstofslangetje uit haar neusgaten. Haar hoofd bonsde en ze had een drabbige, muffe smaak in haar mond. Het was niet warm en niet koud in de kamer. Ze droeg een witte ziekenhuisjurk met een vetersluiting op de rug.

304

De deur ging open en er verscheen een jonge, blonde vrouw in gevechtsbroek en een USAF T-shirt. 'Hallo daar! Hoe gáát het vanochtend?'

'Eh... wel goed, denk ik.' Liz knipperde met haar ogen en richtte zich moeizaam op. 'Waar ben ik?'

'Marwell. Het luchtmachtziekenhuis. Ik ben dokter Beth Wildor.' Ze had een kordate houding en oogverblindend witte tanden.

Liz knikte. 'O, goed. Eh... mag ik opstaan?'

'Zal ik je eerst even onderzoeken?'

'Ook goed.'

Dokter Wildor tuurde in haar ogen en oren, testte haar gehoor, nam haar bloeddruk op en deed andere tests, waarvan ze de resultaten op een klembord noteerde.

'U hebt een indrukwekkend herstellingsvermogen, mevrouw Carlyle,' zei ze, toen ze tien minuten later klaar was. 'U was niet gezond toen u hier vannacht werd binnengedragen.'

'Ik vrees dat ik me er weinig van herinner.'

'Dat noemen we een explosietrauma. Waarschijnlijk zult u zich bepaalde elementen van de ervaring nooit meer herinneren, maar in dit geval is dat misschien maar beter ook.'

'Zijn er doden gevallen?'

'Afgezien van de terroristen zelf, bedoelt u? Nee. Wel gewonden, maar geen doden.'

'Goddank.'

'Wat u zegt. U bent toch van de politie?'

'Binnenlandse Zaken. Mag ik nu opstaan?'

'Weet u, mevrouw Carlyle, ik heb liever dat u het kalm aan doet. Als u uw bezoek nu eens ontving, dan praten we verder wanneer ik mijn ronde heb gelopen.'

'Heb ik bezoek?'

'Nou en of,' zei ze met een samenzweerderige, blikkerende grijns. 'En hij lijkt zich héél bezorgd om u te maken.'

'Als hij Mackay heet, hoef ik hem niet te zien.'

'Ik geloof niet dat hij zo heette. Hij heette...' – ze keek op het klembord – '... meneer Wetherby.'

'Wétherby?' Ze voelde een onverklaarbaar opgewonden verbazing. 'Is hij hier?'

'Vlak achter de deur.' Ze keek Liz effen aan. 'Mag ik daaruit afleiden dat hij wel welkom is?'

305

'Hij is meer dan welkom,' zei Liz, die vergeefs probeerde een glimlach te bedwingen.

'Oké! Wilt u zich misschien eerst even opfrissen?'

'Misschien wel.'

'Ik zal zeggen dat hij over vijf minuten naar binnen mag.'

Toen dokter Wildor weg was, zwaaide Liz haar benen over de rand van het bed en liep naar de wastafel. Ze voelde zich wankel en schrok van haar gezicht in de spiegel. Ze zag er afgetobd en vermoeid uit, en ze had door de ontploffing twee blauwe ogen. Ze behielp zich met het vacuüm verpakt toiletsetje dat ze op haar nachtkastje had gevonden en ging toen zo elegant mogelijk in bed liggen, wat haar het gevoel gaf dat ze een aansteller en een bedrieger was.

Wetherby kwam met een bos bloemen binnen. Ze had het zich moeilijk kunnen voorstellen, maar hij zwaaide wel degelijk met een nogal schreeuwerig boeket semi-tropische bloemen.

'Kan ik die ergens kwijt?' vroeg hij, zorgelijk om zich heen kijkend zonder echt iets te zien.

'In de wastafel, misschien? Wat mooi, dank je wel.'

Hij bleef even met zijn rug naar haar toe staan redderen. 'En... hoe voel je je?' vroeg hij.

'Beter dan ik eruitzie.'

Hij ging een beetje onhandig op het voeteneind van het bed zitten. 'Je ziet eruit... Enfin, ik ben blij dat het niet erger is.'

Het viel Liz in dat ziekenhuisbezoeken een naargeestig onderdeel van Wetherby's routine moesten zijn, en ze geneerde zich ervoor dat ze hier als een tragische heldin lag terwijl ze in feite weinig leek te mankeren. 'Ik heb begrepen dat er aan onze kant geen doden zijn gevallen?'

'Hoofdinspecteur Whitten ligt in de kamer hiernaast. Hij is door metaalsplinters geraakt, de behuizing van de bom, denken ze, en hij heeft vrij veel bloed verloren. Een paar legermensen zijn ook lelijk toegetakeld en er zijn nog een stuk of vijf mensen met een explosietrauma, zoals jij. Maar nee, geen doden. Wat we grotendeels aan jou te danken hebben.'

'Er is geen tekort aan lijken geweest gedurende de hele zaak.' Ze wendde haar blik af. 'Je weet het, hè, van Faraj Mansoor? Wie hij eigenlijk was?'

Hij keek haar niet-begrijpend aan. 'Wil je ontbijten terwijl we praten?'

306

'Graag.'

Hij keek naar de deur. 'Ik zal vragen of ze je iets brengen. Wat wil je?'

'Ik wil me aankleden. Een kantine of zoiets zoeken. Ik heb de pest aan eten in bed.'

'Mag je eruit? Ik zou die vrouw met die mooie tanden niet graag tegen me krijgen.'

'Ik waag het erop.' Liz glimlachte, zich bewust van het onhandige protocol dat hun verbood elkaar bij de naam te noemen. Opgepept door een plotselinge, roekeloze uitgelatenheid stapte ze in haar vormeloze kleding uit bed en draaide een pirouette.

Wetherby stond op, maakte een ironisch ridderlijke buiging en liep naar de deur.

Ze zag hem gaan, herinnerde zich dat de achterkant van haar pon niet sloot en schoot in de lach. Misschien was ze toch niet helemaal zichzelf.

Haar kleren waren nergens te bekennen, maar een attente hand had gloednieuw ondergoed, sportschoenen, een GO WARTHOGS! T-shirt en een grijs joggingpak in het kluisje bij het bed gelegd. Het zat allemaal als gegoten. Zo in de kleren gestoken deed ze de deur open.

'Volg mij,' zei Wetherby. 'Bekoorlijk ensemble, overigens.'

Ze stapten het asfalt op. Het was bijtend koud. In de verte, dof glanzend onder een zwarte wolkenbank, stond een falanx Thunderbolt-gevechtsvliegtuigen met de Gatling-kanonnen hemelwaarts gericht.

'"Ze scheppen een woestenij en noemen het vrede."'

'Wie heeft dat gezegd?' vroeg Liz.

'Tacitus. Over het Romeinse rijk.'

Ze keek hem aan. 'Ik neem aan dat je de hele nacht bent opgebleven en alles van minuut tot minuut hebt gevolgd?'

'Ik zat in COBRA-overleg toen ik doorkreeg dat jij per helikopter op weg was naar West Ford. Vijf minuten later meldde de politie een explosie met minstens tien doden of gewonden, zo werd gevreesd, en bijna direct daarna kwam er een melding van een soort vuurgevecht met de SAS. Tegen die tijd had Downing Street het niet meer, zoals je je kunt indenken, maar gelukkig had ik tegen de tijd dat ik daar aankwam wat harde feiten uit Jim Dunstan weten te trekken – waaronder het feit dat een van mijn mensen gewond was geraakt.' Hij glimlachte

307

droog. 'De premier leefde natuurlijk intens mee. Hij zei dat hij voor je zou bidden.'

'Dan zal ik het daardoor gehaald hebben. Maar vertel; ik heb alleen maar flarden gezien van wat er is gebeurd. Was er nog tijd om het gezin Delves te evacueren? Een van de politiemensen in mijn helikopter probeerde hen nog te bellen om te zeggen dat ze als de weerlicht weg moesten, maar de lijn was bezet en ze kwam er niet door.'

Wetherby knikte. 'De evacuatie van de omgeving was Dunstans grootste zorg, temeer daar het grootste deel van het plaatselijke korps twintig kilometer verderop zat om deze basis te bewaken. Uiteindelijk is het hem gelukt Delves' beveiligingsmensen te waarschuwen, en die hebben het café geëvacueerd en het gezin in veiligheid gebracht.'

'Waar?'

'De kerk aan de andere kant van het dorp, heb ik begrepen.'

'En intussen landen wij allemaal op het cricketveld. En daar komt Jean d'Aubigny...'

'Daar komt Jean d'Aubigny. Na de explosie brak de hel los, heb ik gehoord. Er werd een grote helikopterzoektocht naar Mansoor gehouden, iemand meldde warmtesporen rondom het paviljoen en een SAS-team ging op onderzoek uit.' Hij glimlachte wrang. 'Een gebeurtenis die jij van dichtbij hebt gevolgd, zo heb ik me laten vertellen.'

'Daar heb ik genoeg over te melden in mijn verslag,' prevelde Liz. 'Wees maar niet bang.'

'Ik verheug me erop.'

De kantine was immens, een blinkende zee van automaten en formica-tafelbladen, duizenden vierkante meters. Halverwege de ochtend waren er weinig bezoekers — een stuk of tien mensen, de meesten in sportkleding — en zij waren de enige klanten aan het lange buffet. Liz nam koffie, jus d'orange en toast. Wetherby alleen koffie.

'Je vroeg of ik wist wie Mansoor werkelijk was,' zei hij, peinzend in zijn kopje roerend.

'Inderdaad.'

'Het antwoord is ja. Geoffrey Fane heeft het me vanochtend vroeg verteld. Ik ben samen met hem in een helikopter hierheen gekomen.'

'Waar is Fane dan nu?'

'In de helikopter naar huis, denk ik, en onderweg zal hij Mackay wel uithoren.'

308

Liz keek ongelovig voor zich uit in de reusachtige, lege kantine. 'Klootzakken. Klóótzakken! Ze hebben ons opzettelijk in het duister laten tasten. Ons laten modderen. Mensen laten sterven.'

'Het heeft er alle schijn van,' zei Wetherby. 'Hoe ben je erachter gekomen?'

'Door Mackays gedrag van gisteravond. Toen Mansoor met zijn handen omhoog uit het paviljoen kwam – en vergeet niet dat we een week lang dag en nacht op hem hadden gejaagd – keek Mackay amper naar hem. Hij hield zijn hoofd zelfs afgewend, alsof hij niet herkend wilde worden.'

'Ga door.'

'Ze kenden elkaar. Er was geen andere verklaring.'

Wetherby keek afwezig naar een frisdrankautomaat. 'Faraj Mansoor was een agent van MI6, net als zijn vader vóór hem. Hij stond alom bekend als een eersteklas agent. Heel moedig en betrouwbaar.'

'En Mackay leidde hem?'

'Hij had hem geërfd. Mackay kwam rond de tijd van de Amerikaanse interventie in Afghanistan in Islamabad aan, en hij schijnt Mansoor een beetje te hard te hebben aangepakt. Hoe dan ook, Mansoor vroeg Mackay hem met rust te laten. Hij zei dat hij scherp in de gaten werd gehouden en stond erop dat ze voorlopig elk contact vermeden.'

'En liet Mackay hem met rust?'

'Hij had weinig keus. Mansoor was de beste man die MI6 daar had. Ze moesten hem tevreden houden.'

'En toen maaiden de Amerikanen zijn hele familie neer.'

'Inderdaad. Een tragisch ongeluk of dodelijke incompetentie, afhankelijk van hoe je de feiten interpreteert, maar Mansoor interpreteerde het als een wraakoefening. Als straf omdat hij het contact met Mackay had verbroken. En dus is hij overgelopen, wat misschien geen verrassing mag zijn, en heeft hij zich bij de jihadi's aangesloten. Zijn vader en zijn verloofde waren omgekomen en er werd een soort vergelding van hem verwacht. Het is bovenal een erezaak.'

'Oog om oog.'

'Die dingen, ja.'

'En daar komt d'Aubigny.'

'Daar komt d'Aubigny. Ze zit rond die tijd in Parijs, en vertelt haar leiders dat ze over geheime informatie beschikt; ze weet waar de com-

309

mandant van Marwell woont. Berichten gaan de hele wereld over en de ITS-planners beseffen dat ze diverse symbolische vliegen in één klap kunnen slaan. De kans is gewoon te mooi om te laten lopen.'

Liz schudde haar hoofd. 'Te oordelen naar Mansoors gedrag tegen het eind zou ik zeggen dat het voor hem bijna alleen maar persoonlijk was. Toen hij zag dat hij het gezin Delves niet meer kon elimineren, gaf hij het gewoon op. Hij was gewapend en kon gemakkelijk een SAS'er uitschakelen, maar in dat stadium...' Ze schokschouderde. 'Volgens mij zag hij er de zin niet van in nog meer mensen te doden. Vermoedelijk had hij niet eens een uitgesproken hekel aan het westen.'

Wetherby schokschouderde. 'Je zou best gelijk kunnen hebben.'

Liz fronste haar voorhoofd. 'Vertel eens. Als onze informatie over Pakistan ons via Six bereikte, en zij hielden informatie over Mansoor achter, hoe heb je dan ontdekt dat zijn familie door de Amerikanen was uitgemoord?'

Wetherby keek haar met een scheef glimlachje aan. 'Six verlaat zich in Pakistan vooral op de Interdisciplinaire Inlichtingendienst die, zoals je weet, onder het ministerie van Defensie valt. Ze bemoeien zich minder met het Inlichtingenbureau, dat onder Binnenlandse Zaken valt en, laten we zeggen, nogal vooringenomen is ten opzichte van de In-lichtingendienst.'

'En jij hebt vrienden bij het Inlichtingenbureau?' vroeg Liz.

'Ik onderhoud daar een paar vriendschappen, ja. Met mensen die ik zo nodig rechtstreeks kan benaderen. Ik heb de naam Faraj Mansoor opgevraagd, en hun databank vond een vermoedelijke terrorist van wie de vader en verloofde bij Daranj waren omgekomen. Wat zij niet wisten en ik niet heb gezegd, was dat Mansoor een voormalig Brits agent was.'

'Maar waarom, waaróm, hebben Fane en Mackay ons dat niet alle-maal verteld? Ik bedoel... we hadden het toch wel begrepen? We zou-den het toch stil hebben gehouden?'

'Het is een kwestie van wie je informatie geeft,' zei Wetherby. 'Fane vindt dat je iets óf aan iedereen moet vertellen, ook aan de Amerika-nen, óf aan niemand. En ze hebben er snel voor gekozen dit aan nie-mand te vertellen.'

'Waarom?'

'Stel je voor dat het Mansoor was gelukt een discotheek in Londen op te blazen, bijvoorbeeld, of een belangrijke onderneming of kazerne ernstige schade toe te brengen, mogelijk met veel slachtoffers, waarna openbaar wordt dat hij een voormalig agent van MI6 is. De schade zou niet te overzien zijn.'

'En als het getroffen instituut en de slachtoffers toevallig Amerikaans waren...'

'Exact. Het zou de spuigaten uitlopen. Het is veel slimmer om je koest te houden, hem door ons te laten vinden en hem dan uit te schakelen voordat hij iets kan zeggen.'

Liz schudde haar hoofd. 'Het spijt me. Ik begrijp het politieke standpunt, maar beschouw het gebeuren van vannacht nog steeds als onvergeeflijk. Het was gewoon moord. Hij had geen granaat. Hij stond met zijn handen omhoog.'

'Liz, ik vrees dat het niets uitmaakt. Mansoor en d'Aubigny hebben onschuldige mensen vermoord en nu zijn ze zelf dood. Er komt wel een onderzoek naar de handelwijze van de SAS, maar je kunt wel raden wat daaruit gaat komen.'

Ze schudde haar hoofd weer. Achter de rechtlijnigheid van de kantine en de hoge ramen had de lucht een boosaardige, vlekkerig grijze kleur. Een groepje jonge dienstplichtigen drentelde naar binnen, keek verveeld om zich heen en liep weer weg.

Liz keek even in haar lege koffiekop. 'We hebben verloren, hè?'

Wetherby stak zijn arm uit en pakte haar beide handen. 'Nee, Liz, we hebben gewonnen. Jij hebt dat gezin het leven gered. Niemand had meer kunnen doen.'

'We hebben de hele tijd achter de feiten aan gelopen. Ik heb geprobeerd d'Aubigny voor te zijn, maar het is me niet gelukt. Ik kon gewoon niet in haar huid kruipen.'

'Het was geen mens zo goed gelukt als jou.'

'Toen ze omkwam, stonden we oog in oog. Ik geloof zelfs dat ze iets tegen me zei, maar ik kon haar niet verstaan.'

Wetherby zweeg. Hij bleef haar handen vasthouden, en ze deed geen poging ze weg te trekken.

'Wat nu?' vroeg Liz uiteindelijk.

'Ik dacht dat we zouden kunnen vragen of iemand ons naar Swanley Heath wil brengen, dan kunnen we je auto oppikken. En dan wilde ik je naar Londen terugbrengen.'

'Goed,' zei Liz.

311

Dankwoord

Ik heb er jaren van gedroomd een thriller te schrijven, en al die tijd zag ik Liz, de hoofdpersoon, duidelijk voor me. Ze heeft zich de afgelopen jaren ontwikkeld en is samen met mij veranderd. Uiteraard is ze in hoge mate een afgeleide van mezelf, maar ze is ook gebaseerd op een aantal andere vrouwelijke geheim agenten die ik in de loop van mijn carrière heb ontmoet. De andere hoofdpersonen in dit boek zijn zuiver fictief, evenals het verhaal zelf. Ze dienden zich voor het eerst aan tijdens een gesprek onder het eten in de Winstub Gilg in Mittelbergheim in de Elzas, in juni 2001. Ik moet niet alleen John Rimington bedanken, mijn disgenoot, maar ook de Gilg tokay pinot gris, die het gesprek en de fantasie vleugels gaf. Wat anderen ook mogen denken, fictie schrijven en bij een inlichtingendienst werken zijn twee heel verschillende dingen, en zonder de vasthoudendheid en bemoedigingen van Sue Freestone, mijn uitgeefster bij Hutchinson, had ik de omschakeling niet kunnen maken. Ook zeer veel dank verdient Luke Jennings, zonder de hulp van wie bij het onderzoek en het schrijven zelf dit boek er nooit was gekomen.